교과… 맞춘 연산 프로그램

연산 마스터

계산력 강화

1. 흥미 유발과 집중도 UP
2. 원리 이해력 및 계산능력 강화
3. 관계 구조화를 통한 사고력 확장

초등 2·1

3권

계산력 한눈에 보기

1권(1-1)

1. 9까지의 수	1단계	(1) 1부터 5까지의 수 알아보기
		(2) 9까지의 수 알아보기
		(3) 몇 째인지 알아보기 / (4) 수의 순서 알아보기
		(5) 1 큰 수와 1 작은 수 알아보기
		(6) 두 수의 크기 비교하기
2. 9까지의 수 모으기와 가르기	2단계	(1) 5까지의 수 모으기 / (2) 5까지의 수를 가르기
		(3) 9까지의 수 모으기 / (4) 9까지의 수를 가르기
3. 덧셈과 뺄셈	3단계	(1) 합이 9까지인 덧셈 / (2) 한 자리 수의 뺄셈
		(3) 0을 더하거나 빼기 / (4) 덧셈과 뺄셈
		(5) 세 수로 덧셈식, 뺄셈식 만들기
4. 50까지의 수	4단계	(1) 9 다음 수 알아보기 / (2) 십몇 알아보기
		(3) 십몇 모으기 / (4) 십몇 가르기
		(5) 십몇 모으기와 가르기
	5단계	(1) 몇십 알아보기 / (2) 50까지의 수의 순서
		(3) 50까지의 수 모으기와 가르기
		(4) 50까지의 수(규칙 찾기) / (5) 더 큰 수 알아보기

2권(1-2)

1. 100까지의 수	1단계	(1) 몇십 알아보기 / (2) 99까지의 수 알아보기
		(3) 수의 순서 알아보기 / (4) 수의 크기 비교하기
		(5) 짝수와 홀수 알아보기
2. 덧셈과 뺄셈(1)	2단계	(1) 받아올림이 없는 (몇십몇)+(몇) 계산하기
		(2) 받아올림이 없는 (몇십)+(몇십) 계산하
		(3) 받아올림이 없는 (몇십몇)+(몇십몇) 계산하기
		(4) 그림을 보고 덧셈하기, 여러 가지 방법으로 덧셈하기
	3단계	(1) 받아내림이 없는 (몇십몇)-(몇) 계산하기
		(2) 받아내림이 없는 (몇십)-(몇십) 계산하기
		(3) 받아내림이 없는 (몇십몇)-(몇십몇) 계산하기
		(4) 그림을 보고 뺄셈하기, 여러 가지 방법으로 뺄셈하기
4. 덧셈과 뺄셈(2)	4단계	(1) 계산 결과가 한 자리 수인 세 수의 덧셈
		(2) 계산 결과가 한 자리 수인 세 수의 뺄셈
	5단계	(1) 10이 되는 더하기 / (2) 10에서 빼기
		(3) 10을 만들어 세 수를 더하기
6. 덧셈과 뺄셈(3)	6단계	(1) 10을 이용하여 모으기와 가르기
		(2) 여러 가지 방법으로 (몇)+(몇)=(십몇) 계산하기
		(3) 여러 가지 방법으로 (십몇)-(몇)=(몇) 계산하기

3권(2-1)

1. 세 자리 수	1단계	(1) 백, 몇백, 세 자리 수
		(2) 뛰어서 세기
		(3) 세 자리 수의 크기 비교
2. 덧셈과 뺄셈	2단계	(1) 일의 자리에서 받아 올림이 있는 (두 자리 수) + (한 자리 수)
		(2) 일의 자리에서 받아 올림이 있는 (두 자리 수) + (두 자리 수)
		(3) 십의 자리에서 받아 올림이 있는 (두 자리 수) + (두 자리 수)
		(4) 일, 십의 자리에서 받아 올림이 있는 (두 자리 수) + (두 자리 수)
		(5) 여러 가지 방법으로 덧셈
	3단계	(1) 받아 내림이 있는 (두 자리 수) - (한 자리 수)
		(2) 받아 내림이 있는 (몇십) - (몇십 몇)
		(3) 받아 내림이 있는 (두 자리 수) - (두 자리 수)
		(4) 여러 가지 방법으로 뺄셈
	4단계	(1) 덧셈과 뺄셈의 관계
		(2) 덧셈식에서 □의 값 구하기
		(3) 뺄셈식에서 □의 값 구하기
		(4) 세 수의 덧셈 / (5) 세 수의 뺄셈
		(6) 세 수의 덧셈과 뺄셈
3 곱셈	5단계	(1) 몇의 몇 배 알아보기
		(2) 곱셈식 알아보기

4권(2-2)

1. 네 자리 수	1단계	(1) 100이 10개인 수 알아보기
		(2) 몇천 알아보기
		(3) 네 자리 수 알아보기
		(4) 각 자리의 숫자가 나타내는 값 알아보기
	2단계	(1) 뛰어 세기
		(2) 네 자리 수의 크기 비교하기
2. 곱셈구구	3단계	(1) 2의 단 곱셈구구
		(2) 5의 단 곱셈구구
	4단계	(1) 3, 6의 단 곱셈구구 / (2) 4, 8의 단 곱셈구구
		(3) 7의 단 곱셈구구 / (4) 9의 단 곱셈구구
	5단계	(1) 1의 단 곱셈구구와 0의 곱
		(2) 곱셈표 만들기, 곱셈구구를 이용하여 문제 해결하기
3. 규칙 찾기	6단계	(1) 덧셈표에서 규칙 찾아보기
		(2) 곱셈표에서 규칙 찾아보기
		(3) 무늬에서 규칙 찾아보기
		(4) 쌓은 모양에서 규칙 찾아보기

5권(3-1)

1. 덧셈과 뺄셈	1단계	(1) 받아올림이 없는 (세 자리수)+(세 자리수)
		(2) 받아올림이 한번 있는 (세 자리수)+(세 자리수)
		(3) 받아올림이 두 번 있는 (세 자리수)+(세 자리수)
		(4) 받아올림이 여러 번 있는 (세 자리수)+(세 자리수)
	2단계	(1) 받아내림이 없는 (세 자리수)-(세 자리수)
		(2) 받아내림이 한번 있는 (세 자리수)-(세 자리수)
		(3) 받아내림이 두번 있는 (세 자리수)-(세 자리수)
2. 평면도형	3단계	(1) 선, 각, 직각 알아보기
		(2) 직각삼각형, 직사각형, 정사각형 알아보기
3. 나눗셈	4단계	(1) 똑같이 나누기
		(2) 곱셈과 나눗셈의 관계
4. 곱셈	5단계	(1) (몇십)×(몇) / (2) 올림이 없는 (몇십 몇)×(몇)
		(3) 올림이 한 번 있는 (두 자리 수)×(한 자리 수)
		(4) 올림이 두 번 있는 (두 자리 수)×(한 자리 수)
5. 길이와 시간	6단계	(1) 길이와 거리 / (2) 시간의 합
		(3) 시간의 차
6. 분수와 소수	7단계	(1) 분수의 크기 비교
		(2) 소수와 분수의 크기 비교

6권(3-2)

1. 곱셈	1단계	(1) 올림이 없는 (세 자리 수)×(한 자리 수)
		(2) 올림이 있는 (세 자리 수)×(한 자리 수)
	2단계	(1) (몇십)×(몇십) 또는 (몇십몇)×(몇십)
		(2) (몇)×(몇십몇)
		(3) 올림이 있는 (몇십몇)×(몇십몇)
2. 나눗셈	3단계	(1) 내림이 없는 (몇십)÷(몇)
		(2) 내림이 있는 (몇십)÷(몇)
		(3) 나머지가 없는 (몇십몇)÷(몇)
		(4) 나머지가 있는 (몇십몇)÷(몇)
	4단계	(1) 나머지가 없는 (세 자리 수)÷(한 자리 수)
		(2) 나머지가 있는 (세 자리 수)÷(한 자리 수)
3. 원	5단계	(1) 원의 중심, 반지름, 지름 알아보기
		(2) 원의 성질 알아보기
4. 분수	6단계	(1) 분수로 나타내고 얼마인지 알아보기
		(2) 대분수와 가분수 알아보기 / (3) 분모가 같은 분수의 크기 비교
5. 들이와 무게	7단계	(1) 들이를 비교하고, 덧셈과 뺄셈을 해보기
		(2) 무게를 비교하고, 덧셈과 뺄셈을 해보기
6. 자료의 정리	8단계	(1) 표 읽고 만들기
		(2) 그림그래프 알아보기

7권 (4-1)

1. 큰 수	1단계	(1) 1만과 다섯 자리 수
		(2) 십만, 백만, 천만 / (3) 억과 조
		(4) 뛰어 세기 / (5) 수의 크기 비교
2. 각도	2단계	(1) 각도의 합과 차
		(2) 삼각형과 사각형 각의 크기의 합
3. 곱셈과 나눗셈	3단계	(1) (몇백)×(몇십) / (2) (몇백 몇십)×(몇십)
		(3) (세 자리 수)×(몇십) / (4) (세 자리 수)×(두 자리 수)
	4단계	(1) (몇백몇십)÷(몇십) / (2) (두 자리 수)÷(두 자리 수)
		(3) (세 자리 수)÷(몇십)
		(4) 몫이 한 자리 수인 (세 자리 수)÷(두 자리 수)
		(5) 몫이 두 자리 수인 (세 자리 수)÷(두 자리 수)
4. 평면도형의 이동	5단계	(1) 평면도형 밀기, 뒤집기, 돌리기
		(2) 평면도형을 뒤집고 돌리기
5. 막대그래프	6단계	(1) 막대그래프 알아보기 / (2) 막대그래프 그리기
6. 규칙 찾기	7단계	(1) 수, 도형의 배열에서 규칙 찾기
		(2) 덧셈, 뺄셈의 계산식에서 규칙 찾기
		(3) 곱셈, 나눗셈의 계산식에서 규칙 찾기

8권 (4-2)

1. 분수의 덧셈과 뺄셈	1단계	(1) (진분수)와 (진분수)의 덧셈과 뺄셈
		(2) (대분수)와 (대분수)의 덧셈과 뺄셈
	2단계	(1) (자연수)-(진분수), (자연수)-(대분수)
		(2) 진분수 부분끼리 뺄 수 없는 (대분수)-(대분수)
2. 삼각형	3단계	(1) 삼각형, 이등변삼각형 / (2) 정삼각형의 성질
		(3) 삼각형 분류하기
3. 소수의 덧셈과 뺄셈	4단계	(1) 소수 두 자리 수 알아보기 / (2) 소수 세 자리 수 알아보기
		(3) 소수의 크기 비교하기 / (4) 소수 사이의 관계
	5단계	(1) 소수 한 자리 수의 덧셈, 뺄셈
		(2) 소수 두 자리 수의 덧셈, 뺄셈
4. 사각형	6단계	(1) 사다리꼴, 평행사변형
		(2) 마름모, 여러 가지 사각형
5. 꺾은선그래프	7단계	(1) 꺾은선그래프
		(2) 물결선을 이용하여 꺾은선그래프로 나타내기
6. 다각형	8단계	(1) 다각형, 정다각형
		(2) 내각선

9권 (5-1)

1. 자연수의 혼합계산	1단계	(1) 덧셈과 뺄셈이 섞여있는 식 / (2) 곱셈과 나눗셈이 섞여있는 식
		(3) 덧셈, 뺄셈, 곱셈이 섞여있는 식
		(4) 덧셈, 뺄셈, 나눗셈이 섞여있는 식
		(5) 덧셈, 뺄셈, 곱셈, 나눗셈이 섞여있는 식
		(6) 괄호가 있는 식의 계산
2. 약수와 배수	2단계	(1) 약수와 배수 / (2) 약수와 배수의 관계
		(3) 공약수와 최대공약수 / (4) 공배수와 최소공배수
3. 규칙과 대응	3단계	(1) 일상생활에서 규칙이 있는 두 수의 대응관계
		(2) 도형에서 규칙이 있는 두 수의 대응관계
4. 약분과 통분	4단계	(1) 약분 / (2) 통분
		(3) 분수의 크기 비교 / (4) 세 분수의 크기 비교
5. 분수의 덧셈과 뺄셈	5단계	(1) 진분수의 덧셈 / (2) 받아올림이 있는 진분수의 덧셈
		(3) 대분수의 덧셈 / (4) 진분수의 뺄셈
		(5) 대분수의 뺄셈 / (6) 세 분수의 계산
		(7) 분수를 덧셈과 뺄셈하여 크기 비교 / (8) 어떤수 구하기
6. 다각형의 둘레와 넓이	6단계	(1) 직사각형, 정사각형의 둘레
		(2) 직사각형과 정사각형의 넓이
		(3) 직각도형으로 이루어진 여러 도형의 넓이
		(4) 평행사변형의 넓이 / (5) 사다리꼴의 넓이
		(6) 마름모와 다각형의 넓이

10권 (5-2)

1. 수의 범위와 어림하기	1단계	(1) 어림수 / (2) 반올림, 올림, 버림
		(3) 이상, 이하, 초과, 미만
2. 분수의 곱셈	2단계	(1) (진분수)×(자연수) / (2) (대분수)×(자연수)
		(3) (자연수)×(진분수) / (4) (자연수)×(대분수)
		(5) (단위분수)×(단위분수) / (6) (진분수)×(진분수)
		(7) (대분수)×(대분수) / (8) 세 분수의 곱셈
3. 도형의 합동과 대칭	3단계	(1) 도형의 합동, 합동인 도형의 성질
		(2) 선대칭, 점대칭 도형과 그 성질
4. 소수의 곱셈	4단계	(1) 분수를 소수로, 소수를 분수로 나타내기
		(2) (1보다 작은 소수)×(자연수) / (3) (1보다 큰 소수)×(자연수)
		(4) (자연수)×(1보다 작은 소수) / (5) (자연수)×(1보다 큰 소수)
		(6) (1보다 작은 소수)×(1보다 작은 소수)
		(7) (1보다 큰 소수)×(1보다 큰 소수)
5. 직육면체	5단계	(1) 직육면체의 겉넓이 구하기
		(2) 직육면체의 부피 구하기
6. 평균과 가능성	6단계	(1) 평균의 의미를 알고 평균 구하기
		(2) 사건이 일어날 가능성

11권 (6-1)

1. 분수의 나눗셈	1단계	(1) (자연수)÷(단위분수)
		(2) 분모가 같은 (진분수)÷(단위분수)
		(3) 분모가 같은 (진분수)÷(진분수)
		(4) 분모가 다른 (진분수)÷(진분수)
		(5) (자연수)÷(분수), (가분수)
		(6) (대분수)÷(진분수) / (7) (대분수)÷(대분수)
2. 각기둥과 각뿔	2단계	(1) 각기둥과 각뿔 알아보기 / (2) 각기둥의 전개도 알아보기
3. 소수의 나눗셈	3단계	(1) (소수 한 자리 수)÷(소수 한 자리 수)
		(2) (소수 두 자리 수)÷(소수 두 자리 수)
		(3) (소수 두 자리 수)÷(소수 한 자리 수)
	4단계	(1) (자연수)÷(소수 한 자리 수)
		(2) 몫을 자연수 부분까지 구하고 나머지 구하기
		(3) 몫을 반올림하여 나타내기
4. 비와 비율	5단계	(1) 두 수 비교하기, 비와 비율 구하기
		(2) 비율을 백분율로, 백분율을 비율로 나타내기
		(3) 사건이 일어나 가능성 알아보기
		(4) 비교하는 양, 기준량 구하기
		(5) 속력 구하기 / (6) 인구밀도와 용액의 진하기
5. 비율그래프	6단계	(1) 띠그래프 / (2) 원그래프
6. 직육면체의 겉넓이와 부피	7단계	(1) 직육면체, 정육면체의 겉넓이와 부피

12권 (6-2)

1. 분수의 나눗셈	1단계	(1) (진분수)÷(자연수) / (2) (대분수)÷(자연수)
		(3) (대분수)÷(자연수)
2. 소수의 나눗셈	2단계	(1) 몫이 소수 한 자리 수인 (소수)÷(자연수)
		(2) 몫이 소수 두 자리 수인 (소수)÷(자연수)
		(3) 몫이 1보다 작은 (소수)÷(자연수)
		(4) 소수점 아래 0을 내려 계산하는 (소수)÷(자연수)
		(5) 몫의 소수 첫째 자리에 0이 있는 (소수)÷(자연수)
		(6) (자연수)÷(자연수)의 몫을 소수로 나타내기
		(7) (자연수)÷(자연수)의 몫을 반올림하여 나타내기
3. 공간과 입체	3단계	(1) 쌓은 개수 세기 / (2) 위, 앞, 옆에서 본 모양 알아보기
4. 비례식과 비례배분	4단계	(1) 비례식 알아보기 / (2) 비의 성질 알아보기
		(3) 자연수의 비로 나타내기 / (4) 비례식의 이용
		(5) 비례배분 알아보기
5. 원의 넓이	5단계	(1) 원의 지름과 원주 구하기 / (2) 원의 넓이 구하기
6. 원기둥, 원뿔, 구	6단계	(1) 원기둥 알아보기 / (2) 원뿔과 구 알아보기

수학을 잘 하려면, 어떻게 공부해야 할까요?

1. 수학은 지겨워하지 않고 흥미를 가지면서 공부해야 합니다.

OECD 국가 중에 우리나라 학생들의 수학 실력은 상위 수준이지만 수학에 대한 흥미도는 하위 수준이라는 조사 결과가 말하듯이 많은 학생들이 학년이 올라가면서 점점 더 수학에 흥미를 잃고 있습니다.

특히나 초등학생들이 직면하는 연산은 기초 원리를 이해하면서 호기심과 흥미를 느껴야 하는 과목임에도 불구하고, 반복적 학습을 통한 훈련만이 정답인 것처럼 생각하는 기성세대들의 고정관념을 강요당하여, 같은 방식의 문제를 더 많이 더 빨리 반복 풀이하는 훈련을 지나칠 정도로 시키게 됩니다. 이런 방식은 아이들 입장에서는 피하고 싶은 고문과도 같아서 수학에 점차 흥미를 잃고 지겨워하게 하는 이유가 됩니다.

수학은 암기과목이 아닙니다. 아이들은 이미 우리 생각보다 많은 수학적 호기심과 이해력을 가지고 있습니다. 이런 아이들에게 공식이나 절차와 함께, 자연스럽게 원리를 이해하게 하고, 흥미를 가지고 접근하도록 유도하는 것이 무엇보다 중요합니다.

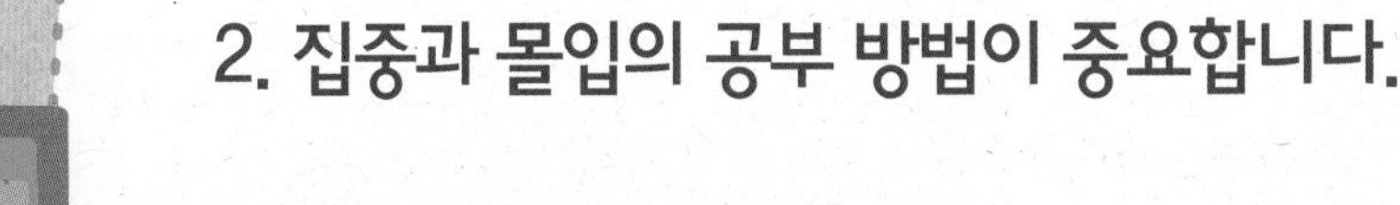

2. 집중과 몰입의 공부 방법이 중요합니다.

우리나라 초등 교과서는 선진국 중에서도 상위 수준입니다. 그런데 우리 아이들의 연산 교재는 10년 전이나 지금이나 한결같은 반복 훈련으로 더 빨리 더 많이 푸는 기계식 학습에서 머물러 있는 실정입니다.

매일 규칙적으로 적정 분량을 학습하는 훈련을 통하여 집중력을 키우고, 문제풀이 과정을 통해 자연스럽게 연산 방식이 어떤 원리와 규칙성이 있으며, 실생활에는 어떻게 적용되는지를 알게 하여 아이들의 호기심을 자극하여 학습의 흥미와 함께 몰입도를 높혀야 합니다.

3. 원리를 알고 기본기를 튼튼히 해야 합니다.

수학은 모든 단원들이 별개가 아니고 유기적인 관계로 연결되어있습니다. 그런데 공식과 절차만을 암기하여, 서로 연결된 개념과 원리의 관계 구조를 이해하지 못한다면 더이상 사고를 확장 시키지 못하게 되고 흥미도 잃게 되어 실력도 급격히 저하되게 됩니다.

연산 법칙은 물론, 개념의 관계 구조를 알게 하여 복잡해 보이는 문제라 할지라도 원리를 이용해 단순하게 구조화시켜서 풀이할 수 있는 능력을 길러줘야 합니다.

4. 문제를 단순화 구조화 할 수 있어야 합니다.

구조화만 시키면 모든 문제는 쉽고 단순하게 풀립니다.

문장제도 연산의 응용일 따름입니다. 연산을 배우는 것은 실생활에 적용하기 위함인데, 식으로 된 계산은 잘 풀면서 실생활 관련 문장제만 나오면 겁을 집어먹는 이유는 도구적 이해에 갇혀서 더 이상 사고가 확장 되지 않기 때문입니다. 복잡하고 어려운 문제도 구조화 시켜 놓으면 그냥 계산식일 뿐인데 말이죠. 원리를 알고 구조화 시키는 훈련을 조금만 하면 모든 문제가 간단히 풀립니다.

5. 실수를 줄여나가야 합니다.

반복적인 문제 풀이만 하다 보면 수학적 개념과 원리를 소홀히 하게 되고 암기식으로 치우쳐, 응용력과 분석 및 적용력이 떨어지게 됩니다. 이런 아이들은 조금만 문제가 달라져도 틀리게 됩니다. 그리고 심지어 같은 유형 마져도 빨리 풀려고 손으로 써가며 푸는 대신 눈으로 읽으며 풀어서 실수할 수 있습니다.

실수를 줄이기 위해서는 반복적인 연습 보다는 오히려 쉬운 문제라 할지라도 원리와 풀이 과정에 입각해서 직접 손으로 써보면서 정확하게 푸는 습관이 필요합니다.

연산마스터 이런 점이 달라요.

1. 원리를 쉽게 이해하게 됩니다.

원리를 이해하면 계산 방법을 재구성할 수 있으며, 단순 계산력 훈련을 하더라도 지식의 체계화 과정에서 지적 자극을 통한 사고 과정을 확장할 수 있습니다.

본 책은 풀이 과정을 따라가면서 설명한 내용을 읽고, 제시된 이미지를 통해서 입체적으로 개념을 정리하도록 했습니다.

2.계산력을 강화합니다.

수학의 기본은 연산이고 연산은 속도와 정확성이 관건입니다. 틀리지 않고 정확하게 푸는데 집중하면서 점차 빨리 푸는 훈련을 해나가는 과정에서 실수하지 않도록 집중해서 훈련을 하다보면 적당한 긴장과 성취감을 느끼게 됨으로써 흥미를 잃지 않고 공부할 수 있습니다.

본 책은 두 가지 이상의 계산 방식으로 유형의 변화를 주어 지루하지 않도록 배려했으며 충분한 문제를 풀면서 계산능력이 체계적으로 올라가도록 구성하였습니다.

3. 사고력을 확장합니다.

그림 언어인 그래픽 구성을 채워나가면서, 단순 계산에서 오는 지루함을 벗어나 새롭게 흥미를 느끼게 되고 계산 방식을 체계화하게 되며, 자연스럽게 지적 자극을 주어 생각의 폭이 확장 되도록 하였습니다.

이 때 대부분의 책에서처럼 기계식으로 빈칸을 채워 넣기만 하면 의미가 없고, 서술형 문제를 단순화 시켜서 계산식을 세우는 과정과 연결하여 학습하는 것이 중요합니다.

4. 구조화하기를 통한 관계적 학습을 돕습니다.

연산은 잘하는데 단순한 문장제만 나와도 손도 못 대는 아이들이 허다합니다.

그러나 연산을 글로 설명한 것이 문장제이며, 실제 생활 관련한 서술형 문제들이 사고력 창의력 관련 문제들인데, 이런 문제들을 아이들은 많이 어려워합니다. 그런데 실상은 어렵고 복잡해 보이는 문제도 구조화해놓고 보면 쉽고 단순하게 풀립니다.

그런데, 대부분의 연산 교재들이 기계적으로 빨리 푸는 훈련에 치중하기 때문에 아이들의 수학적 사고력을 닫히게 하고, 흥미까지 잃게 합니다. 수학은 개념들이 서로 연결되어 있어서 개념 사이의 관계를 구조화시켜 이해하면 흥미를 느낌은 물론, 다음 표에서 보듯 기억률도 현저히 높아집니다.

〈관계적 학습과 도구적 학습의 기억률 차이〉

구분	직후	하루 후	4주 후
관계적 학습	69%	69%	58%
도구적 학습	32%	23%	8%

본 책은 아래와 같이 구조화하기를 통하여 문제를 단순화 시켜서, 쉽고 재미있게 학습면서 아이들의 사고력과 창의력 확장에 도움을 주도록 구성했습니다.

1. 변화형 구조와 그룹형 구조

사과 3개를 먹고 남은 것이 7개입니다. 처음 몇 개를 가지고 있었나요?

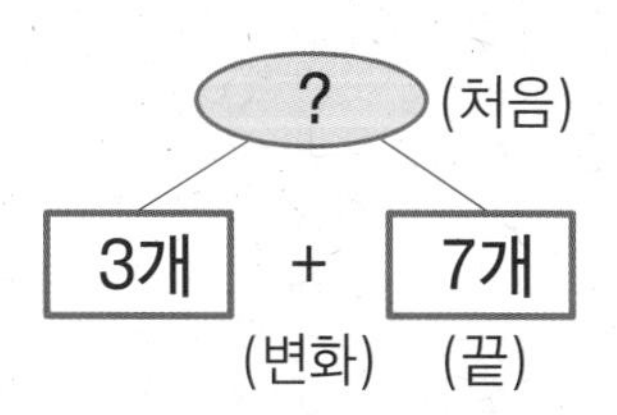

2. 비교형 구조

철이는 구슬을 300개를 가지고 있고 도희는 철이 보다 구슬을 50개를 더 가지고 있습니다.
도희는 몇 개를 가지고 있나요?

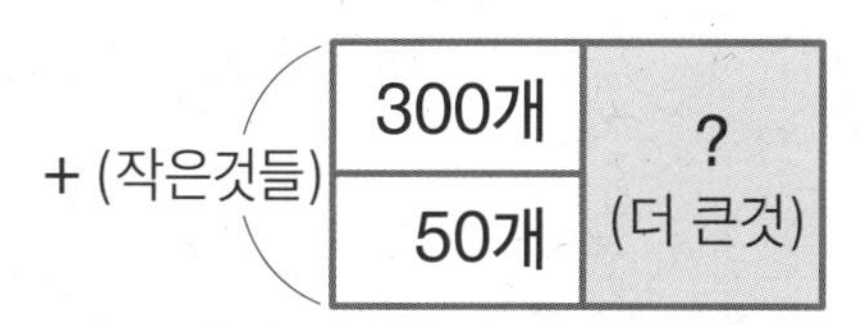

3. 동등한 그룹형 구조

자전거는 걷는 것보다 2배가 빠릅니다. 자전거로 500미터를 가는 동안 걸어서는 얼마를 갈 수 있을까요?

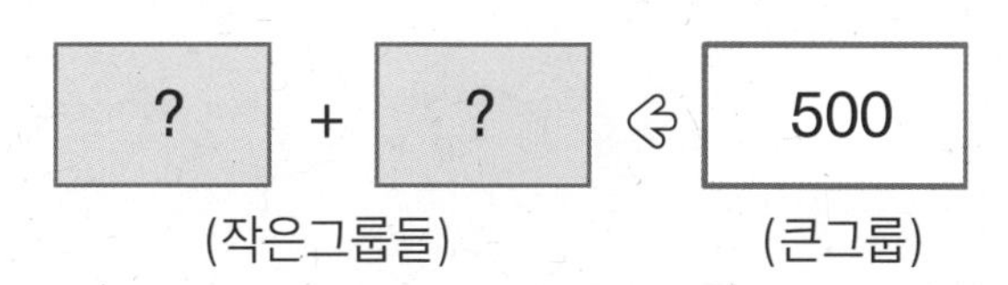

4. 곱셈 비교형 구조

한반에 30명인 여학생 3반과 한반에 25명인 남학생 몇 반이 있습니다. 모두 합한 학생 수가 140명이라면 남학생은 몇 반입니까?

140 (큰것)	
30×3=90 (여학생)	25× ? =50 (남학생)

(작은것)

초등연마 계산력

이 책의 구성과 특징

초등연마 계산력의 특장점

1. 계산력을 키우기 위한 알찬 개념

최대한 쉽게 개념을 설명하고, 그림이나 숫자를 이용해 아이들의 이해를 돕습니다.

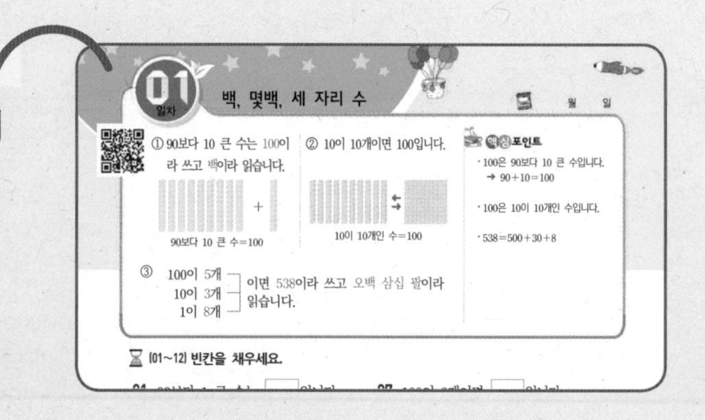

01 일차 백, 몇백, 세 자리 수

① 90보다 10 큰 수는 100이라 쓰고 백이라 읽습니다.

90보다 10 큰 수=100

② 10이 10개이면 100입니다.

10이 10개인 수=100

③ 100이 5개, 10이 3개, 1이 8개 이면 538이라 쓰고 오백 삼십 팔이라 읽습니다.

포인트

- 100은 90보다 10 큰 수입니다. → 90+10=100
- 100은 10이 10개인 수입니다.
- 538=500+30+8

(01~12) 빈칸을 채우세요.

2. 공부한 개념을 바탕으로 문제풀이

계산력 문제를 아무 생각 없이 풀기보단 개념과 연결된 문제를 풀기 때문에 계산 실력을 차곡차곡 쌓을 수 있습니다.

(15~36) 방법②로 계산을 하세요.

15 25+16=25+10+□=□　　26 17+35=17+30+□=□

16 22+12=22+10+□=□　　27 33+37=33+30+□=□

17 36+16=36+10+□=□　　28 56+61=56+60+□=□

18 32+27=32+20+□=□　　29 82+45=82+40+□=□

19 49+29=49+20+□=□　　30 68+47=68+40+□=□

20 56+31=56+30+□=□　　31 77+45=77+40+□=□

3. 구조화하기

간단한 구조를 계산 문제에 적용하여, 단순 계산 문제 풀이를 학습하는 동안 그 구조를 익혀 서술형에 대비할 수 있게 돕습니다.

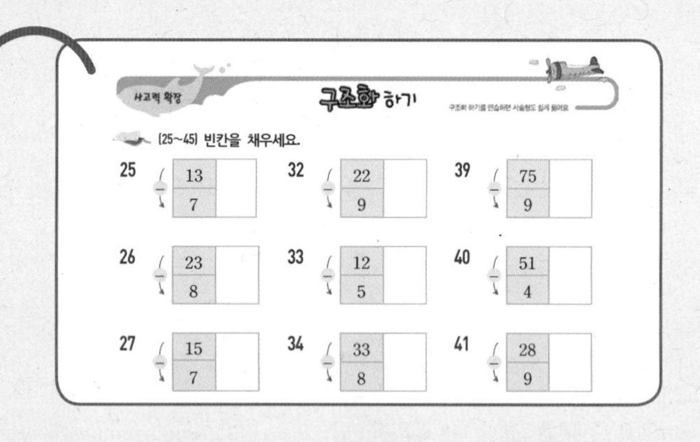

서고력 확장 구조화 하기

(25~45) 빈칸을 채우세요.

25 13, 7　　32 22, 9　　39 75, 9

26 23, 8　　33 12, 5　　40 51, 4

27 15, 7　　34 33, 8　　41 28, 9

4. 서술형 풀어보기

앞에서 공부한 구조화하기를 서술형에 적용해 봅니다. 식만 주르륵 나와 있을 때는 어렵지 않게 답을 척척 쓰다가, 글자만 많아지면 머리 아파하는 경우가 많은데, 서술형을 구조화시킴으로 단순계산 문제를 풀듯 쉽게 서술형을 해결할 수 있습니다.

서고력 확장 서술형 풀어보기

46 삶은 달걀 22개가 있는데 8개를 이웃집에 주었습니다. 남은 달걀은 몇 개일까요?

풀이과정

(1) (남은 달걀 개수)=(처음 달걀 □개) −(이웃집에 준 달걀 □개)입니다.

(2) 그러므로 □개 남았습니다.

22, 8

(47~50) 풀이과정을 쓰고 답을 구하세요.

47 책상 위의 구슬 21개 가운데 5개를 서랍에 넣었습니다. 책상 위에 구슬이 몇 개 남아 있나요?

49 영수는 사탕 94개를 가지고 있습니다. 동생에게 9개를 주면 영수에게는 몇 개의 사탕이 남을까요?

초등연마 계산력의 구조 한눈에 보기

개념 없이 문제 풀다가는 조금만 응용이 들어가도 못 풀어요!

개념과 연관된 문제 풀이를 통해 앞에서 배운 개념을 더 확실히 익혀요!

구조화하기를 통해 서술형까지 정복할 수 있어요!

앞서 배운 구조화하기를 통해 서술형도 단순 계산으로 변신시켜요!

이렇게 활용해 보세요!

1. 동영상을 활용해 보세요.

ㅇ 개념을 스스로 익히지 못하는 아이들을 위한 개념 설명 동영상이 있어요. 개념 창 옆의 큐알코드를 활용하시면 동영상을 보실 수 있습니다.

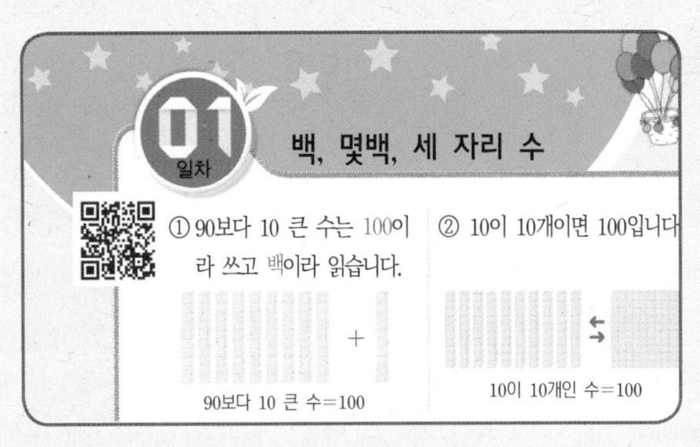

2. 연마 Check 활용

ㅇ 문제풀이를 마친 뒤, 연마 Check 활용에 맞힌 개수와 푼 시간 등을 적어두면 한 눈에 본인 실력을 확인할 수 있어요.

연마 Check 칭찬이나 노력할 점을 써 주세요.

맞힌 개수	지도 의견	
개	나의 생각	

3. 선생님/부모님 가이드 활용

ㅇ 선생님/부모님 체크 리스트를 통해 꼭 알아야 할 내용과, 문제 풀이 시간을 기입해 성적표로 활용하시거나, 표를 통한 분석으로 아이의 공부 방향을 조정할 수 있어요.

ㅇ 답지를 본문 축소하여서 아이가 어느 부분의 어떤 문제를 틀리는지 바로 확인 가능해요. 답과 문제집을 따로 확인하지 않아도 되게 구성했어요.

- 공부를 하면서 꼭 알아야 할 내용과, 문제 풀이 시간을 참고하여 아이의 학습 활동에 도움을 줄 수 있습니다.

단계	대단원명	일차	소단원명	학습 내용	문제 풀이 시간	부모님/선생님 체크	페이지
1단계	1. 세 자리 수	1일차	(1) 백, 몇백, 세 자리 수	100의 자리와 10의 자리, 일의 자리를 구분하여 세 자리 수에 대해 압니다.			12
		2일차	(2) 뛰어서 세기	100씩, 10씩, 1씩 뛰어서 셀 수 있습니다.			16
		3일차	(3) 세 자리 수의 크기 비교	세 자리 수의 크기를 비교할 수 있습니다.			20
		4일차	(1) 일의 자리에서 받아 올림이 있는 (두 자리 수)+(한 자리 수)①	두 자리 수와 한 자리 수의 덧셈입니다. 두 수의 일의 자리의 합이 10이 넘어가기 때문에 10을 십의 자리로 받아 올림합니다.			24
		5일차	일의 자리에서 받아 올림이 있는 (두 자리 수)+(한 자리 수)②				28
		6일차	(2) 일의 자리에서 받아 올림이 있는 (두 자리 수)+(두 자리 수)①	두 자리 수와 두 자리 수의 덧셈입니다. 두 수의 일의 자리의 합이 10이 넘어가기 때			32

2학년 1학기

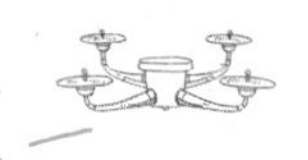

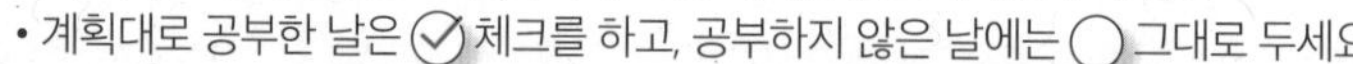

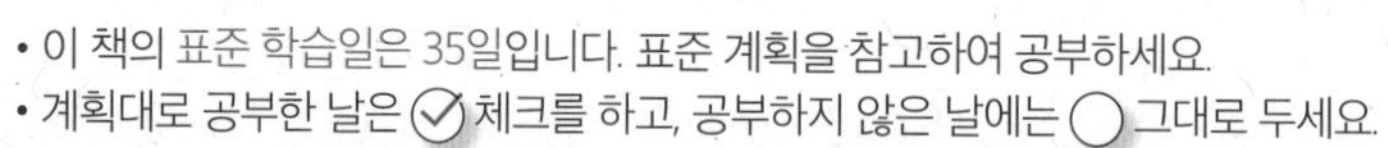

- 이 책의 표준 학습일은 35일입니다. 표준 계획을 참고하여 공부하세요.
- 계획대로 공부한 날은 ✓ 체크를 하고, 공부하지 않은 날에는 ◯ 그대로 두세요.

차례

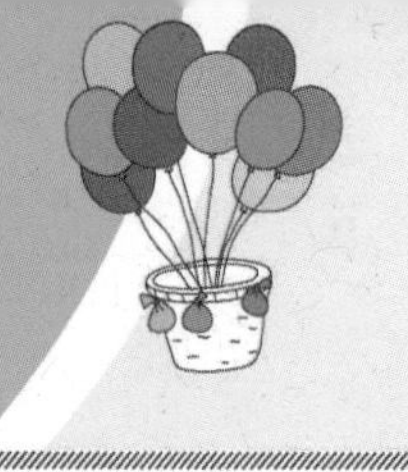

01 일차 백, 몇백, 세 자리 수

월 일

① 90보다 10 큰 수는 100이라 쓰고 백이라 읽습니다.

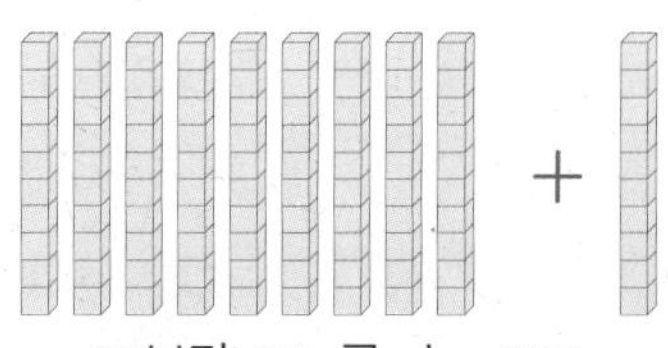

90보다 10 큰 수=100

② 10이 10개이면 100입니다.

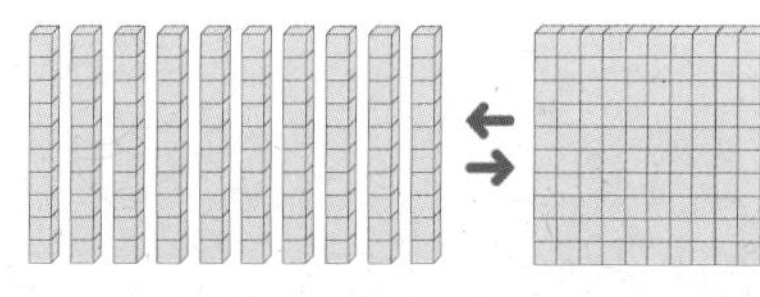

10이 10개인 수=100

③ 100이 5개, 10이 3개, 1이 8개이면 538이라 쓰고 오백 삼십 팔이라 읽습니다.

핵심 포인트

- 100은 90보다 10 큰 수입니다.
  → 90+10=100
- 100은 10이 10개인 수입니다.
- 538=500+30+8

(01~12) 빈칸을 채우세요.

01 99보다 1 큰 수는 □ 입니다.

02 90보다 10 큰 수는 □ 입니다.

03 80보다 □ 큰 수는 100입니다.

04 100은 99보다 □ 큰 수입니다.

05 100은 10이 □ 개인 수입니다.

06 10이 10개이면 □ 입니다.

07 100이 2개이면 □ 입니다.

08 100이 3개이면 □ 입니다.

09 100이 5개이면 □ 입니다.

10 100이 6개이면 □ 입니다.

11 500은 100이 □ 개입니다.

12 900은 □ 이 9개입니다.

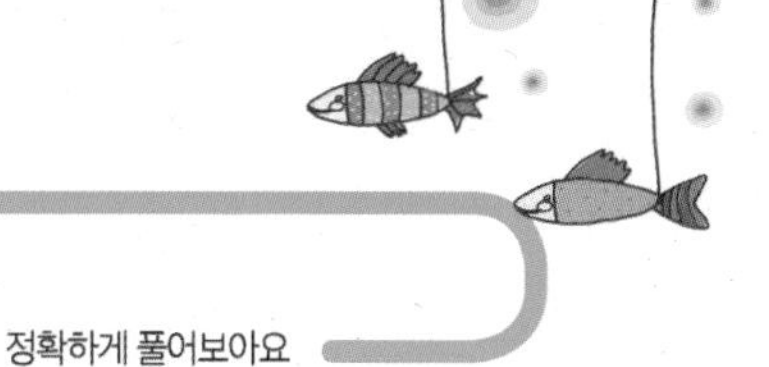

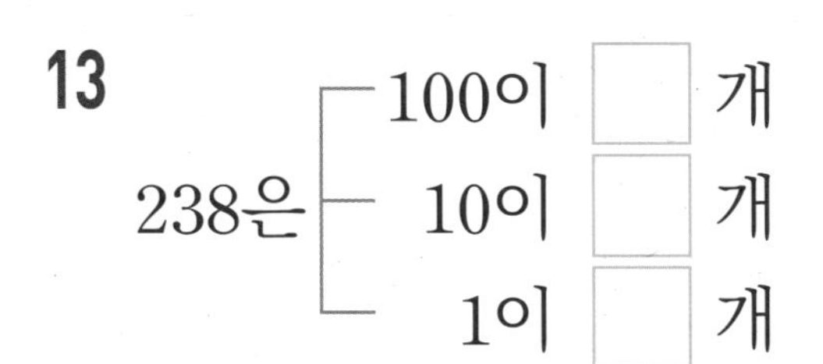

계산력 강화하기

정확하게 풀어보아요

(13~24) 빈칸을 채우세요.

13 238은 ─ 100이 □ 개, 10이 □ 개, 1이 □ 개

14 356은 ─ 100이 □ 개, 10이 □ 개, 1이 □ 개

15 432은 ─ 100이 □ 개, 10이 □ 개, 1이 □ 개

16 568은 ─ 100이 □ 개, 10이 □ 개, 1이 □ 개

17 689은 ─ 100이 □ 개, 10이 □ 개, 1이 □ 개

18 971은 ─ 100이 □ 개, 10이 □ 개, 1이 □ 개

19 100이 3개, 10이 3개, 1이 2개 ─ 이면 □

20 100이 2개, 10이 5개, 1이 7개 ─ 이면 □

21 100이 4개, 10이 2개, 1이 8개 ─ 이면 □

22 100이 5개, 10이 1개, 1이 6개 ─ 이면 □

23 100이 6개, 10이 9개, 1이 5개 ─ 이면 □

24 100이 7개, 10이 8개, 1이 9개 ─ 이면 □

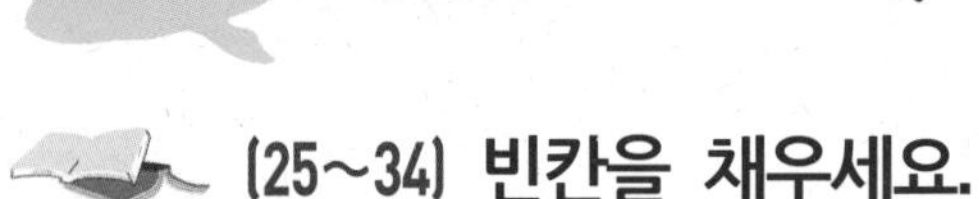

계산력 강화하기

정확하게 풀어보아요

(25~34) 빈칸을 채우세요.

25 ➜ 893에서

8은 ☐ 을 나타냅니다.

9는 ☐ 을 나타냅니다.

3은 ☐ 을 나타냅니다.

26 ➜ 248에서

2는 ☐ 을 나타냅니다.

4는 ☐ 을 나타냅니다.

8은 ☐ 을 나타냅니다.

27 ➜ 597에서

5는 ☐ 을 나타냅니다.

9는 ☐ 을 나타냅니다.

7은 ☐ 을 나타냅니다.

28 ➜ 986에서

9는 ☐ 을 나타냅니다.

8은 ☐ 을 나타냅니다.

6은 ☐ 을 나타냅니다.

29 ➜ 763에서

7은 ☐ 을 나타냅니다.

6은 ☐ 을 나타냅니다.

3은 ☐ 을 나타냅니다.

30 ➜ 오백삼십팔

백의 자리	십의 자리	일의 자리

☐ + ☐ + ☐ = ☐

31 ➜ 팔백육십삼

백의 자리	십의 자리	일의 자리

☐ + ☐ + ☐ = ☐

32 ➜ 구백오십칠

백의 자리	십의 자리	일의 자리

☐ + ☐ + ☐ = ☐

33 ➜ 육백구십사

백의 자리	십의 자리	일의 자리

☐ + ☐ + ☐ = ☐

34 ➜ 사백삼십육

백의 자리	십의 자리	일의 자리

☐ + ☐ + ☐ = ☐

서술형 풀어보기

구조화 해서 풀어보아요

35 보라는 저금통에서 100원짜리 5개와 10원짜리 1개와 1원짜리 9개를 꺼냈습니다. 보라가 꺼낸 돈은 모두 얼마일까요?

풀이과정

(1) 100원짜리 동전은 모두 ☐ 원입니다.

(2) 10원짜리 동전은 모두 ☐ 원입니다.

(3) 1원짜리 동전은 모두 ☐ 원입니다.

(4) 보라가 꺼낸 돈은 ☐ + ☐ + ☐ = ☐ 원입니다.

➜ 100이 ☐ 개, 10이 ☐ 개, 1이 ☐ 개

백의 자리	십의 자리	일의 자리

(36~39) 풀이과정을 쓰고 답을 구하세요.

36 예슬이는 100원짜리 2개와 10원짜리 9개를, 준수는 100원짜리 3개를, 슬기는 100원짜리 2개와 10원짜리 9개와 1원짜리 5개를 가지고 있습니다. 누가 가장 많은 돈을 가지고 있을까요?

풀이

답

37 수아는 10자루씩 묶음으로 된 연필을 10묶음을 샀습니다. 수아가 산 연필은 모두 몇 자루일까요?

풀이

답 자루

38 서희는 100원짜리 8개와 10원짜리 7개와 1원짜리 3개를 가지고 있습니다. 서희가 가지고 있는 돈은 모두 얼마입니까?

풀이

답 원

39 253을 자릿수에 맞게 다음 표에 써 보세요.

백의 자리	십의 자리	일의 자리

연마 Check 칭찬이나 노력할 점을 써 주세요.

맞힌 개수	지도 의견		확인란
개	나의 생각		

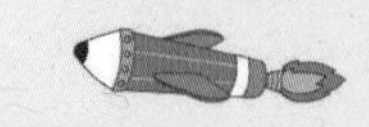

뛰어서 세기

월 일

- 100씩 뛰어서 세기

120	220	320	420	520	620	720	820	920

- 10씩 뛰어서 세기

210	220	230	240	250	260	270	280	290

- 1씩 뛰어서 세기

351	352	353	354	355	356	357	358	359

- 1000 알아보기

➜ 999보다 1 큰 수는 1000입니다. 1000은 천이라고 읽습니다.

992	993	994	995	996	997	998	999	1000

핵심포인트

- 100씩 뛰어 세기는 100의 자리 수만 1씩 커집니다.
- 10씩 뛰어 세기는 10의 자리 수만 1씩 커집니다.
- 1씩 뛰어 세기는 1의 자리 수만 1씩 커집니다.
- 999+1=1000

(01~12) 빈칸을 채우세요.

01 ➜ 100씩 뛰어서 세기

123		323	423	523		

02 ➜ 10씩 뛰어서 세기

310	320	330		350		370

03 ➜ 1씩 뛰어서 세기

421	422	423	424		426	

04 ➜ 100씩 뛰어서 세기

		521	621			

05 ➜ 10씩 뛰어서 세기

	520		540	550		

06 ➜ 1씩 뛰어서 세기

		223	224		226	

07 1000은 999보다 ☐ 큰 수입니다.

08 1000은 990보다 ☐ 큰 수입니다.

09 1000은 900보다 ☐ 큰 수입니다.

10 999보다 1 큰 수는 ☐ 입니다.

11 990보다 ☐ 큰 수는 1000입니다.

12 ☐ 보다 100 큰 수는 1000입니다.

정확하게 풀어보아요

(13~24) 뛰어서 세어보고, 빈칸에 알맞은 수를 써넣으세요.

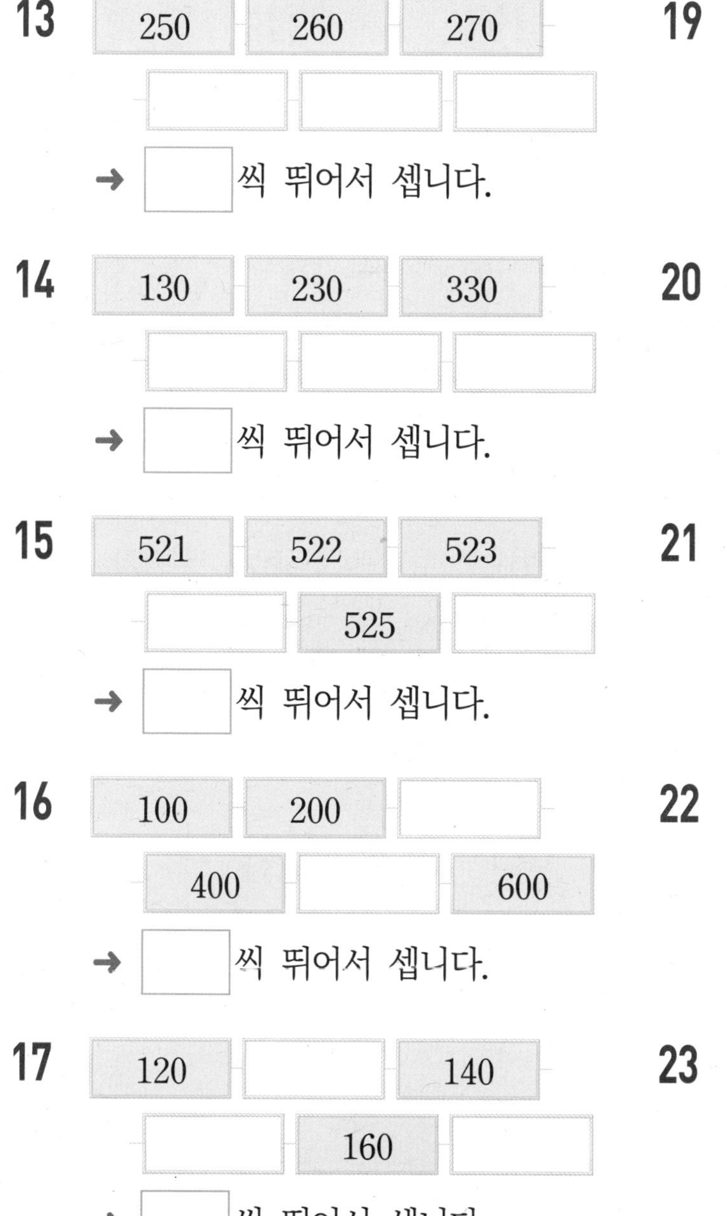

13

250	260	270

→ ☐ 씩 뛰어서 셉니다.

14

130	230	330

→ ☐ 씩 뛰어서 셉니다.

15

521	522	523
	525	

→ ☐ 씩 뛰어서 셉니다.

16

100	200	
400		600

→ ☐ 씩 뛰어서 셉니다.

17

120		140
	160	

→ ☐ 씩 뛰어서 셉니다.

18

311		313
	315	

→ ☐ 씩 뛰어서 셉니다.

19

		420
	620	720

→ ☐ 씩 뛰어서 셉니다.

20

		750
760	770	

→ ☐ 씩 뛰어서 셉니다.

21

	880	890
		920

→ ☐ 씩 뛰어서 셉니다.

22

		970
980	990	

→ ☐ 씩 뛰어서 셉니다.

23

992	993	
	996	997

→ ☐ 씩 뛰어서 셉니다.

24

500		700
	900	

→ ☐ 씩 뛰어서 셉니다.

구조화 하기

구조화 하기를 연습하면 서술형도 쉽게 풀어요

(25~32) 규칙에 따라 빈칸을 채우세요.

25

432	442	
431		451
	440	450

↑ 1씩 뛰어서 세기

→ 10씩 뛰어서 세기

29

149		349
139		339
129		329

↑ 10씩 뛰어서 세기

→ 100씩 뛰어서 세기

26

	512	522
501		521
500	510	

↑ 1씩 뛰어서 세기

→ 10씩 뛰어서 세기

30

322	422	
	412	512
302		502

↑ 10씩 뛰어서 세기

→ 100씩 뛰어서 세기

27

217		237
216		236
215		235

↑ 1씩 뛰어서 세기

→ 10씩 뛰어서 세기

31

241	341	
231		431
221	321	

↑ 10씩 뛰어서 세기

→ 100씩 뛰어서 세기

28

323	333	
322	332	
321	331	

↑ 1씩 뛰어서 세기

→ 10씩 뛰어서 세기

32

	238	338
	228	328
	218	318

↑ 10씩 뛰어서 세기

→ 100씩 뛰어서 세기

서술형 풀어보기

구조화 해서 풀어보아요

33 현아는 매일 100원씩 저금합니다. 현아가 4일 동안 저금한 돈은 모두 얼마일까요?

풀이과정

(1) 첫날 ☐ 원을 모았습니다.

(2) 둘째 날까지 모두 ☐ 원을 모았습니다.

(3) 셋째 날까지 모두 ☐ 원을 모았습니다.

(4) 그러므로 4일 동안 모두 ☐ 원을 모았습니다.

100	

(34~37) 풀이과정을 쓰고 답을 구하세요.

34 정아는 매일 수학 문제를 10문제씩 공부합니다. 5일이면 몇 문제를 공부할까요?

풀이 ________

답 ________ 문제

35 귤을 매일 100개씩 파는 과일가게가 있습니다. 이 가게에서 7일 동안 판 귤이 700개라면 10일 동안 판 귤은 모두 몇 개일까요?

풀이 ________

답 ________ 개

36 민수는 하루에 구슬을 10개씩 삽니다. 구슬을 90개 모으려면 며칠이 필요할까요?

풀이 ________

답 ________ 일

37 매일 100번씩 줄넘기를 해서 10일 동안 줄넘기를 한다면, 모두 몇 번의 줄넘기를 하게 될까요?

풀이 ________

답 ________ 번

연마 Check 칭찬이나 노력할 점을 써 주세요.

맞힌 개수	지도 의견		확인란
개	나의 생각		

03 일차 세 자리 수의 크기 비교

월 일

● 백의 자리 수가 다른 경우(백의 자리 수를 비교)

백의 자리	십의 자리	일의 자리
5	6	3
4	7	8

563 > 478

● 백의 자리 수가 같은 경우(십의 자리 수를 비교)

백의 자리	십의 자리	일의 자리
9	5	4
9	3	2

954 > 932

● 백의 자리와 십의 자리 수가 같은 경우(일의 자리 수를 비교)

백의 자리	십의 자리	일의 자리
7	5	6
7	5	9

756 < 759

핵심포인트

- 백의 자리 수부터 비교하고, 백의 자리 수가 같으면 10의 자리 수끼리 비교하며, 십의 자리 수까지 같으면 일의 자리 수까지 비교합니다.
- 높은 자리 숫자가 클수록 큰 수입니다.

(01~24) 두 수의 크기를 비교하여 ○안에 > 또는 <를 알맞게 써넣으세요.

01 128 ○ 211

02 247 ○ 347

03 563 ○ 398

04 617 ○ 517

05 238 ○ 371

06 431 ○ 397

07 512 ○ 482

08 187 ○ 231

09 863 ○ 898

10 719 ○ 731

11 753 ○ 761

12 521 ○ 517

13 238 ○ 251

14 461 ○ 449

15 379 ○ 329

16 378 ○ 369

17 547 ○ 549

18 283 ○ 280

19 781 ○ 789

20 479 ○ 473

21 561 ○ 563

22 313 ○ 318

23 328 ○ 326

24 815 ○ 811

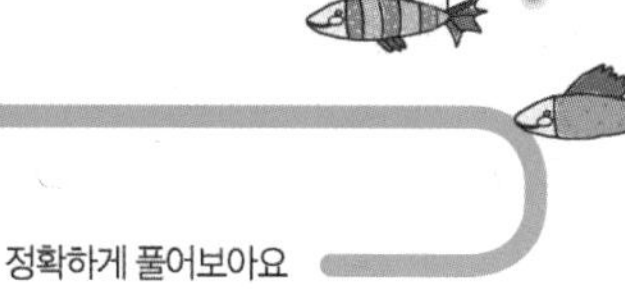

정확하게 풀어보아요

[25~30] 수의 크기를 비교하여 가장 큰 수부터 차례로 쓰세요.

25
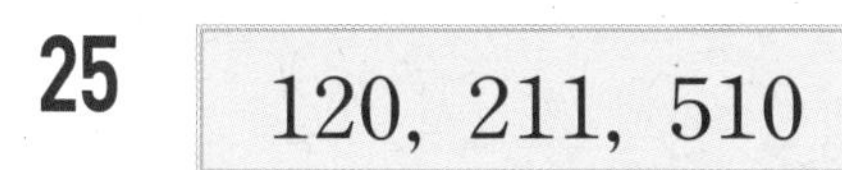
120, 211, 510

→ ☐, ☐, ☐

26 238, 568, 751

→ ☐, ☐, ☐

27 561, 921, 368

→ ☐, ☐, ☐

28 432, 465, 478

→ ☐, ☐, ☐

29 921, 935, 919

→ ☐, ☐, ☐

30 729, 781, 725

→ ☐, ☐, ☐

[31~36] 수의 크기를 비교하여 가장 작은 수부터 차례로 쓰세요.

31 123, 311, 410

→ ☐, ☐, ☐

32 136, 131, 137

→ ☐, ☐, ☐

33 563, 549, 589

→ ☐, ☐, ☐

34 843, 797, 819

→ ☐, ☐, ☐

35 627, 629, 638

→ ☐, ☐, ☐

36 729, 738, 799

→ ☐, ☐, ☐

구조화 하기를 연습하면 서술형도 쉽게 풀어요

(37~48) 다음 수 3개로 가장 큰 수와 가장 작은 수를 만들어 보세요.

37 2, 5, 7 → 큰 수 → ☐ / → 작은 수 → ☐

38 1, 6, 4 → 큰 수 → ☐ / → 작은 수 → ☐

39 2, 4, 3 → 큰 수 → ☐ / → 작은 수 → ☐

40 4, 3, 6 → 큰 수 → ☐ / → 작은 수 → ☐

41 2, 9, 7 → 큰 수 → ☐ / → 작은 수 → ☐

42 9, 6, 4 → 큰 수 → ☐ / → 작은 수 → ☐

43 6, 2, 8 → 큰 수 → ☐ / → 작은 수 → ☐

44 4, 7, 3 → 큰 수 → ☐ / → 작은 수 → ☐

45 5, 3, 9 → 큰 수 → ☐ / → 작은 수 → ☐

46 6, 7, 3 → 큰 수 → ☐ / → 작은 수 → ☐

47 8, 6, 4 → 큰 수 → ☐ / → 작은 수 → ☐

48 1, 7, 2 → 큰 수 → ☐ / → 작은 수 → ☐

서술형 풀어보기

구조화 해서 풀어보아요

49 줄넘기를 진수는 231번 했고, 민아는 351번 했고, 민국이는 287번 했습니다. 줄넘기를 많이 한 사람부터 순서대로 쓰세요.

풀이과정

(1) 백의 자리 수가 가장 큰 수는 ☐입니다.

(2) 백의 자리가 같은 수는 십의 자리로 비교하면

287 ◯ 231입니다.

(3) 그러므로 ☐, ☐, ☐ 순서로 줄넘기를 많이 했습니다.

	백	십	일
진수			
민아			
민국			

(50~53) 풀이과정을 쓰고 답을 구하세요.

50 도토리 줍기를 하였습니다. 민수는 131개를 주웠고, 도희는 128개를 주웠고, 지예는 211개를 주웠습니다. 가장 많이 주운 사람은 누구일까요?

풀이 ______

답 ______

51 마트에서 초콜릿은 720원, 삶은 계란은 530원, 우유는 560원에 팔고 있습니다. 가장 싼 것부터 비싼 것의 순서로 적으세요.

풀이 ______

답 ______

52 구슬을 철수는 128개, 대한이는 150개 가지고 있습니다. 누가 구슬을 더 많이 가지고 있나요?

풀이 ______

답 ______

53 다음 중 가장 큰 수는 무엇일까요?

(1)오백육십칠

(2) 569

(3) 백이 5이고, 십이 7인 수

풀이 ______

답 ______

연마 Check 칭찬이나 노력할 점을 써 주세요.

맞힌 개수	지도 의견		확인란
개	나의 생각		

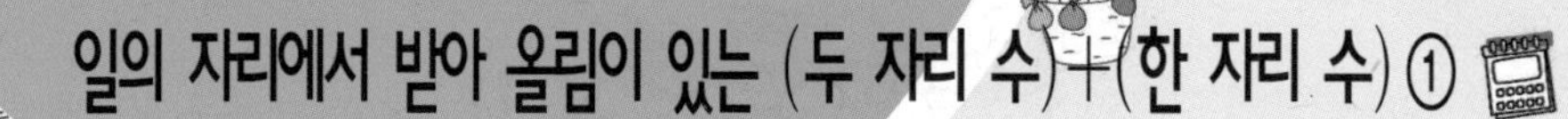

일의 자리에서 받아 올림이 있는 (두 자리 수)+(한 자리 수) ①

월 일

● 16+5의 계산

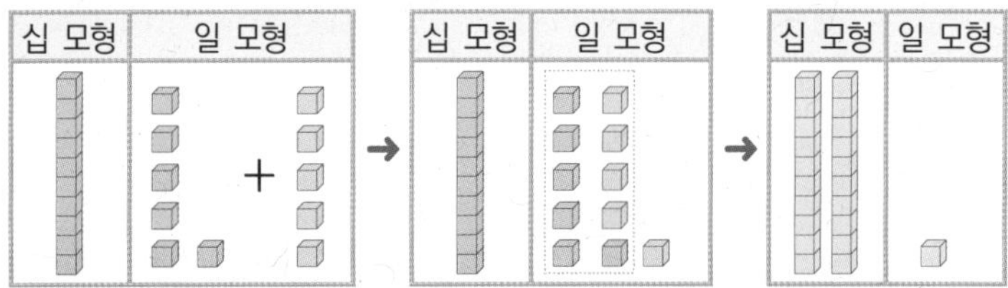

세로셈 하기

$$\begin{array}{rcc} & 1 & 6 \\ + & & 5 \\ \hline & & \end{array} \rightarrow \begin{array}{rcc} & \overset{1}{1} & 6 \\ + & & 5 \\ \hline & & 1 \end{array} \rightarrow \begin{array}{rcc} & \overset{1}{1} & 6 \\ + & & 5 \\ \hline & 2 & 1 \end{array}$$

핵심 포인트

- 일 모형 10개를 십 모형 1개로 바꿀 수 있습니다.
- 1의 자리 수의 합이 10이거나 10보다 큰 수는 10의 자리에 받아 올림 하고 표시를 해둡니다.
- 받아 올림 하고 남은 1은 1의 자리에 씁니다.
- 받아 올림 한 수는 10의 자리 수와 합하여 10의 자리에 내려씁니다.

(01~06) 빈칸을 채우세요.

01

$$\begin{array}{rcc} & \square & \\ & 1 & 5 \\ + & & 6 \\ \hline & & \square \end{array} \rightarrow \begin{array}{rcc} & \square & \\ & 1 & 5 \\ + & & 6 \\ \hline & \square & \square \end{array}$$

02

$$\begin{array}{rcc} & \square & \\ & 2 & 7 \\ + & & 7 \\ \hline & & \square \end{array} \rightarrow \begin{array}{rcc} & \square & \\ & 2 & 7 \\ + & & 7 \\ \hline & \square & \square \end{array}$$

03

$$\begin{array}{rcc} & \square & \\ & & 8 \\ + & 1 & 8 \\ \hline & & \square \end{array} \rightarrow \begin{array}{rcc} & \square & \\ & & 8 \\ + & 1 & 8 \\ \hline & \square & \square \end{array}$$

04

$$\begin{array}{rcc} & \square & \\ & 2 & 8 \\ + & & 5 \\ \hline & & \square \end{array} \rightarrow \begin{array}{rcc} & \square & \\ & 2 & 8 \\ + & & 5 \\ \hline & \square & \square \end{array}$$

05

$$\begin{array}{rcc} & \square & \\ & 3 & 7 \\ + & & 6 \\ \hline & & \square \end{array} \rightarrow \begin{array}{rcc} & \square & \\ & 3 & 7 \\ + & & 6 \\ \hline & \square & \square \end{array}$$

06

$$\begin{array}{rcc} & \square & \\ & 4 & 3 \\ + & & 9 \\ \hline & & \square \end{array} \rightarrow \begin{array}{rcc} & \square & \\ & 4 & 3 \\ + & & 9 \\ \hline & \square & \square \end{array}$$

계산력 강화하기

정확하게 풀어보아요

(07~24) 계산을 하세요.

07 $\begin{array}{r} 24 \\ +\ \ 9 \\ \hline \end{array}$

08 $\begin{array}{r} 85 \\ +\ \ 7 \\ \hline \end{array}$

09 $\begin{array}{r} 37 \\ +\ \ 8 \\ \hline \end{array}$

10 $\begin{array}{r} 29 \\ +\ \ 1 \\ \hline \end{array}$

11 $\begin{array}{r} 27 \\ +\ \ 7 \\ \hline \end{array}$

12 $\begin{array}{r} 49 \\ +\ \ 2 \\ \hline \end{array}$

13 $\begin{array}{r} 89 \\ +\ \ 4 \\ \hline \end{array}$

14 $\begin{array}{r} 46 \\ +\ \ 7 \\ \hline \end{array}$

15 $\begin{array}{r} 66 \\ +\ \ 6 \\ \hline \end{array}$

16 $\begin{array}{r} 54 \\ +\ \ 9 \\ \hline \end{array}$

17 $\begin{array}{r} 77 \\ +\ \ 5 \\ \hline \end{array}$

18 $\begin{array}{r} 34 \\ +\ \ 8 \\ \hline \end{array}$

19 $\begin{array}{r} 57 \\ +\ \ 8 \\ \hline \end{array}$

20 $\begin{array}{r} 89 \\ +\ \ 9 \\ \hline \end{array}$

21 $\begin{array}{r} 48 \\ +\ \ 6 \\ \hline \end{array}$

22 $\begin{array}{r} 78 \\ +\ \ 6 \\ \hline \end{array}$

23 $\begin{array}{r} 68 \\ +\ \ 6 \\ \hline \end{array}$

24 $\begin{array}{r} 73 \\ +\ \ 9 \\ \hline \end{array}$

구조화 하기

구조화 하기를 연습하면 서술형도 쉽게 풀어요

(25~45) 두 수를 더하여 빈칸에 쓰세요.

25

17	
5	

26

14	
8	

27

36	
5	

28

28	
8	

29

58	
9	

30

49	
5	

31

42	
8	

32

63	
9	

33

87	
5	

34

59	
9	

35

76	
9	

36

28	
9	

37

54	
7	

38

78	
4	

39

29	
5	

40

67	
6	

41

88	
8	

42

56	
9	

43

39	
7	

44

35	
8	

45

47	
5	

46 나는 9살이고, 엄마는 48살입니다. 나와 엄마의 나이를 더하면 몇 살일까요?

풀이과정

(1) (나의 나이)+(엄마의 나이)는 ☐ + ☐ 입니다.

(2) 그러므로 나와 엄마의 나이의 합은 ☐ 살입니다.

48	
9	

(47~50) 풀이과정을 쓰고 답을 구하세요.

47 상자에 사과가 53개, 귤이 8개 있습니다. 사과와 귤을 더하면 모두 몇 개일까요?

풀이

답 개

48 사탕 12개를 가지고 있었는데 엄마가 9개를 더 주셨습니다. 내가 가진 사탕은 모두 몇 개일까요?

풀이

답 개

49 색종이가 87장 있었는데 친구가 6장을 더 줬습니다. 색종이는 모두 몇 장일까요?

풀이

답 장

50 책을 어제는 25쪽을 읽었고 오늘은 6쪽을 읽었습니다. 어제와 오늘 읽은 책은 모두 몇 쪽일까요?

풀이

답 쪽

연마 Check 칭찬이나 노력할 점을 써 주세요.

맞힌 개수	지도 의견		확인란
개	나의 생각		

월 일

- 16+5의 계산

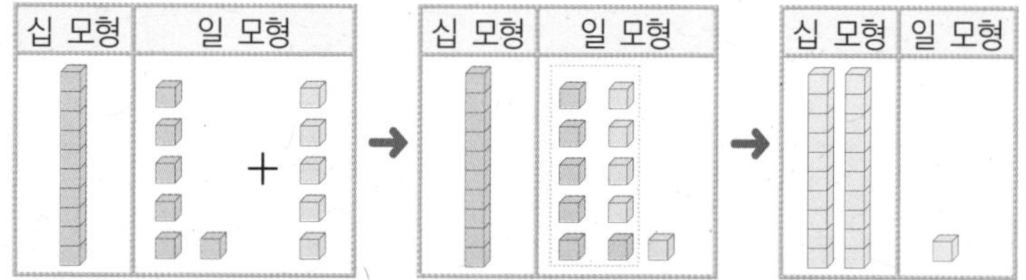

가로셈 하기

① 일의 자리: 6 + 5 = (10) + 1

② 십의 자리: (10) + 10 = 20

➜ 20 + 1 = 21

핵심 포인트

- 1의 자리 수의 합이 10이거나 10보다 큰 수는 10의 자리에 받아 올림 하고 표시를 해둡니다.
- 받아 올림 하고 남은 1은 1의 자리에 씁니다.
- 받아 올림 한 수는 10의 자리 수와 합하여 10의 자리에 내려씁니다.

1
- 16+5=21

(01~18) 계산을 하세요.

01 13+7

02 16+8

03 17+5

04 24+9

05 26+5

06 27+8

07 48+8

08 64+9

09 75+5

10 59+4

11 83+8

12 42+8

13 59+2

14 86+6

15 76+7

16 19+5

17 75+9

18 87+8

계산력 강화하기

정확하게 풀어보아요

(19~39) 계산을 하세요.

19 $9+54$

26 $18+3$

33 $6+28$

20 $26+7$

27 $27+7$

34 $18+5$

21 $39+5$

28 $38+9$

35 $5+48$

22 $16+6$

29 $58+5$

36 $25+7$

23 $23+7$

30 $38+3$

37 $16+7$

24 $46+9$

31 $45+9$

38 $49+7$

25 $74+7$

32 $45+8$

39 $63+9$

구조화 하기

구조화 하기를 연습하면 서술형도 쉽게 풀어요

(40~53) 빈칸을 채우세요.

40

+7

18 → □

41

+8

23 → □

42

+5

17 → □

43

+9

23 → □

44

+8

36 → □

45

+5

19 → □

46

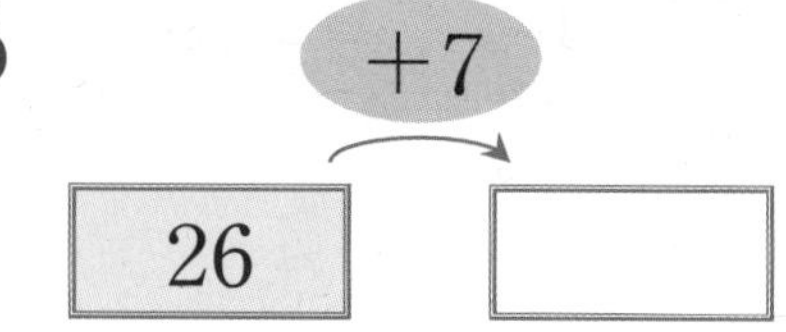

47

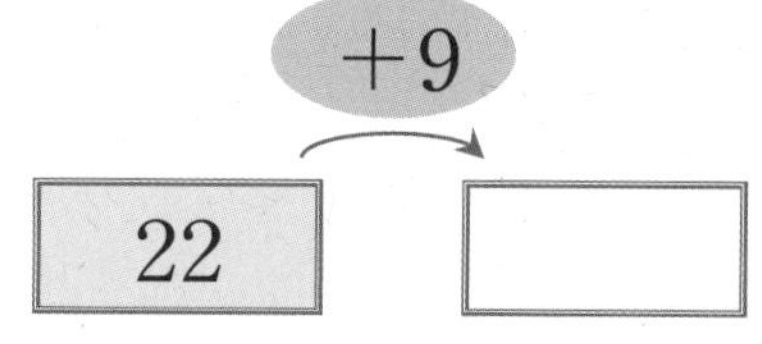

48

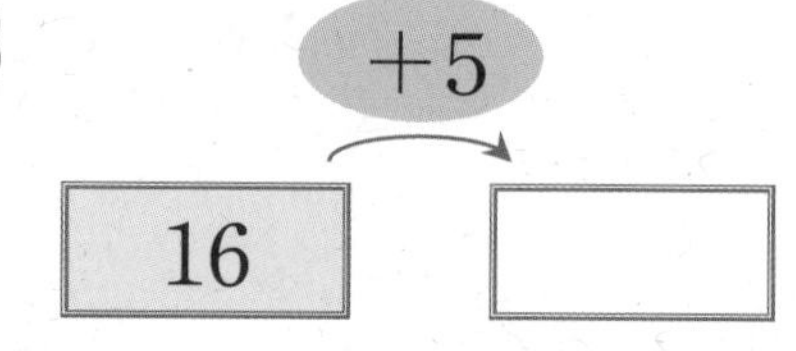

49

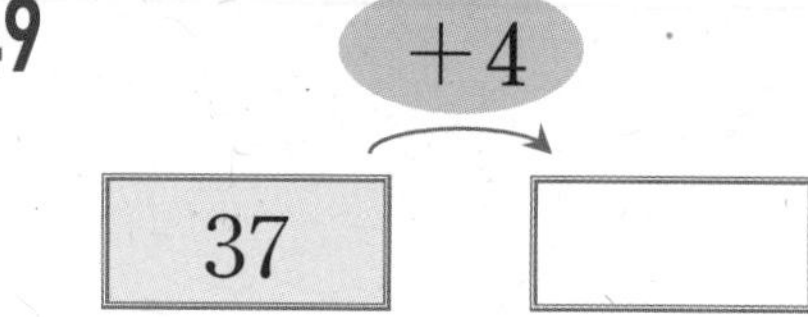

50

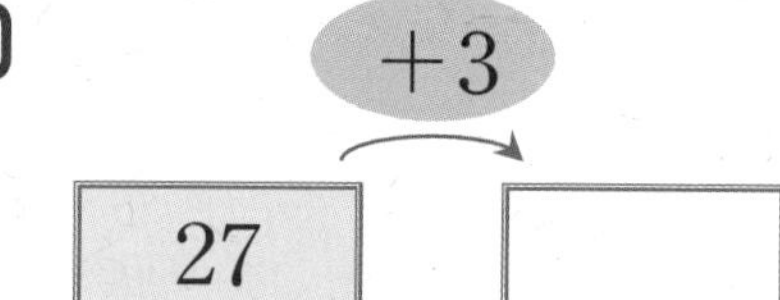

51

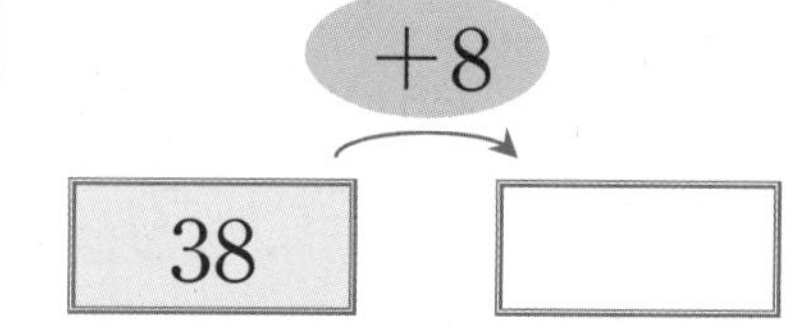

52

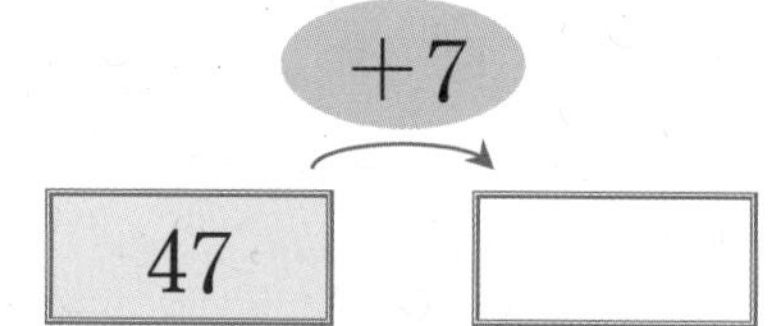

53

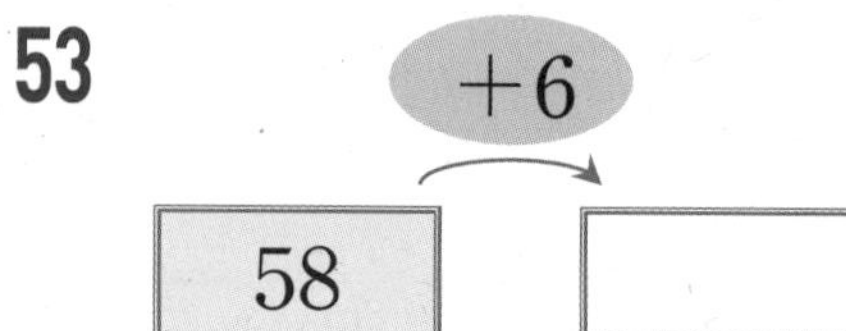

서술형 풀어보기

구조화 해서 풀어보아요

54 흰색 달걀 19개와 노란색 달걀 8개가 있습니다. 달걀은 모두 몇 개일까요?

풀이과정

(1) (흰색 달걀 수)+(노란색 달걀 수)=☐+☐입니다.

(2) 계산하면 ☐입니다.

(3) 그러므로 달걀은 모두 ☐개입니다.

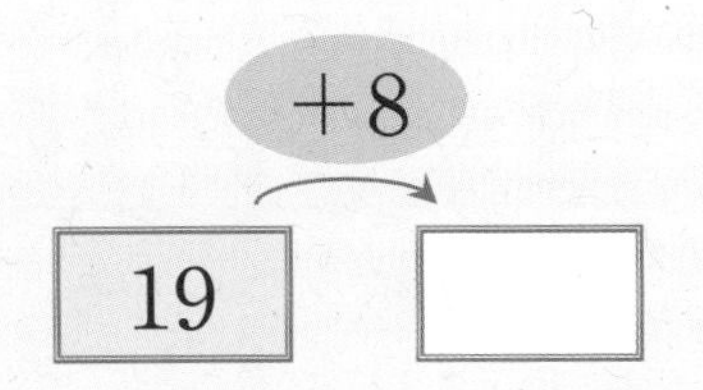

(55~58) 풀이과정을 쓰고 답을 구하세요.

55 파란 구슬 22개와 노란 구슬 8개가 있습니다. 구슬은 모두 몇 개일까요?

풀이 ________________

답 ________ 개

56 동그란 그릇에 동전 던져 넣기를 했습니다. 민아는 14개를 넣었고, 승민이는 8개를 넣었습니다. 두 사람이 넣은 동전의 수는 모두 몇 개일까요?

풀이 ________________

답 ________ 개

57 아버지와 나는 고추를 땄습니다. 아버지는 26개 땄고 나는 7개 땄습니다. 우리가 딴 고추는 모두 몇 개일까요?

풀이 ________________

답 ________ 개

58 참새가 전깃줄에 28마리가 앉아 있고, 마당에는 5마리가 있습니다. 전깃줄과 마당에 있는 참새는 모두 몇 마리일까요?

풀이 ________________

답 ________ 마리

연마 Check 칭찬이나 노력할 점을 써 주세요.

맞힌 개수	지도 의견		확인란
개	나의 생각		

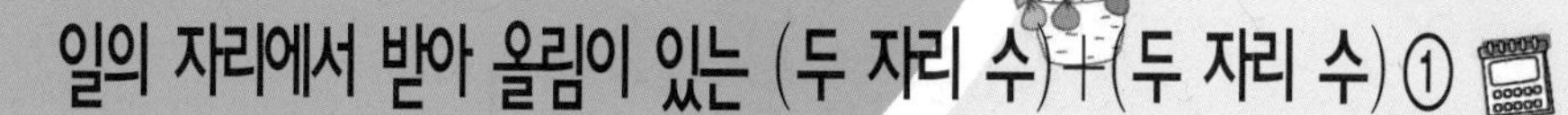

06 일차 일의 자리에서 받아 올림이 있는 (두 자리 수)+(두 자리 수) ①

월 일

- 16+25의 계산

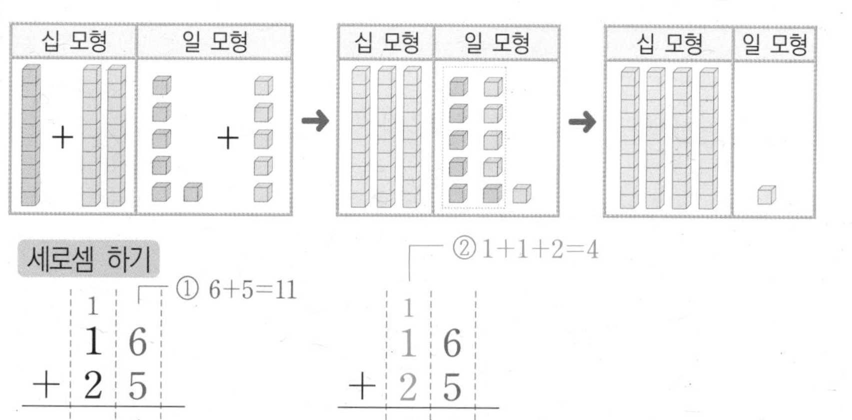

세로셈 하기

① 6+5=11

$$\begin{array}{rcc} & {\scriptstyle 1} & \\ & 1 & 6 \\ + & 2 & 5 \\ \hline & & 1 \end{array}$$

② 1+1+2=4

$$\begin{array}{rcc} & {\scriptstyle 1} & \\ & 1 & 6 \\ + & 2 & 5 \\ \hline & 4 & 1 \end{array}$$

핵심포인트

- 1의 자리 수의 합이 10이거나 10보다 큰 수는 10의 자리에 받아 올림하고 표시를 해둡니다.
- ① 10은 받아 올림하고, 남은 1은 1의 자리에 씁니다.
- ② 받아 올림한 수 1과 10의 자리 수(1+2)를 합하여, 10의 자리에 씁니다. (10+10+20=40)

(01~06) 빈칸을 채우세요.

01

$$\begin{array}{rcc} & \square & \\ & 1 & 5 \\ + & 3 & 6 \\ \hline & & \square \end{array} \rightarrow \begin{array}{rcc} & \square & \\ & 1 & 5 \\ + & 3 & 6 \\ \hline & \square & \square \end{array}$$

02

$$\begin{array}{rcc} & \square & \\ & 2 & 6 \\ + & 1 & 7 \\ \hline & & \square \end{array} \rightarrow \begin{array}{rcc} & \square & \\ & 2 & 6 \\ + & 1 & 7 \\ \hline & \square & \square \end{array}$$

03

$$\begin{array}{rcc} & \square & \\ & 3 & 3 \\ + & 4 & 9 \\ \hline & & \square \end{array} \rightarrow \begin{array}{rcc} & \square & \\ & 3 & 3 \\ + & 4 & 9 \\ \hline & \square & \square \end{array}$$

04

$$\begin{array}{rcc} & \square & \\ & 2 & 8 \\ + & 2 & 5 \\ \hline & & \square \end{array} \rightarrow \begin{array}{rcc} & \square & \\ & 2 & 8 \\ + & 2 & 5 \\ \hline & \square & \square \end{array}$$

05

$$\begin{array}{rcc} & \square & \\ & 3 & 7 \\ + & 2 & 6 \\ \hline & & \square \end{array} \rightarrow \begin{array}{rcc} & \square & \\ & 3 & 7 \\ + & 2 & 6 \\ \hline & \square & \square \end{array}$$

06

$$\begin{array}{rcc} & \square & \\ & 4 & 4 \\ + & 3 & 9 \\ \hline & & \square \end{array} \rightarrow \begin{array}{rcc} & \square & \\ & 4 & 4 \\ + & 3 & 9 \\ \hline & \square & \square \end{array}$$

(07~24) 계산을 하세요.

07 $\begin{array}{r} 4\ 9 \\ +\ 2\ 4 \\ \hline \end{array}$

08 $\begin{array}{r} 1\ 5 \\ +\ 1\ 7 \\ \hline \end{array}$

09 $\begin{array}{r} 1\ 3 \\ +\ 2\ 8 \\ \hline \end{array}$

10 $\begin{array}{r} 3\ 9 \\ +\ 2\ 5 \\ \hline \end{array}$

11 $\begin{array}{r} 2\ 5 \\ +\ 4\ 8 \\ \hline \end{array}$

12 $\begin{array}{r} 5\ 8 \\ +\ 3\ 5 \\ \hline \end{array}$

13 $\begin{array}{r} 2\ 7 \\ +\ 3\ 7 \\ \hline \end{array}$

14 $\begin{array}{r} 1\ 6 \\ +\ 1\ 8 \\ \hline \end{array}$

15 $\begin{array}{r} 2\ 6 \\ +\ 2\ 7 \\ \hline \end{array}$

16 $\begin{array}{r} 1\ 8 \\ +\ 1\ 5 \\ \hline \end{array}$

17 $\begin{array}{r} 3\ 1 \\ +\ 1\ 9 \\ \hline \end{array}$

18 $\begin{array}{r} 1\ 6 \\ +\ 2\ 6 \\ \hline \end{array}$

19 $\begin{array}{r} 2\ 5 \\ +\ 1\ 7 \\ \hline \end{array}$

20 $\begin{array}{r} 3\ 8 \\ +\ 3\ 3 \\ \hline \end{array}$

21 $\begin{array}{r} 4\ 6 \\ +\ 2\ 9 \\ \hline \end{array}$

22 $\begin{array}{r} 5\ 9 \\ +\ 1\ 4 \\ \hline \end{array}$

23 $\begin{array}{r} 3\ 9 \\ +\ 1\ 8 \\ \hline \end{array}$

24 $\begin{array}{r} 5\ 5 \\ +\ 1\ 7 \\ \hline \end{array}$

구조화 하기

구조화 하기를 연습하면 서술형도 쉽게 풀어요

(25~45) 두 수를 더하여 빈칸에 쓰세요.

25

18	
13	

26

19	
26	

27

15	
16	

28

26	
17	

29

35	
37	

30

22	
19	

31

47	
25	

32

28	
33	

33

45	
19	

34

56	
28	

35

27	
44	

36

38	
29	

37

46	
39	

38

16	
26	

39

17	
14	

40

19	
13	

41

29	
19	

42

27	
18	

43

29	
37	

44

27	
36	

45

38	
45	

서술형 풀어보기

구조화 해서 풀어보아요

46 운동장에 남학생 17명과 여학생 15명이 있습니다. 운동장에 있는 학생 수는 모두 몇 명일까요?

풀이과정

(1) (남학생 수)+(여학생 수)=☐+☐입니다.

(2) 계산하면 ☐입니다.

(3) 그러므로 운동장에 있는 학생은 ☐명입니다.

17	
15	

(47~50) 풀이과정을 쓰고 답을 구하세요.

47 식당에서 오늘 물냉면을 27 그릇, 비빔냉면을 25 그릇 팔았습니다. 오늘 판 냉면은 모두 몇 그릇일까요?

풀이

답 ______ 그릇

48 어항에 붕어가 17마리 있습니다. 여기에 붕어 24마리를 더 넣었습니다. 어항에 있는 붕어는 모두 몇 마리일까요?

풀이

답 ______ 마리

49 아버지와 나는 알밤을 주웠습니다. 아버지는 36개 주웠고 나는 19개를 주웠습니다. 우리가 주운 알밤은 모두 몇 개일까요?

풀이

답 ______ 개

50 병아리가 닭장에 28마리가 있고, 마당에는 18마리가 있습니다. 닭장과 마당에 있는 병아리는 모두 몇 마리일까요?

풀이

답 ______ 마리

연마 Check 칭찬이나 노력할 점을 써 주세요.

맞힌 개수	지도 의견		확인란
개	나의 생각		

일의 자리에서 받아 올림이 있는 (두 자리 수)+(두 자리 수) ②

월 일

● 16+25의 계산

가로셈 하기

① 일의 자리 계산: 6+5=(10)+1

② 십의 자리 계산: (10)+10+20=40

➜ 40+1=41

핵심 포인트

- 덧셈은 1의 자리부터 같은 자리끼리 계산합니다.
- 1의 자리에서 받아 올림한 수는 잊지 말고 10의 자리에 꼭 더해야 합니다.
- 자릿값을 틀리지 않도록 주의해야 합니다.

(01~06) 계산을 하세요.

01 27+35

① 7+5=□+2

② □+20+30=□

➜ □+2=□

02 24+47

① 4+7=□+1

② □+20+40=□

➜ □+1=□

03 42+29

① 2+9=□+1

② □+40+20=□

➜ □+1=□

04 16+38

① 6+8=□+4

② □+□+□=□

➜ □+□=□

05 36+25

① 6+5=□+1

② □+□+□=□

➜ □+□=□

06 56+17

① 6+7=□+3

② □+□+□=□

➜ □+□=□

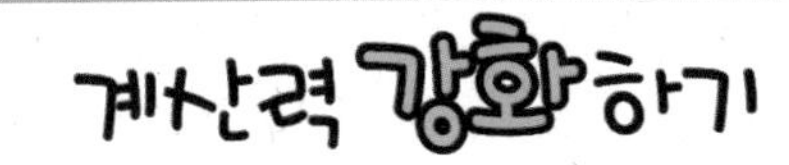

계산력 강화하기

정확하게 풀어보아요

(07~27) 계산을 하세요.

07 $46+14$

08 $36+17$

09 $28+16$

10 $32+29$

11 $27+18$

12 $35+27$

13 $29+38$

14 $46+29$

15 $49+33$

16 $16+37$

17 $17+17$

18 $25+28$

19 $17+35$

20 $32+19$

21 $15+26$

22 $36+19$

23 $48+19$

24 $26+38$

25 $49+27$

26 $18+36$

27 $29+47$

구조화 하기

구조화 하기를 연습하면 서술형도 쉽게 풀어요

(28~41) 빈칸을 채우세요.

28

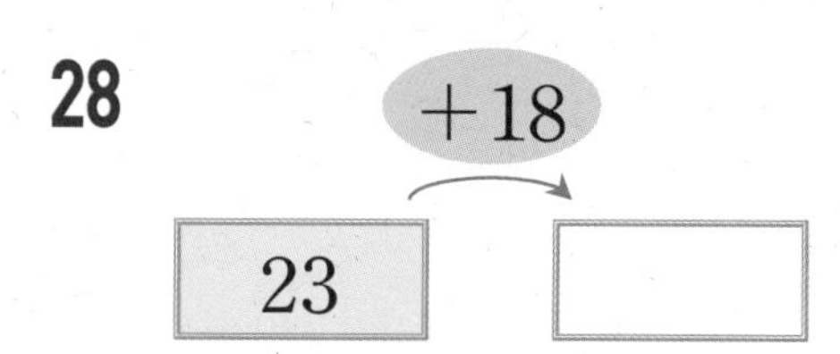

29

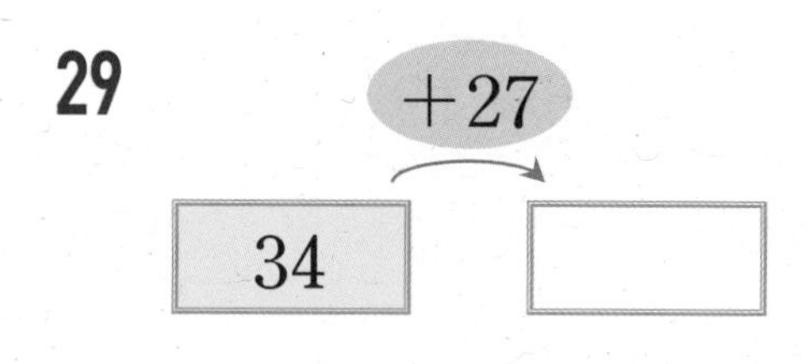

30

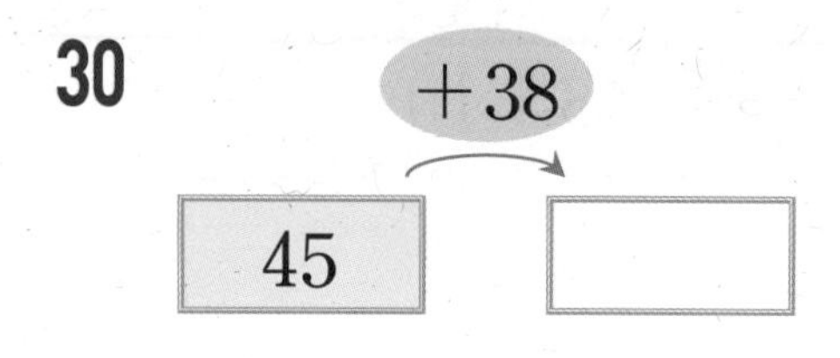

31

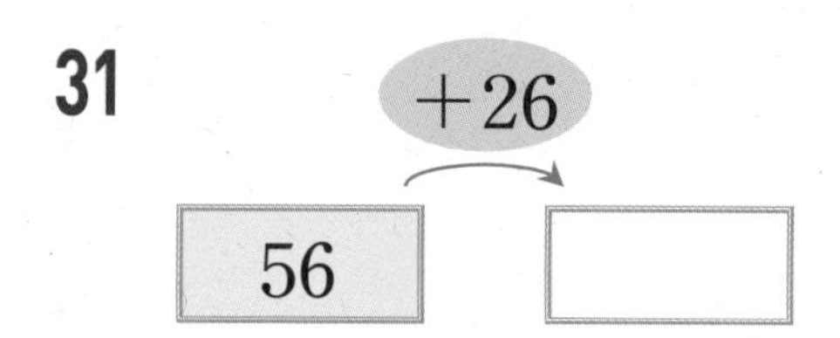

32

+25

67 → □

33

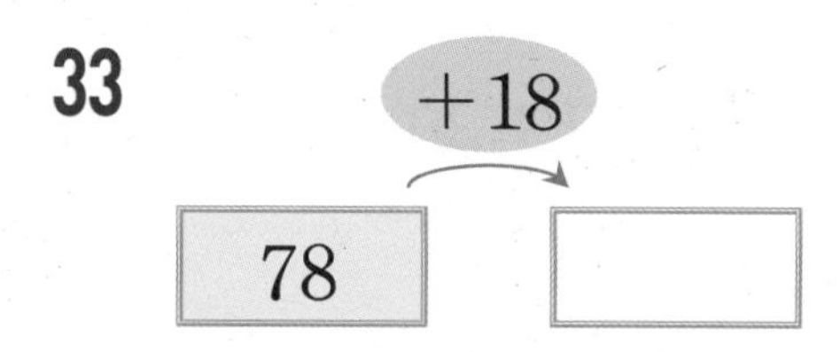

34

+15

19 → □

35

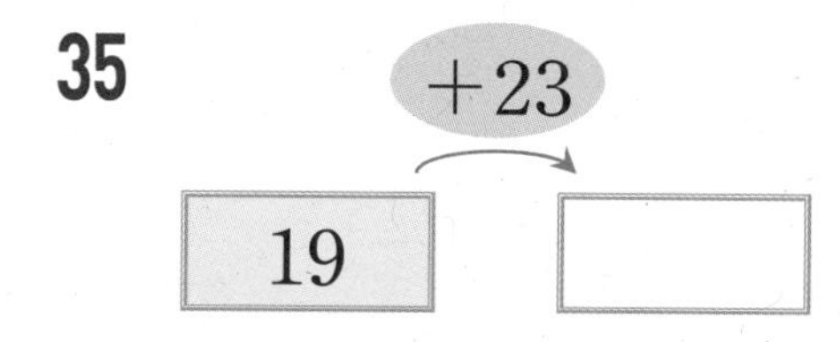

36

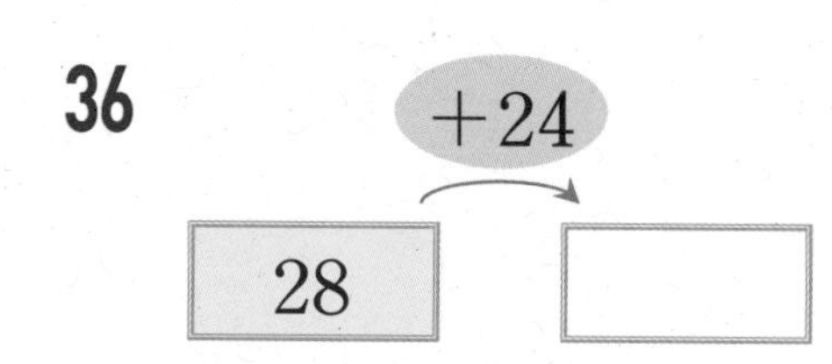

37

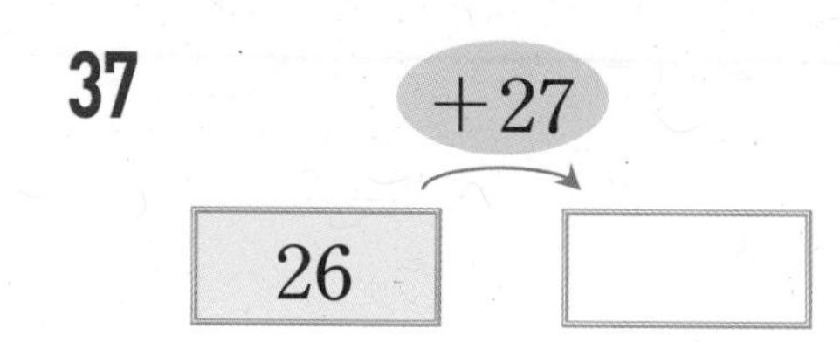

38

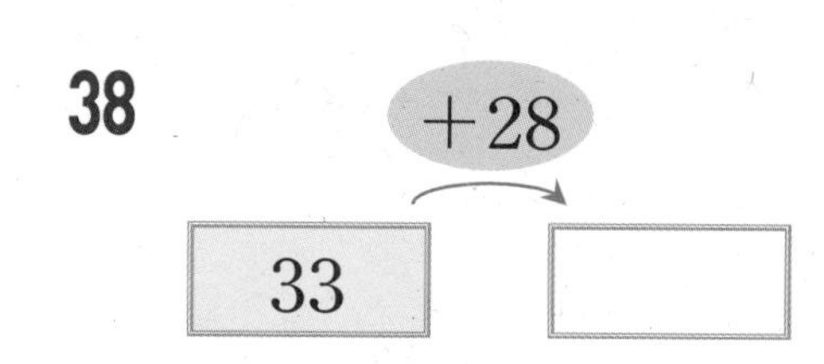

39

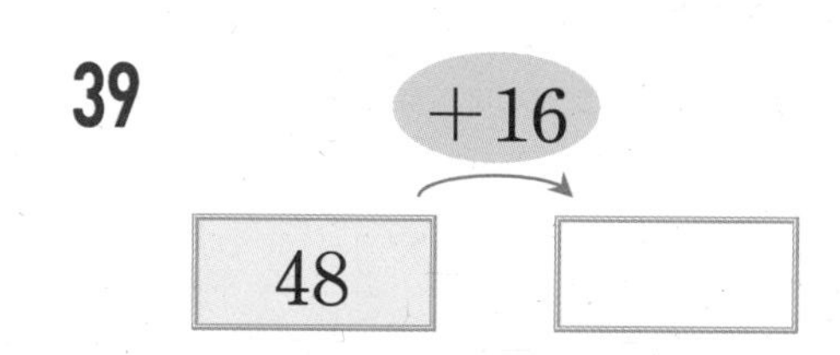

40

+18

47 → □

41

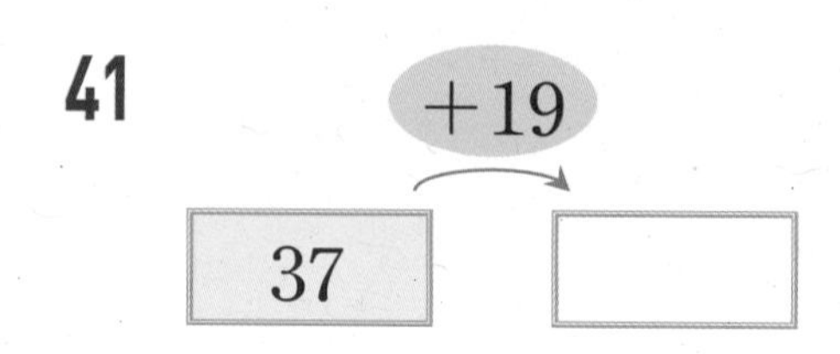

서술형 풀어보기

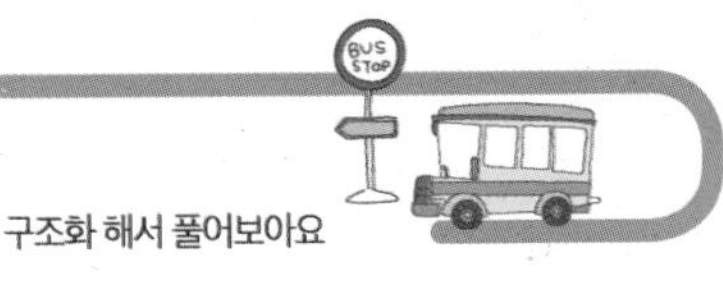

42 사탕 한 봉지를 사서 13개를 먹고, 27개가 남았습니다. 처음 사탕 봉지에 사탕은 모두 몇 개가 들어있었을까요?

풀이과정

(1) (처음 사탕의 개수)=(먹은 사탕의 개수)+(남은 사탕의 개수)이므로 ☐ + ☐ 입니다.

(2) 계산하면 ☐ 입니다.

(3) 그러므로 처음 사탕은 ☐ 개가 들어있었습니다.

+27

13 → ☐

(43~46) 풀이과정을 쓰고 답을 구하세요.

43 내 양말은 17켤레이고 어머니 양말은 25켤레입니다. 두 사람의 양말은 모두 몇 켤레일까요?

풀이 ______

답 ______ 켤레

44 희수는 오전에 줄넘기를 35번 하였고 오후에는 27번을 했습니다. 희수는 오전, 오후 합하여 모두 몇 번의 줄넘기를 했을까요?

풀이 ______

답 ______ 번

45 청아는 식목일에 밤나무 26그루와 소나무 37그루를 심었습니다. 모두 몇 그루의 나무를 심었을까요?

풀이 ______

답 ______ 그루

46 민호는 과자를 24개 먹었고 민호 형은 민호보다 5개 더 많이 먹었습니다. 두 사람이 먹은 과자의 수는 모두 몇 개일까요?

풀이 ______

답 ______ 개

연마 Check 칭찬이나 노력할 점을 써 주세요.

맞힌 개수	지도 의견		확인란
개	나의 생각		

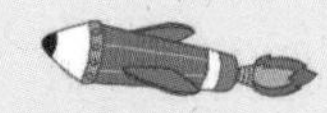

십의 자리에서 받아 올림이 있는 (두 자리 수)+(두 자리 수) ①

월 일

● 66+52의 계산

세로셈 하기

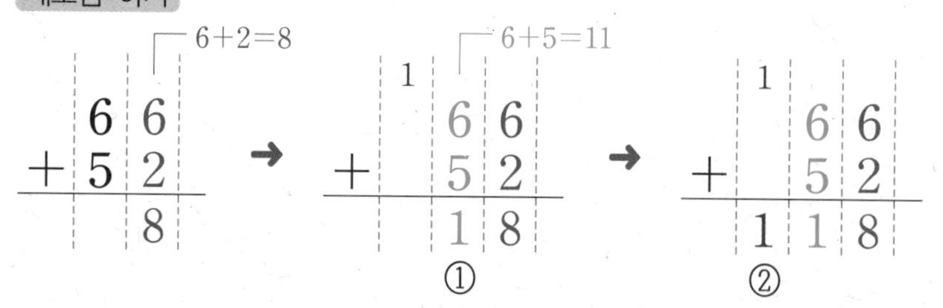

① 십의 자리 수의 합이 10이거나 10보다 큰 수는 100의 자리에 받아 올림하고 표시를 해둡니다. 받아 올림 하고 남은 1은 십의 자리에 씁니다. (60+50=110)

② 십의 자리에서 받아 올림 한 100은 100의 자리에 내려씁니다.

- 받아 올림한 수는 잊지 말고 꼭 더해야 합니다.
- 자릿값이 틀리지 않도록 주의합니다.

(01~09) 계산을 하세요.

01 □
$$\begin{array}{r} 2\ 4 \\ +\ 9\ 5 \\ \hline \square\square\square \end{array}$$

02 □
$$\begin{array}{r} 7\ 3 \\ +\ 7\ 6 \\ \hline \square\square\square \end{array}$$

03 □
$$\begin{array}{r} 8\ 3 \\ +\ 3\ 2 \\ \hline \square\square\square \end{array}$$

04 □
$$\begin{array}{r} 4\ 3 \\ +\ 7\ 4 \\ \hline \square\square\square \end{array}$$

05 □
$$\begin{array}{r} 4\ 4 \\ +\ 9\ 3 \\ \hline \square\square\square \end{array}$$

06 □
$$\begin{array}{r} 6\ 3 \\ +\ 7\ 5 \\ \hline \square\square\square \end{array}$$

07 □
$$\begin{array}{r} 9\ 3 \\ +\ 3\ 4 \\ \hline \square\square\square \end{array}$$

08 □
$$\begin{array}{r} 4\ 3 \\ +\ 6\ 4 \\ \hline \square\square\square \end{array}$$

09 □
$$\begin{array}{r} 8\ 2 \\ +\ 7\ 6 \\ \hline \square\square\square \end{array}$$

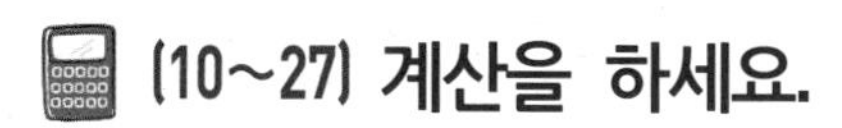

계산력 강화하기

정확하게 풀어보아요

(10~27) 계산을 하세요.

10 $\begin{array}{r} 33 \\ +82 \\ \hline \end{array}$	16 $\begin{array}{r} 27 \\ +91 \\ \hline \end{array}$	22 $\begin{array}{r} 88 \\ +81 \\ \hline \end{array}$
11 $\begin{array}{r} 45 \\ +62 \\ \hline \end{array}$	17 $\begin{array}{r} 33 \\ +82 \\ \hline \end{array}$	23 $\begin{array}{r} 62 \\ +66 \\ \hline \end{array}$
12 $\begin{array}{r} 58 \\ +61 \\ \hline \end{array}$	18 $\begin{array}{r} 86 \\ +63 \\ \hline \end{array}$	24 $\begin{array}{r} 57 \\ +82 \\ \hline \end{array}$
13 $\begin{array}{r} 62 \\ +63 \\ \hline \end{array}$	19 $\begin{array}{r} 67 \\ +72 \\ \hline \end{array}$	25 $\begin{array}{r} 96 \\ +73 \\ \hline \end{array}$
14 $\begin{array}{r} 67 \\ +72 \\ \hline \end{array}$	20 $\begin{array}{r} 45 \\ +82 \\ \hline \end{array}$	26 $\begin{array}{r} 72 \\ +81 \\ \hline \end{array}$
15 $\begin{array}{r} 75 \\ +32 \\ \hline \end{array}$	21 $\begin{array}{r} 82 \\ +63 \\ \hline \end{array}$	27 $\begin{array}{r} 94 \\ +84 \\ \hline \end{array}$

구조화 하기를 연습하면 서술형도 쉽게 풀어요

(28~48) 두 수를 더하여 빈칸에 쓰세요.

28

33	
82	

29

45	
72	

30

47	
62	

31

21	
87	

32

35	
92	

33

82	
93	

34

56	
63	

35

72	
63	

36

45	
82	

37

56	
63	

38

82	
44	

39

66	
72	

40

72	
83	

41

88	
91	

42

34	
92	

43

36	
83	

44

87	
72	

45

63	
66	

46

54	
82	

47

55	
73	

48

46	
93	

서술형 풀어보기

구조화 해서 풀어보아요

49 운동장에 고추잠자리 56마리가 있는데 메밀잠자리 62마리가 더 날아왔다면, 운동장에 잠자리는 모두 몇 마리일까요?

풀이과정

(1) (고추잠자리 수)+(메밀잠자리 수)= ☐ + ☐ 입니다.

(2) 계산하면 ☐ 입니다.

(3) 그러므로 운동장에는 잠자리가 ☐ 마리있습니다.

56	
62	

+

2단계

(50~53) 풀이과정을 쓰고 답을 구하세요.

50 붕어빵 아저씨가 어제는 붕어빵을 87개를 팔았고, 오늘은 71개를 팔았습니다. 어제와 오늘 팔린 붕어빵은 모두 몇 개일까요?

풀이

답 개

51 원숭이들에게 바나나를 오전에 53개 오후에 62개를 주었습니다. 원숭이들에게 준 바나나는 모두 몇 개인가요?

풀이

답 개

52 아버지와 어머니는 수박을 트럭에 실었습니다. 아버지는 67개를, 어머니는 61개를 실었습니다. 트럭에 실은 수박은 모두 몇 개일까요?

풀이

답 개

53 파란색 색종이 75장과 붉은색 색종이는 63장이 있습니다. 색종이는 모두 몇 장일까요?

풀이

답 장

연마 Check 칭찬이나 노력할 점을 써 주세요.

맞힌 개수	지도 의견		확인란
개	나의 생각		

09 일차 십의 자리에서 받아 올림이 있는 (두 자리 수)+(두 자리 수) ② 월 일

- 66+52의 계산

가로셈 하기

① 일의 자리 계산: 6+2=8

② 십의 자리 계산: 60+50=100+10=110

→ 110+8=118

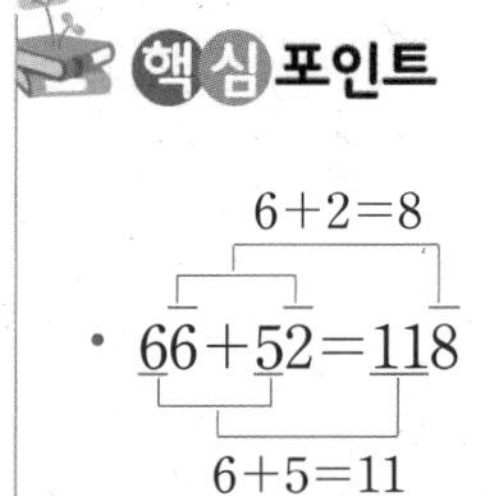

(01~06) 계산을 하세요.

01 34+93

① 4+3=□

② 30+90=□+□

→ □+□=□

02 73+74

① 3+4=□

② 70+70=□+□

→ □+□=□

03 45+91

① 5+1=□

② 40+90=□+□

→ □+□=□

04 33+82

① 3+2=□

② 30+80=□+□

→ □+□=□

05 45+72

① 5+2=□

② 40+70=□+□

→ □+□=□

06 98+61

① 8+1=□

② 90+60=□+□

→ □+□=□

정확하게 풀어보아요

07 $27+92$

08 $43+85$

09 $36+81$

10 $46+72$

11 $55+84$

12 $42+66$

13 $88+71$

14 $62+65$

15 $57+81$

16 $54+73$

17 $38+91$

18 $23+82$

19 $86+63$

20 $42+75$

21 $43+86$

22 $53+61$

23 $87+82$

24 $52+66$

25 $87+62$

26 $52+74$

27 $66+82$

구조화 하기

구조화 하기를 연습하면 서술형도 쉽게 풀어요

(28~41) 빈칸을 채우세요.

28

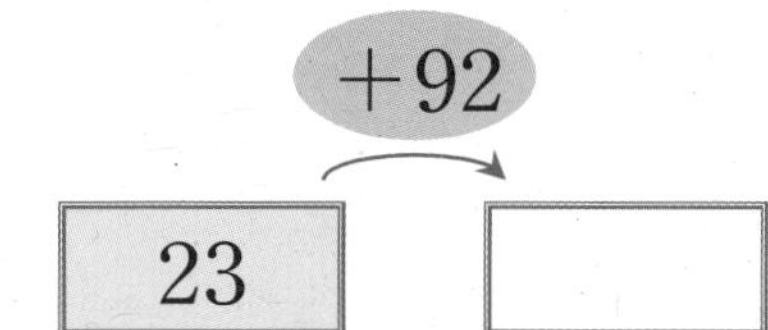

$+92$: 23 → □

29

$+84$: 34 → □

30

$+72$: 45 → □

31

$+51$: 96 → □

32

$+82$: 67 → □

33

$+51$: 78 → □

34

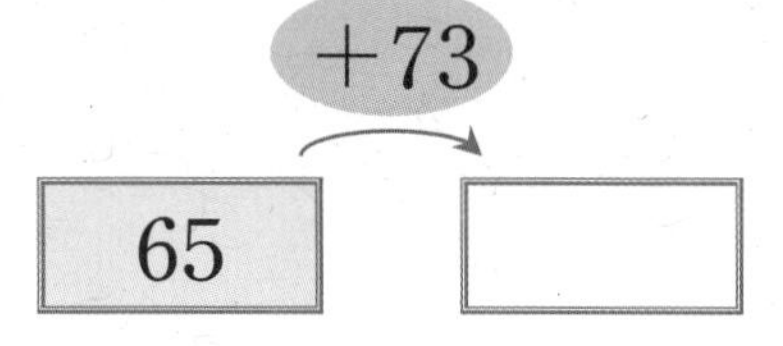

$+73$: 65 → □

35

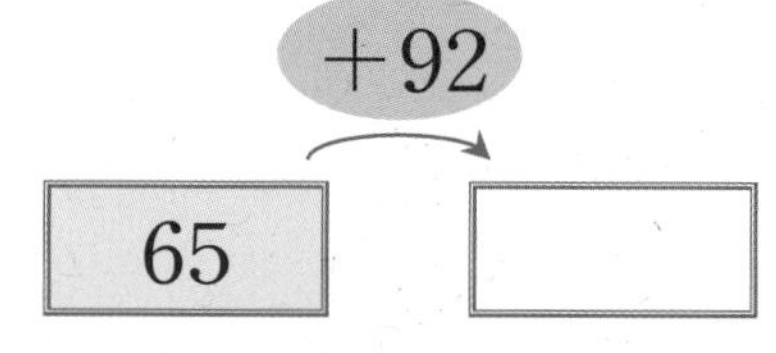

$+92$: 65 → □

36

$+91$: 48 → □

37

$+73$: 56 → □

38

$+65$: 62 → □

39

$+73$: 76 → □

40

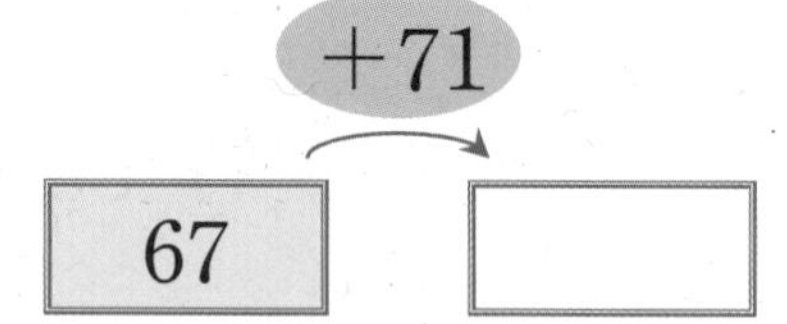

$+71$: 67 → □

41

$+42$: 94 → □

서술형 풀어보기

구조화 해서 풀어보아요

42 혜수는 훌라후프를 54번 했고, 민희는 혜수보다 11번을 더 많이 했습니다. 두 사람은 훌라후푸를 모두 몇 번 했을까요?

풀이과정

(1) 혜수는 훌라후프를 ☐ 번 했습니다.

(2) 민희는 훌라후프를 ☐ 번 했습니다.

(3) 두 사람은 모두 훌라후프를

☐ + ☐ = ☐ 번 했습니다.

+65

54 → ☐

(43~46) 풀이과정을 쓰고 답을 구하세요.

43 정민이는 어제 줄넘기를 75번 했습니다. 오늘은 어제보다 30번을 더 하려 합니다. 정민이는 오늘 줄넘기를 몇 번 해야 할까요?

풀이

답 번

44 오전에 사과를 57개를 땄고 오후에는 82개를 땄습니다. 모두 몇 개의 사과를 땄을까요?

풀이

답 개

45 영호는 딱지를 56장 가지고 있고, 도희는 62장을 가지고 있습니다. 두 사람이 가지고 있는 딱지는 모두 몇 장일까요?

풀이

답 장

46 도영이는 칭찬 스티커를 23개 모았고 장미는 82개 모았습니다. 두 사람이 모은 칭찬 스티커는 모두 몇 장일까요?

풀이

답 장

연마 Check 칭찬이나 노력할 점을 써 주세요.

맞힌 개수	지도 의견		확인란
개	나의 생각		

10일차 일, 십의 자리에서 받아 올림이 있는 (두 자리 수)+(두 자리 수)

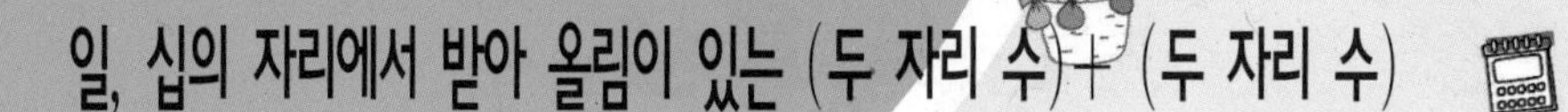

월 일

- 66+57의 계산

세로셈 하기

$$\begin{array}{r} {}^{1}\ \ \\ 6\,6 \\ +\,5\,7 \\ \hline 3 \end{array} \rightarrow \begin{array}{r} {}^{1}\ {}^{1}\ \ \\ 6\,6 \\ +\,5\,7 \\ \hline 2\,3 \end{array} \rightarrow \begin{array}{r} {}^{1}\ {}^{1}\ \ \\ 6\,6 \\ +\,5\,7 \\ \hline 1\,2\,3 \end{array}$$

① 6+7=13 ② 1+6+5=12 ③

① 일의 자리 수를 더하면 13이므로 3을 일의 자리에 쓰고 10은 받아 올림 합니다.

② 십의 자리 수와 받아 올림 한 수(1+6+5)의 합이 12이므로 받아 올림 하고 남은 2는 십의 자리에 씁니다.

③ 받아 올림한 수는 백의 자리에 내려씁니다.

핵심 포인트

- 받아 올림 한 수는 잊지 말고 꼭 더합니다.
- 자릿값을 틀리지 않습니다.

(01~12) 계산을 하세요.

01 $\begin{array}{r} 2\,7 \\ +\,9\,5 \\ \hline \end{array}$

02 $\begin{array}{r} 7\,6 \\ +\,7\,6 \\ \hline \end{array}$

03 $\begin{array}{r} 8\,3 \\ +\,3\,8 \\ \hline \end{array}$

04 $\begin{array}{r} 4\,5 \\ +\,7\,7 \\ \hline \end{array}$

05 $\begin{array}{r} 5\,4 \\ +\,9\,8 \\ \hline \end{array}$

06 $\begin{array}{r} 6\,8 \\ +\,7\,5 \\ \hline \end{array}$

07 $\begin{array}{r} 9\,6 \\ +\,3\,4 \\ \hline \end{array}$

08 $\begin{array}{r} 4\,6 \\ +\,6\,8 \\ \hline \end{array}$

09 $\begin{array}{r} 4\,8 \\ +\,8\,2 \\ \hline \end{array}$

10 $\begin{array}{r} 5\,6 \\ +\,7\,6 \\ \hline \end{array}$

11 $\begin{array}{r} 6\,8 \\ +\,7\,5 \\ \hline \end{array}$

12 $\begin{array}{r} 6\,9 \\ +\,6\,3 \\ \hline \end{array}$

정확하게 풀어보아요

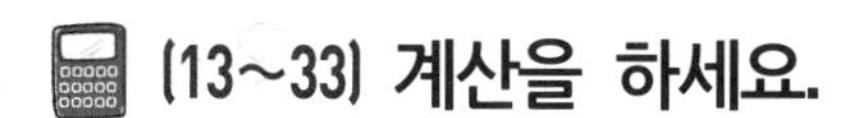

(13~33) 계산을 하세요.

13 $67+79$

14 $75+46$

15 $76+66$

16 $28+96$

17 $38+82$

18 $46+67$

19 $47+77$

20 $45+86$

21 $58+63$

22 $88+85$

23 $67+66$

24 $57+86$

25 $46+77$

26 $44+67$

27 $54+77$

28 $53+89$

29 $68+57$

30 $65+76$

31 $64+88$

32 $63+98$

33 $78+85$

구조화 하기

구조화 하기를 연습하면 서술형도 쉽게 풀어요

(34~54) 두 수를 더하여 빈칸에 쓰세요.

34

38	82

41

45	88

48

37	75

35

45	76

42

56	66

49

46	86

36

85	37

43

87	44

50

54	67

37

35	99

44

66	77

51

55	97

38

88	93

45

69	83

52

67	66

39

56	67

46

88	97

53

73	88

40

72	59

47

46	95

54

76	77

서술형 풀어보기

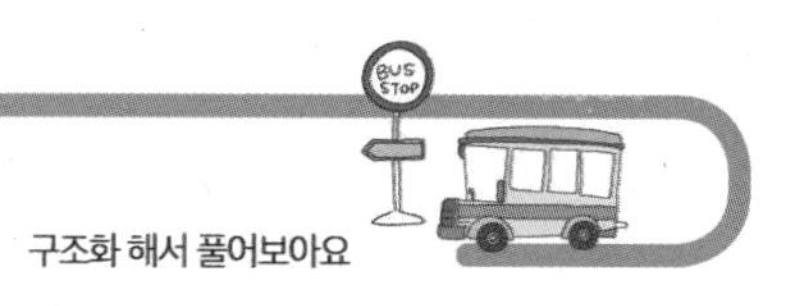

55 집에 사과가 58개가 있는데 할아버지가 오늘 76개를 더 사 오셨습니다. 집에 있는 사과는 모두 몇 개일까요?

풀이과정

(1) (집에 있던 사과 개수)+(할아버지가 사 오신 사과 개수)

=□+□입니다.

(2) 계산을 하면 □입니다.

(3) 그러므로 집에 사과가 □개 있습니다.

58	76

(56~59) **풀이과정을 쓰고 답을 구하세요.**

56 어느 동네에 강아지를 기르는 집이 58가구, 고양이를 기르는 집이 77가구가 있을 때, 이 동네에서 강아지와 고양이를 기르는 집은 모두 몇 가구일까요?

풀이

답 가구

57 파란색 바구니에 감자가 75개 있고, 붉은색 바구니에는 고구마가 68개 있습니다. 두 바구니에 있는 감자와 고구마는 모두 몇 개인가요?

풀이

답 개

58 2, 5, 7 세 수 중에 두 수를 골라서 57과 더하려고 합니다. 계산 결과가 가장 큰 수를 골라서 쓰고 계산해 보세요.

풀이

답

59 계산 결과에 맞게 다음 빈칸을 채워 보세요.

$$\begin{array}{r} 7\ \square \\ +\ \square\ 6 \\ \hline 1\ 5\ 2 \end{array}$$

풀이

엄마 Check 칭찬이나 노력할 점을 써 주세요.

맞힌 개수	지도 의견		확인란
개	나의 생각		

11일차 여러 가지 방법으로 덧셈

월 일

- 28+39의 계산

방법 ① 28은 20+8로, 39는 30+9로 나누어 더하기

$20+30+8+9=50+8+9=58+9=67$

방법 ② 28에 30을 먼저 더한 다음 9를 더하기

$28+30+9=58+9=67$

방법 ③ 39를 40으로 생각하고 28에 40을 더한 뒤, 1을 빼기

$28+40-1=68-1=67$

방법 ④ 39를 32와 7로 생각하고 28에 32를 더한 뒤, 7을 더하기

$28+32+7=60+7=67$

더해서 몇 십을 만듭니다.

핵심 포인트

- 28는 20+8이고, 39는 30+9이므로 큰 수를 먼저 더하고 한 자리 수를 더하면 쉽습니다. (방법 ①)
- 39는 30+9이므로 28+30을 먼저 계산한 후 9를 더합니다. (방법 ②)
- 39=40−1 (방법 ③)
- 39=32+7 (방법 ④)

(01~14) 방법①로 계산을 하세요.

01 $20+15=20+10+\square=\square$

02 $20+12=20+10+\square=\square$

03 $30+16=30+10+\square=\square$

04 $30+27=30+20+\square=\square$

05 $40+29=40+20+\square=\square$

06 $50+31=50+30+\square=\square$

07 $60+33=60+30+\square=\square$

08 $25+15$
$=20+10+\square+\square=\square$

09 $16+25$
$=10+20+\square+\square=\square$

10 $14+23$
$=10+20+\square+\square=\square$

11 $17+35$
$=10+30+\square+\square=\square$

12 $22+44$
$=20+40+\square+\square=\square$

13 $27+15$
$=20+10+\square+\square=\square$

14 $26+45$
$=20+40+\square+\square=\square$

계산력 강화하기

정확하게 풀어보아요

(15~36) 방법②로 계산을 하세요.

15 $25+16=25+10+\square=\square$

16 $22+12=22+10+\square=\square$

17 $36+16=36+10+\square=\square$

18 $32+27=32+20+\square=\square$

19 $49+29=49+20+\square=\square$

20 $56+31=56+30+\square=\square$

21 $66+33=66+30+\square=\square$

22 $28+26=28+20+\square=\square$

23 $25+15=25+10+\square=\square$

24 $16+25=16+20+\square=\square$

25 $24+33=24+30+\square=\square$

26 $17+35=17+30+\square=\square$

27 $33+37=33+30+\square=\square$

28 $56+61=56+60+\square=\square$

29 $82+45=82+40+\square=\square$

30 $68+47=68+40+\square=\square$

31 $77+45=77+40+\square=\square$

32 $53+69=53+60+\square=\square$

33 $61+59=61+50+\square=\square$

34 $57+67=57+60+\square=\square$

35 $48+79=48+70+\square=\square$

36 $56+55=56+50+\square=\square$

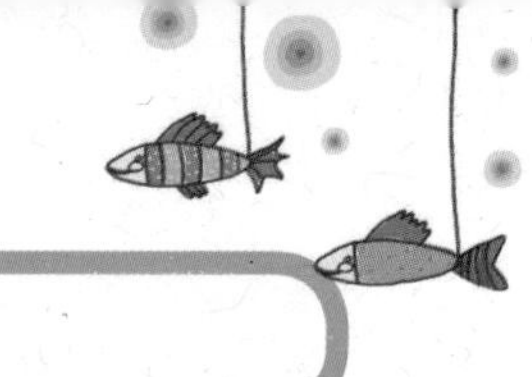

계산력 강화하기

정확하게 풀어보아요

(37~43) 방법③으로 계산하세요.

37 $25+17=25+20-\square$

$=\square-\square=\square$

38 $35+46=35+50-\square$

$=\square-\square=\square$

39 $26+17=26+20-\square$

$=\square-\square=\square$

40 $32+28=32+30-\square$

$=\square-\square=\square$

41 $26+34=26+40-\square$

$=\square-\square=\square$

42 $47+26=47+30-\square$

$=\square-\square=\square$

43 $56+16=56+20-\square$

$=\square-\square=\square$

(44~50) 방법④로 계산하세요.

44 $33+38=33+37+\square$

$=\square+\square=\square$

45 $62+19=62+18+\square$

$=\square+\square=\square$

46 $27+65=27+63+\square$

$=\square+\square=\square$

47 $46+46=46+44+\square$

$=\square+\square=\square$

48 $77+16=77+13+\square$

$=\square+\square=\square$

49 $66+25=66+24+\square$

$=\square+\square=\square$

50 $48+28=48+22+\square$

$=\square+\square=\square$

서술형 풀어보기

구조화 해서 풀어보아요

51 나는 십 원짜리 동전 4개와 일 원짜리 동전 7개를 가지고 있고, 동생은 십 원짜리 동전 3개와 일 원짜리 동전 5개를 가지고 있습니다. 우리가 가진 돈은 모두 얼마일까요?

풀이과정

(1) 식을 만들면 40+30+7+5=☐+☐=☐입니다.

(2) 그러므로 우리가 가진 돈은 모두 ☐원입니다.

40+30	7+5

(52~55) 풀이과정을 쓰고 답을 구하세요.

52 46+27을 여러 가지 방법으로 계산할 때, 27을 24+3으로 생각하여 계산해 보세요.

풀이

답

53 사탕 하나에 37원이고 풍선 하나에 51원입니다. 두 가지를 다 사려면 십 원짜리 동전 몇 개와 일원짜리 동전 몇 개가 필요할까요?

풀이

답 십원 짜리: 개, 일원 짜리: 개

54 27+38의 계산에서 38을 40−2로 생각하여 계산하세요.

풀이

답

55 48+53을 여러 가지 방법으로 계산한 것입니다. 빈칸을 채우세요.

48+53=40+☐+8+3

=☐+☐=☐

엄마 Check 칭찬이나 노력할 점을 써 주세요.

맞힌 개수	지도 의견		확인란
개	나의 생각		

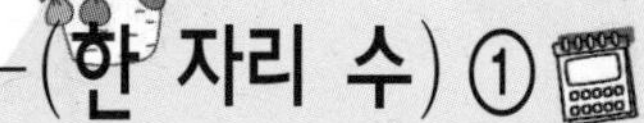

12 일차 받아 내림이 있는 (두 자리 수)−(한 자리 수) ①

월 일

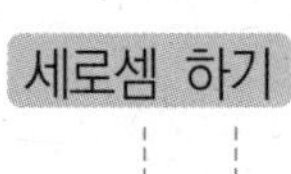

• 26−8의 계산

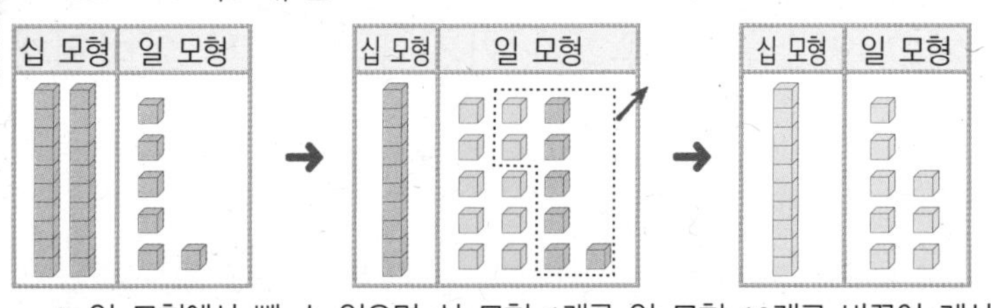

➜ 일 모형에서 뺄 수 없으면 십 모형 1개를 일 모형 10개로 바꾸어 계산합니다.

세로셈 하기

$$\begin{array}{r} 26 \\ -\ \ 8 \\ \hline \end{array} \rightarrow \begin{array}{r} \overset{1}{\cancel{2}}\overset{10}{6} \\ -\ \ 8 \\ \hline 8 \end{array} \rightarrow \begin{array}{r} \overset{1}{\cancel{2}}\overset{10}{6} \\ -\ \ 8 \\ \hline 18 \end{array}$$

핵심포인트

• 1모형 10개를 10모형 1개로 바꿀 수 있습니다.

• 1의 자리 수끼리 뺄셈을 할 수 없으면 10을 받아 내림하여 계산하여 일의 자리에 남은 수를 씁니다. (16−8=8)

• 받아 내림하고 남은 수는 10의 자리에 내려씁니다. (2−1=1)

(01~06) 빈칸을 채우세요.

01 $\begin{array}{r} \square\ \square \\ 2\ \ 5 \\ -\quad\ 6 \\ \hline \square \end{array} \rightarrow \begin{array}{r} \square\ \square \\ 2\ \ 5 \\ -\quad\ 6 \\ \hline \square\ \square \end{array}$

02 $\begin{array}{r} \square\ \square \\ 3\ \ 6 \\ -\quad\ 7 \\ \hline \square \end{array} \rightarrow \begin{array}{r} \square\ \square \\ 3\ \ 6 \\ -\quad\ 7 \\ \hline \square\ \square \end{array}$

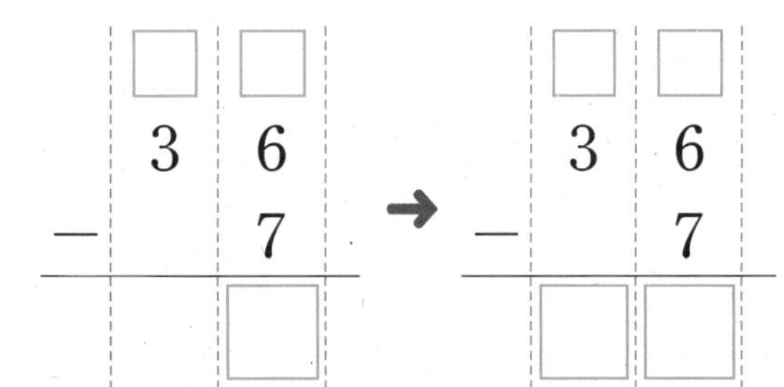

03 $\begin{array}{r} \square\ \square \\ 4\ \ 2 \\ -\quad\ 7 \\ \hline \square \end{array} \rightarrow \begin{array}{r} \square\ \square \\ 4\ \ 2 \\ -\quad\ 7 \\ \hline \square\ \square \end{array}$

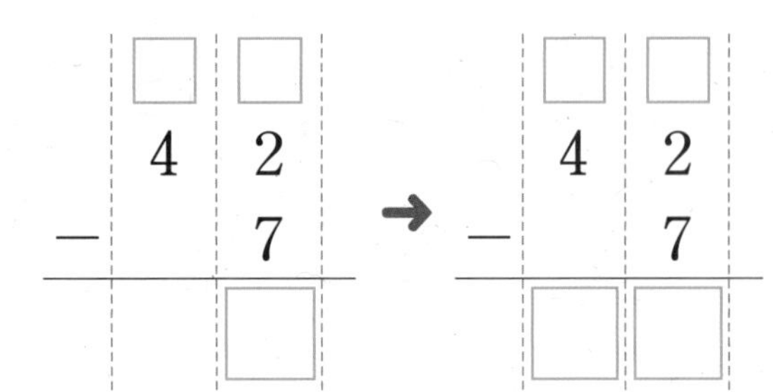

04 $\begin{array}{r} \square\ \square \\ 2\ \ 4 \\ -\quad\ 8 \\ \hline \square \end{array} \rightarrow \begin{array}{r} \square\ \square \\ 2\ \ 4 \\ -\quad\ 8 \\ \hline \square\ \square \end{array}$

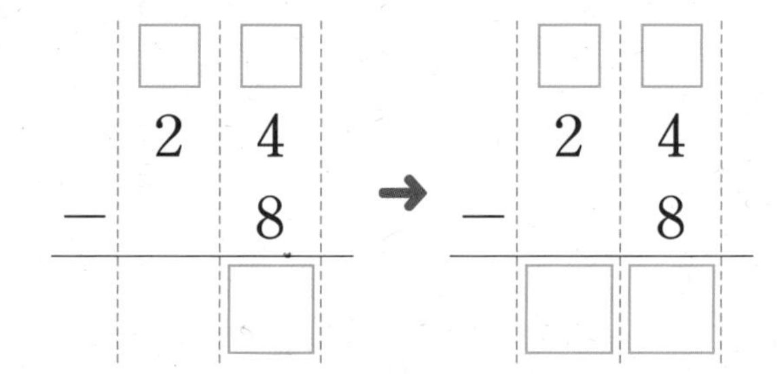

05 $\begin{array}{r} \square\ \square \\ 5\ \ 3 \\ -\quad\ 6 \\ \hline \square \end{array} \rightarrow \begin{array}{r} \square\ \square \\ 5\ \ 3 \\ -\quad\ 6 \\ \hline \square\ \square \end{array}$

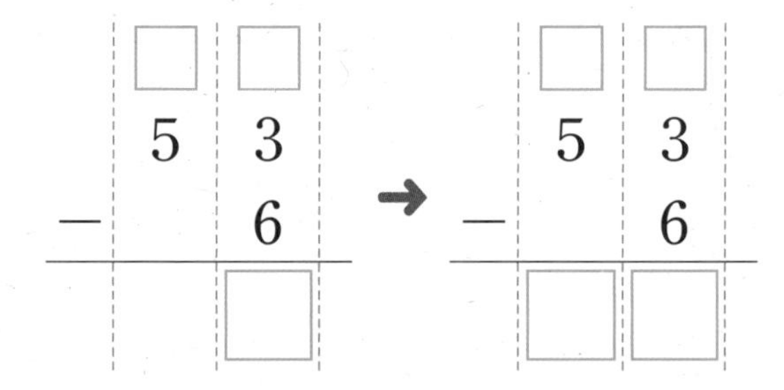

06 $\begin{array}{r} \square\ \square \\ 4\ \ 7 \\ -\quad\ 9 \\ \hline \square \end{array} \rightarrow \begin{array}{r} \square\ \square \\ 4\ \ 7 \\ -\quad\ 9 \\ \hline \square\ \square \end{array}$

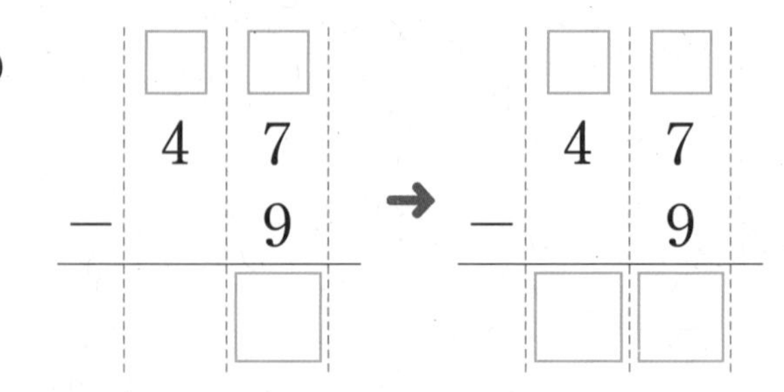

계산력 강화하기

정확하게 풀어보아요

(07~24) 계산을 하세요.

07 $\begin{array}{r} 23 \\ -\quad 5 \\ \hline \end{array}$

08 $\begin{array}{r} 16 \\ -\quad 7 \\ \hline \end{array}$

09 $\begin{array}{r} 43 \\ -\quad 9 \\ \hline \end{array}$

10 $\begin{array}{r} 16 \\ -\quad 8 \\ \hline \end{array}$

11 $\begin{array}{r} 15 \\ -\quad 8 \\ \hline \end{array}$

12 $\begin{array}{r} 23 \\ -\quad 7 \\ \hline \end{array}$

13 $\begin{array}{r} 64 \\ -\quad 7 \\ \hline \end{array}$

14 $\begin{array}{r} 54 \\ -\quad 5 \\ \hline \end{array}$

15 $\begin{array}{r} 24 \\ -\quad 7 \\ \hline \end{array}$

16 $\begin{array}{r} 52 \\ -\quad 8 \\ \hline \end{array}$

17 $\begin{array}{r} 27 \\ -\quad 8 \\ \hline \end{array}$

18 $\begin{array}{r} 53 \\ -\quad 5 \\ \hline \end{array}$

19 $\begin{array}{r} 31 \\ -\quad 9 \\ \hline \end{array}$

20 $\begin{array}{r} 36 \\ -\quad 9 \\ \hline \end{array}$

21 $\begin{array}{r} 25 \\ -\quad 6 \\ \hline \end{array}$

22 $\begin{array}{r} 33 \\ -\quad 7 \\ \hline \end{array}$

23 $\begin{array}{r} 46 \\ -\quad 9 \\ \hline \end{array}$

24 $\begin{array}{r} 47 \\ -\quad 9 \\ \hline \end{array}$

사고력 확장

구조화 하기

구조화 하기를 연습하면 서술형도 쉽게 풀어요

(25~45) 빈칸을 채우세요.

25

13	
7	

(−)

26

23	
8	

(−)

27

15	
7	

(−)

28

23	
9	

(−)

29

36	
8	

(−)

30

25	
9	

(−)

31

26	
7	

(−)

32

22	
9	

(−)

33

12	
5	

(−)

34

33	
8	

(−)

35

23	
7	

(−)

36

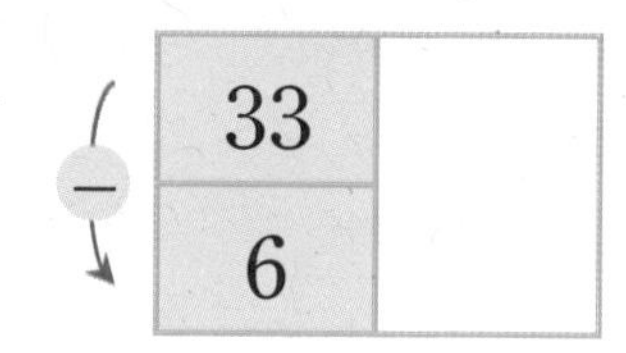

33	
6	

(−)

37

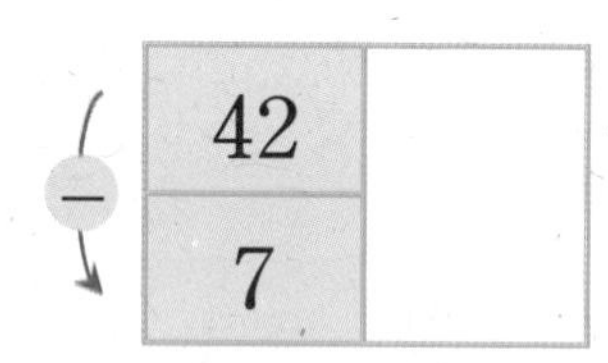

42	
7	

(−)

38

55	
6	

(−)

39

75	
9	

(−)

40

51	
4	

(−)

41

28	
9	

(−)

42

47	
9	

(−)

43

35	
6	

(−)

44

83	
6	

(−)

45

42	
6	

(−)

서술형 풀어보기

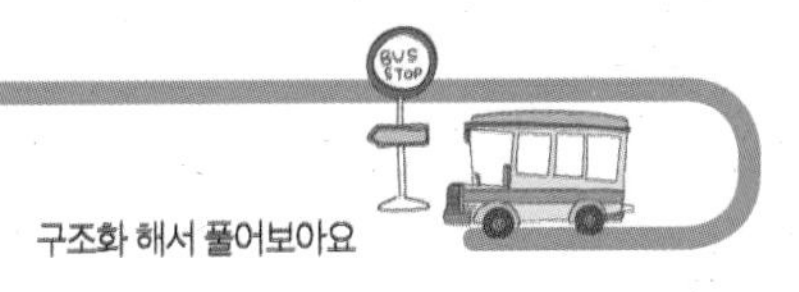

구조화 해서 풀어보아요

46 삶은 달걀 22개가 있는데 8개를 이웃집에 주었습니다. 남은 달걀은 몇 개일까요?

풀이과정

(1) (남은 달걀 개수)=(처음 달걀 ☐개)

−(이웃집에 준 달걀 ☐개)입니다.

(2) 그러므로 ☐개가 남았습니다.

22	
8	

(47~50) 풀이과정을 쓰고 답을 구하세요.

47 책상 위의 구슬 21개 가운데 5개를 서랍에 넣었습니다. 책상 위에 구슬이 몇 개 남아 있나요?

풀이 ______

답 ______ 개

48 민아가 오늘 읽기로 한 책은 22쪽인데 지금까지 6쪽을 읽었습니다. 민아가 오늘 읽어야 할 책은 몇 쪽 남았을까요?

풀이 ______

답 ______ 쪽

49 영수는 사탕 94개를 가지고 있습니다. 동생에게 9개를 주면 영수에게는 몇 개의 사탕이 남을까요?

풀이 ______

답 ______ 개

50 참새가 전깃줄에 46마리가 앉아 있다가 8마리가 날아갔습니다. 전깃줄에 남아 있는 참새는 몇 마리일까요?

풀이 ______

답 ______ 마리

연마 Check 칭찬이나 노력할 점을 써 주세요.

맞힌 개수	지도 의견		확인란
개	나의 생각		

3단계

받아 내림이 있는 (두 자리 수)−(한 자리 수) ②

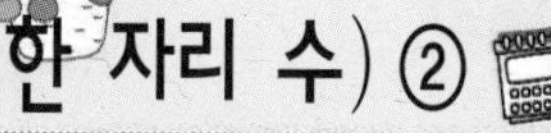

월 일

● 37−8의 계산 가로셈 하기

방법 ①

① 일의 자리 계산: $10+7-8=9$

② 십의 자리 계산: $30-10=20$

➜ $20+9=29$

방법 ②

② ①
2 10
3̸ 7 − 8=29

① $10+7-8=9$

② 20(30이 일의 자리로 10을 받아 내림 한 후 20이 됨)

• 1의 자릿수끼리 뺄셈을 할 수 없으면 10을 받아 내림하여 계산하여 일의 자리에 남은 수를 씁니다.
• 받아 내림하고 남은 수와 10의 자리 수를 계산하여 10의 자리에 씁니다.

(01~14) 계산을 하세요.

01 □□
2 3 − 8 = □

02 □□
2 4 − 7 = □

03 □□
3 6 − 9 = □

04 □□
5 2 − 6 = □

05 □□
4 2 − 4 = □

06 □□
3 4 − 7 = □

07 □□
2 2 − 5 = □

08 □□
2 3 − 9 = □

09 □□
3 3 − 7 = □

10 □□
5 6 − 8 = □

11 □□
2 4 − 6 = □

12 □□
3 3 − 8 = □

13 □□
4 2 − 7 = □

14 □□
5 4 − 6 = □

(15~35) 계산을 하세요.

15 $25-8$

22 $21-9$

29 $67-8$

16 $35-7$

23 $14-7$

30 $34-8$

17 $25-9$

24 $23-5$

31 $83-8$

18 $31-5$

25 $27-9$

32 $44-9$

19 $15-8$

26 $35-8$

33 $47-9$

20 $34-6$

27 $32-5$

34 $63-5$

21 $33-7$

28 $45-7$

35 $51-5$

하기

구조화 하기를 연습하면 서술형도 쉽게 풀어요

(36~49) 빈칸을 채우세요.

36

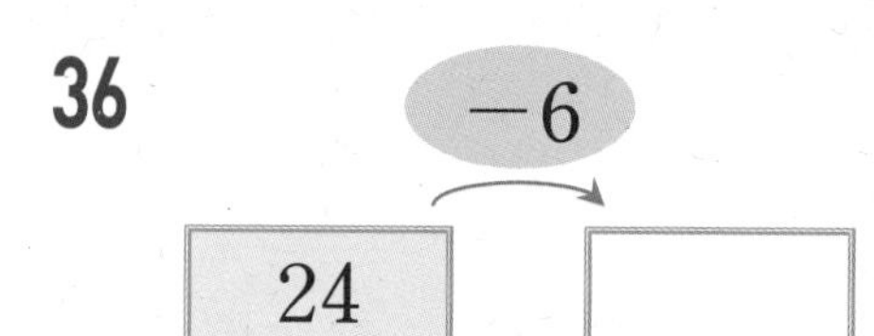

37

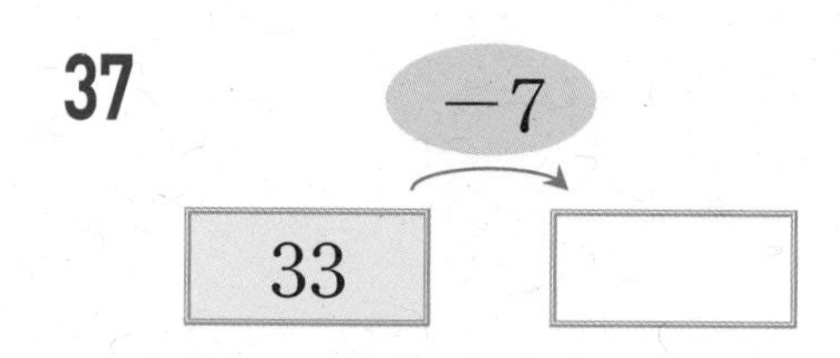

38

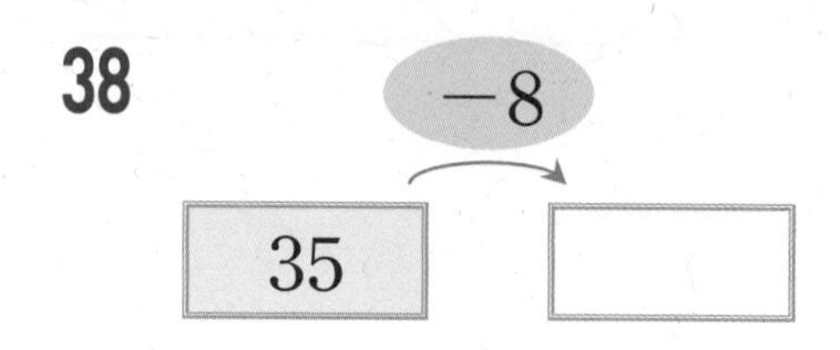

39

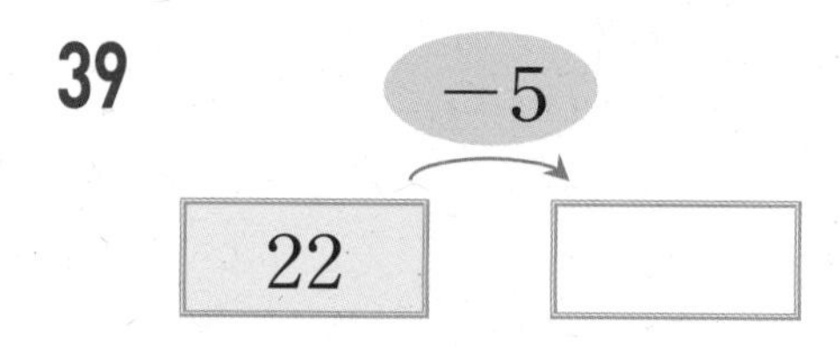

40

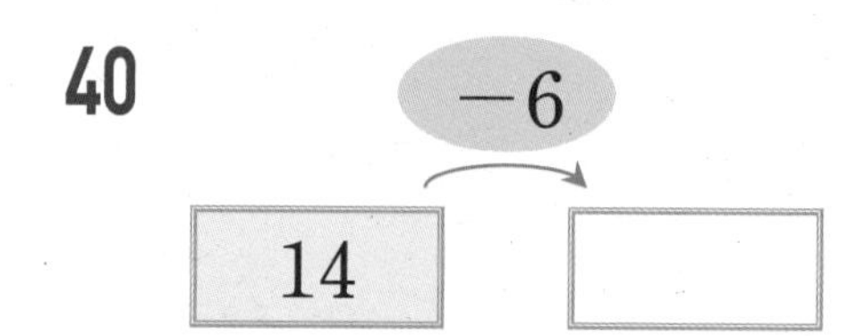

41

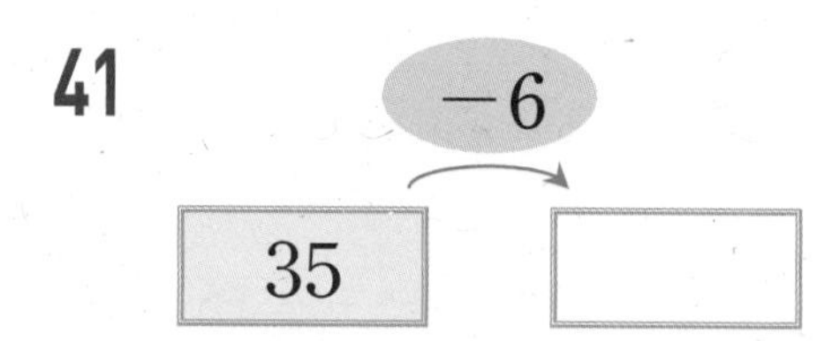

42

-6

| 22 | → | |

43

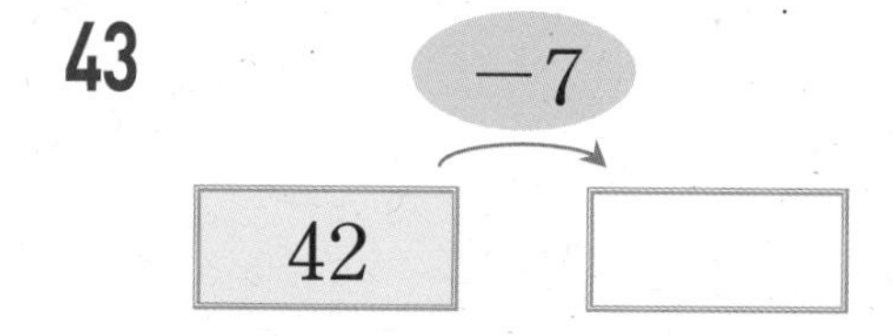

44

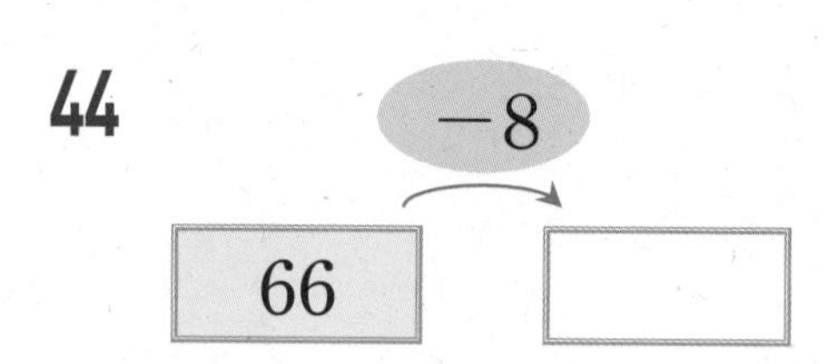

45

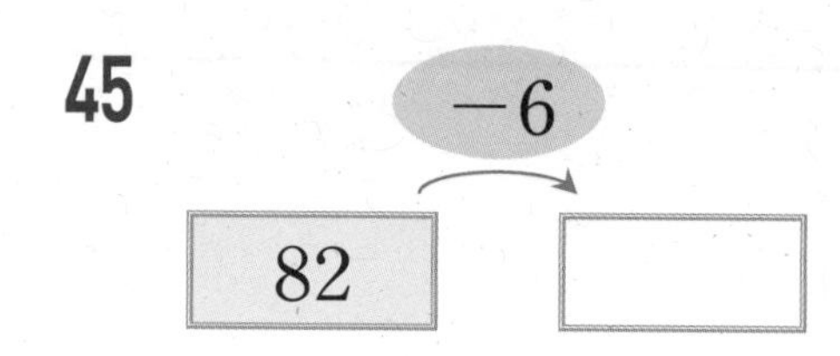

46

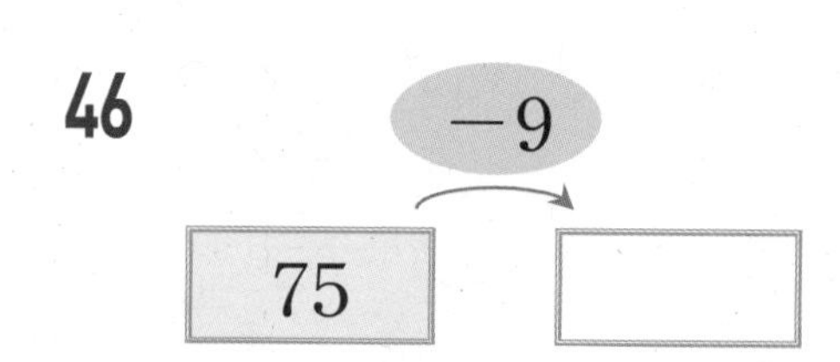

47

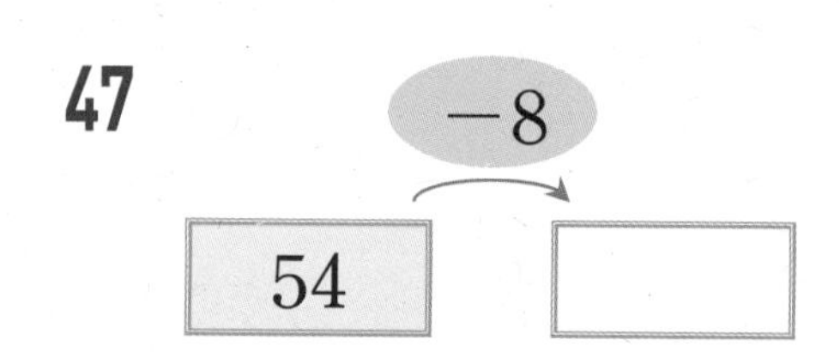

48

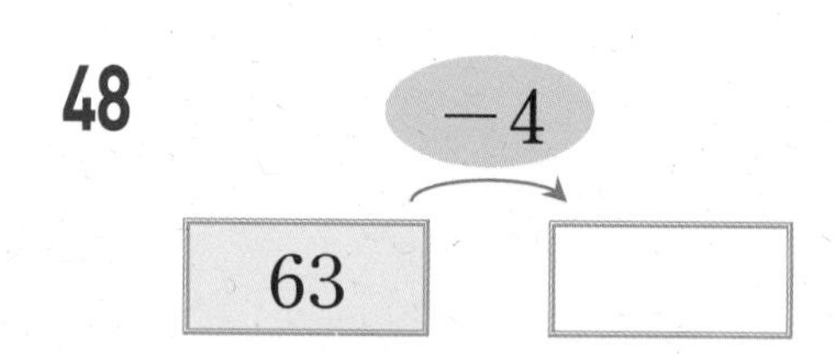

49

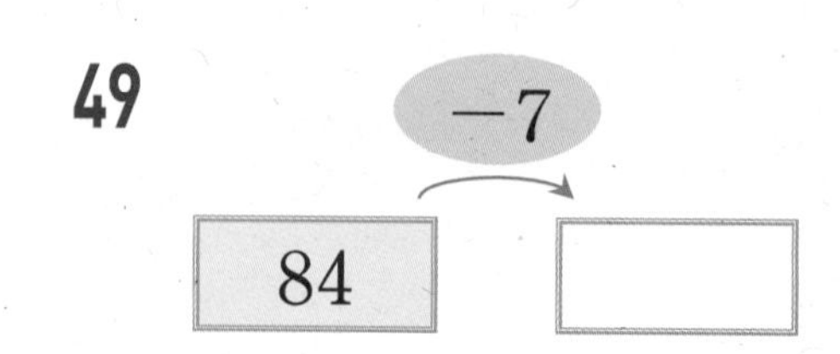

서술형 풀어보기

구조화 해서 풀어보아요

50 병아리가 24마리 있습니다. 그 중에 8마리는 얼룩무늬입니다. 얼룩무늬가 아닌 병아리는 몇 마리일까요?

풀이과정

(1) (전체 병아리 수)−(얼룩무늬 병아리 수)=☐−☐입니다.

(2) 계산하면 ☐입니다.

(3) 그러므로 얼룩무늬가 아닌 병아리는 ☐마리입니다.

−8

24 → ☐

(51~54) **풀이과정을 쓰고 답을 구하세요.**

51 현우는 동화책 42쪽 가운데 7쪽을 읽었습니다. 읽지 못한 것은 몇 쪽일까요?

풀이

답 쪽

52 음료수 56병이 있습니다. 친구들이 7병을 마셨습니다. 음료수는 몇 병이 남을까요?

풀이

답 병

53 32명의 달리기 선수 가운데 5명이 달리기를 마쳤습니다. 아직 달리기를 하지 않은 선수는 몇 명일까요?

풀이

답 명

54 33장의 종이 가운데 6장을 사용했습니다. 종이는 몇 장이 남았을까요?

풀이

답 장

연마 Check 칭찬이나 노력할 점을 써 주세요.

맞힌 개수	지도 의견		확인란
개	나의 생각		

받아 내림이 있는 (몇십)−(몇십 몇) ①

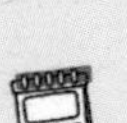

월 일

● 30−18의 계산

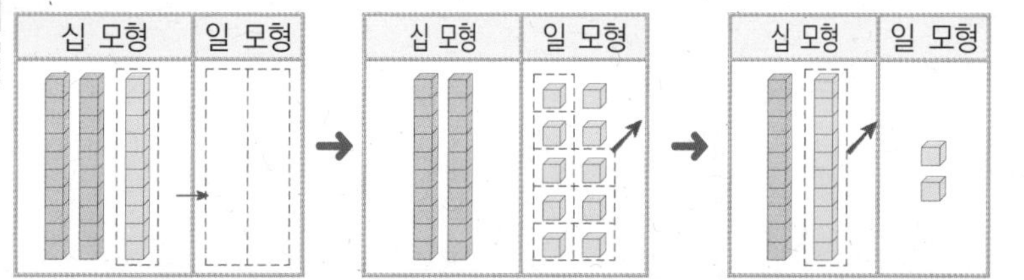

➜ 일 모형에서 뺄 수 없으면 십 모형 1개를 일 모형 10개로 바꾸어 계산합니다.

세로셈 하기

	2	10
	~~3~~	0
−	1	8

➜

	2	10
	~~3~~	0
−	1	8
		2

➜

	2	10
	~~3~~	0
−	1	8
	1	2

핵심포인트

- 1의 자릿수끼리 뺄셈을 할 수 없으면 10을 받아 내림하여 계산하여 일의 자리에 남은 수를 씁니다. (10−8=2)
- 받아 내림한 원래의 수는 반드시 1을 뺀 수로 고쳐 두세요.
- 받아 내림하고 남은 수와 아래의 수를 계산하여 10의 자리에 내려 씁니다. (2−1=1)

(01~06) 빈칸을 채우세요.

01

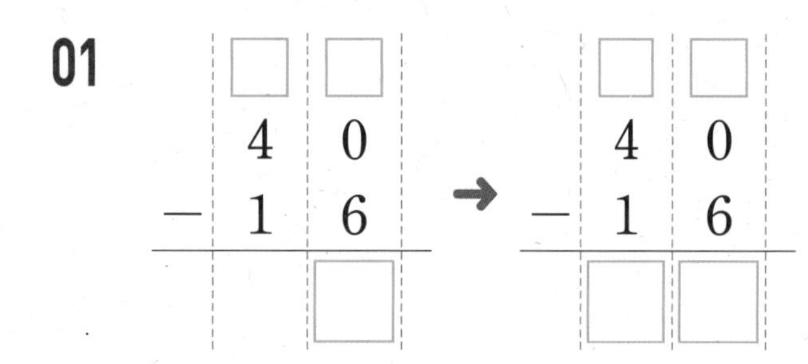

	□	□
	4	0
−	1	6
		□

➜

	□	□
	4	0
−	1	6
	□	□

02

	□	□
	3	0
−	1	7
		□

➜

	□	□
	3	0
−	1	7
	□	□

03

	□	□
	5	0
−	1	5
		□

➜

	□	□
	5	0
−	1	5
	□	□

04

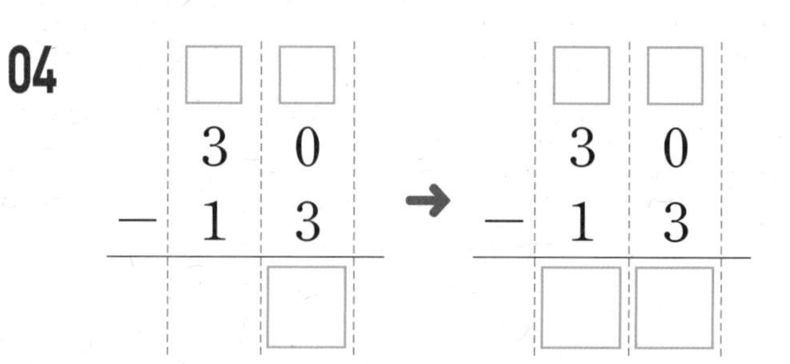

	□	□
	3	0
−	1	3
		□

➜

	□	□
	3	0
−	1	3
	□	□

05

	□	□
	4	0
−	2	6
		□

➜

	□	□
	4	0
−	2	6
	□	□

06

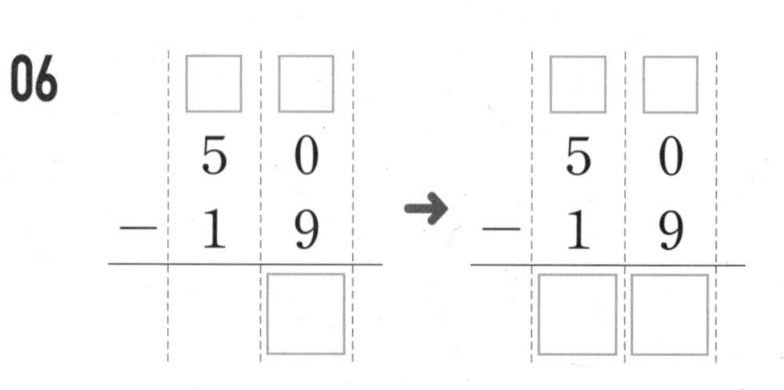

	□	□
	5	0
−	1	9
		□

➜

	□	□
	5	0
−	1	9
	□	□

계산력 강화하기

정확하게 풀어보아요

(07~24) 계산을 하세요.

07 $\begin{array}{r} 30 \\ -\ 15 \\ \hline \end{array}$

08 $\begin{array}{r} 30 \\ -\ 17 \\ \hline \end{array}$

09 $\begin{array}{r} 40 \\ -\ 19 \\ \hline \end{array}$

10 $\begin{array}{r} 50 \\ -\ 17 \\ \hline \end{array}$

11 $\begin{array}{r} 50 \\ -\ 26 \\ \hline \end{array}$

12 $\begin{array}{r} 30 \\ -\ 18 \\ \hline \end{array}$

13 $\begin{array}{r} 60 \\ -\ 29 \\ \hline \end{array}$

14 $\begin{array}{r} 50 \\ -\ 35 \\ \hline \end{array}$

15 $\begin{array}{r} 40 \\ -\ 29 \\ \hline \end{array}$

16 $\begin{array}{r} 40 \\ -\ 15 \\ \hline \end{array}$

17 $\begin{array}{r} 50 \\ -\ 18 \\ \hline \end{array}$

18 $\begin{array}{r} 60 \\ -\ 14 \\ \hline \end{array}$

19 $\begin{array}{r} 70 \\ -\ 29 \\ \hline \end{array}$

20 $\begin{array}{r} 60 \\ -\ 27 \\ \hline \end{array}$

21 $\begin{array}{r} 70 \\ -\ 36 \\ \hline \end{array}$

22 $\begin{array}{r} 80 \\ -\ 47 \\ \hline \end{array}$

23 $\begin{array}{r} 90 \\ -\ 29 \\ \hline \end{array}$

24 $\begin{array}{r} 80 \\ -\ 17 \\ \hline \end{array}$

구조화 하기

(25~45) 빈칸을 채우세요.

25 (−)

30	
15	

26 (−)

40	
18	

27 (−)

50	
23	

28 (−)

60	
26	

29 (−)

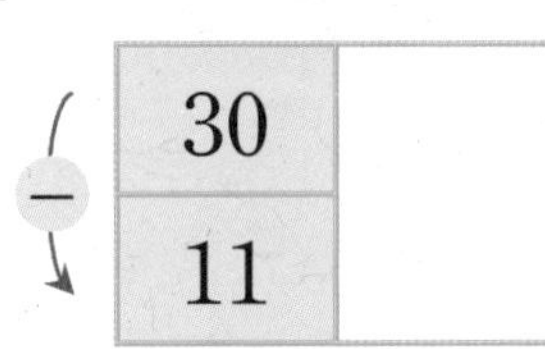

30	
11	

30 (−)

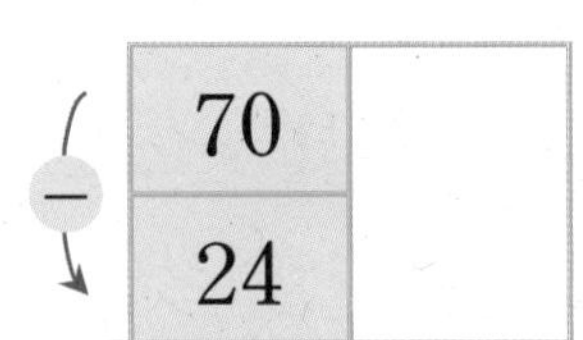

70	
24	

31 (−)

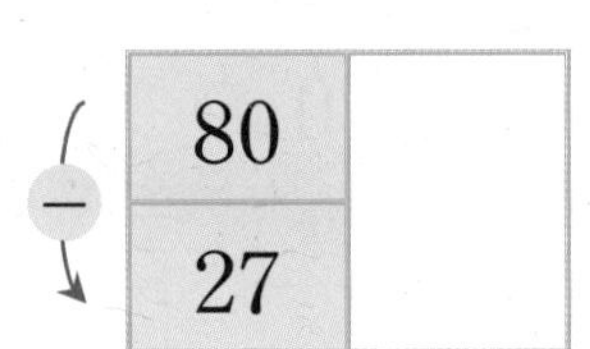

80	
27	

32 (−)

70	
33	

33 (−)

60	
32	

34 (−)

50	
18	

35 (−)

50	
25	

36 (−)

60	
28	

37 (−)

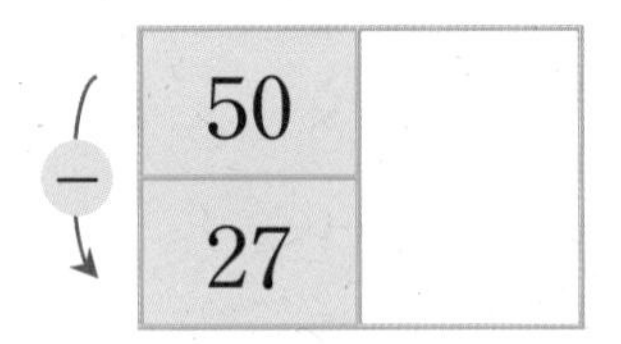

50	
27	

38 (−)

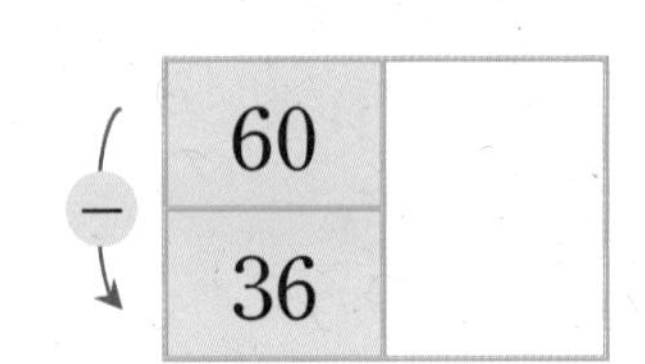

60	
36	

39 (−)

40	
15	

40 (−)

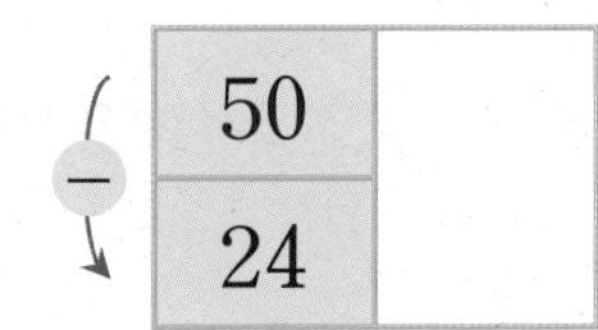

50	
24	

41 (−)

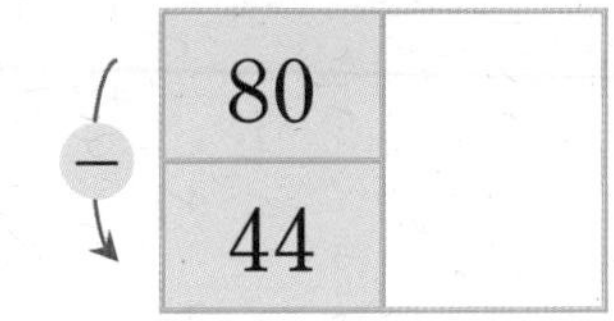

80	
44	

42 (−)

40	
21	

43 (−)

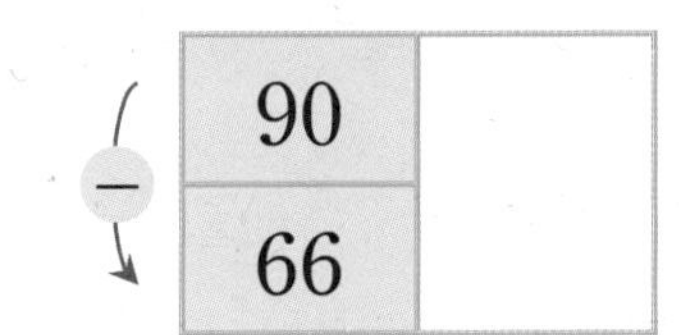

90	
66	

44 (−)

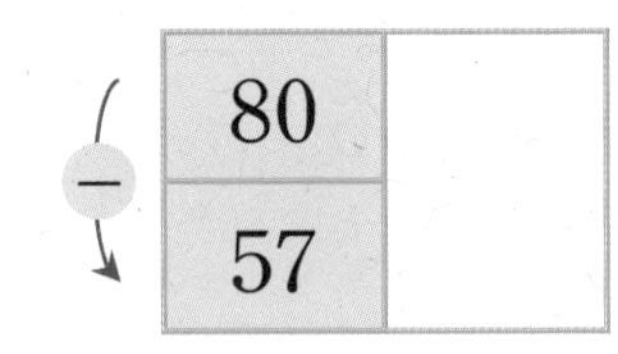

80	
57	

45 (−)

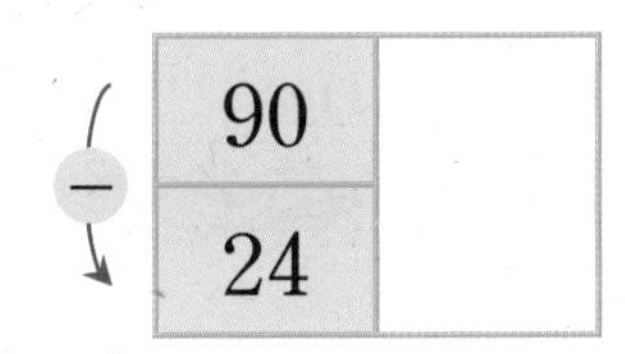

90	
24	

서술형 풀어보기

구조화 해서 풀어보아요

46 70개의 바나나 가운데 35개를 원숭이에게 주었습니다. 남은 바나나는 몇 개일까요?

풀이과정

(1) (처음 바나나의 개수)−(원숭이에게 준 바나나의 개수)=☐−☐입니다.

(2) 계산하면 ☐입니다.

(3) 그러므로 바나나는 ☐개가 남았습니다.

70	
35	

−

(47~50) **풀이과정을 쓰고 답을 구하세요.**

47 학급 문고에 책이 50권 있습니다. 이 가운데 15권을 친구들이 빌려 갔습니다. 학급 문고에 책은 몇 권이 남아 있을까요?

풀이

답 권

48 사탕 50개 가운데 13개를 동생이 먹었습니다. 사탕은 몇 개가 남아 있을까요?

풀이

답 개

49 60일에 끝낼 일을 친구들이 도와줘서 25일 만에 마쳤습니다. 예정보다 며칠을 빨리 일을 끝낸 건가요?

풀이

답 일

50 고구마가 40개 있었는데 우리 가족이 17개를 먹었습니다. 남은 고구마는 몇 개일까요?

풀이

답 개

연마 Check 칭찬이나 노력할 점을 써 주세요.

맞힌 개수	지도 의견		확인란
개	나의 생각		

받아 내림이 있는 (몇십)−(몇십 몇) ②

월 일

● 40−28의 계산

가로셈 하기

① 일의 자리 계산: $10-8=2$

② 십의 자리 계산: $30(=40-10)-20=10$

➜ $10+2=12$

① 1의 자릿수끼리 뺄셈을 할 수 없으면 10을 받아 내림하여 계산하여 일의 자리에 남은 수를 씁니다.

② 받아 내림하고 남은 수와 10의 자리의 수를 계산하여 씁니다. $(3-2=1)$

핵심 포인트

• 받아 내림한 수의 십의 자리는 반드시 1을 뺀 수로 고칩니다.

• 40−28 (3, 10 받아 내림) ⌈10−8 ⌊30−20

➜ 12

(01~06) 빈칸을 채우세요.

01 50−23

① 10−3=☐

② ☐−20=☐

➜ ☐+☐=☐

02 30−12

① 10−2=☐

② ☐−10=☐

➜ ☐+☐=☐

03 60−36

① 10−6=☐

② ☐−30=☐

➜ ☐+☐=☐

04 90−18

① 10−8=☐

② ☐−10=☐

➜ ☐+☐=☐

05 90−48

① 10−8=☐

② ☐−40=☐

➜ ☐+☐=☐

06 80−49

① 10−9=☐

② ☐−40=☐

➜ ☐+☐=☐

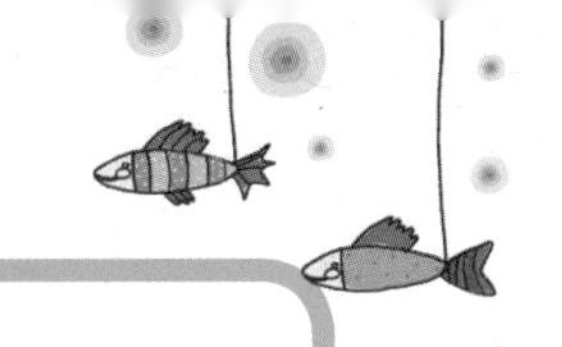

계산력 강화하기

정확하게 풀어보아요

(07~27) 계산을 하세요.

07 $30-15$

08 $40-17$

09 $50-18$

10 $60-12$

11 $70-23$

12 $50-34$

13 $40-29$

14 $90-26$

15 $50-29$

16 $40-16$

17 $50-18$

18 $60-19$

19 $40-11$

20 $60-29$

21 $70-33$

22 $50-24$

23 $90-23$

24 $80-45$

25 $80-11$

26 $70-22$

27 $60-17$

사고력 확장

구조화 하기를 연습하면 서술형도 쉽게 풀어요

(28~41) 빈칸을 채우세요.

28

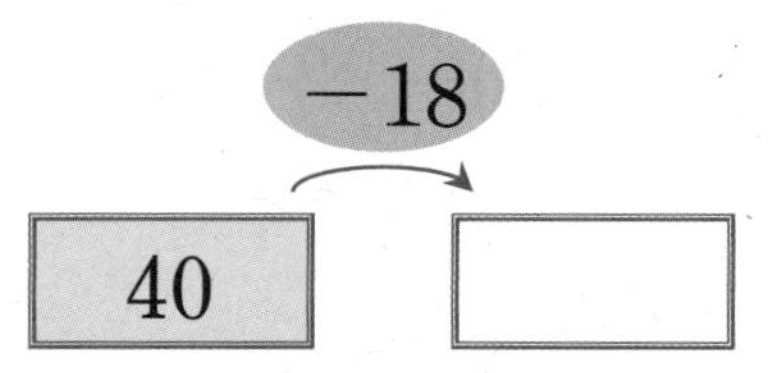

29

$50 \xrightarrow{-23} \square$

30

$40 \xrightarrow{-28} \square$

31

$60 \xrightarrow{-23} \square$

32

$30 \xrightarrow{-12} \square$

33

$50 \xrightarrow{-35} \square$

34

$40 \xrightarrow{-21} \square$

35

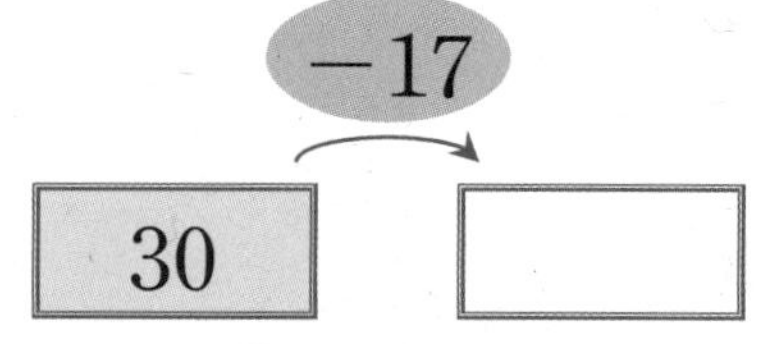

36

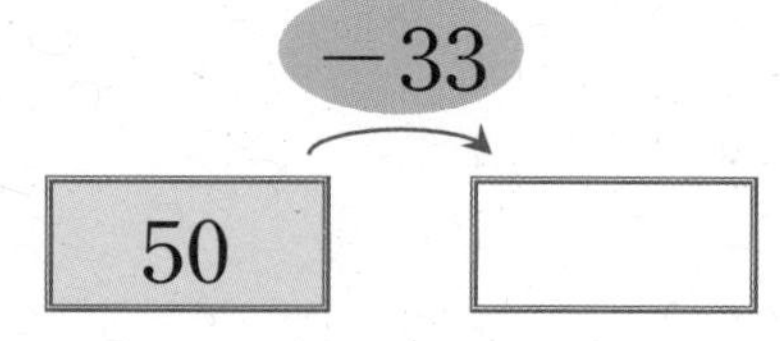

37

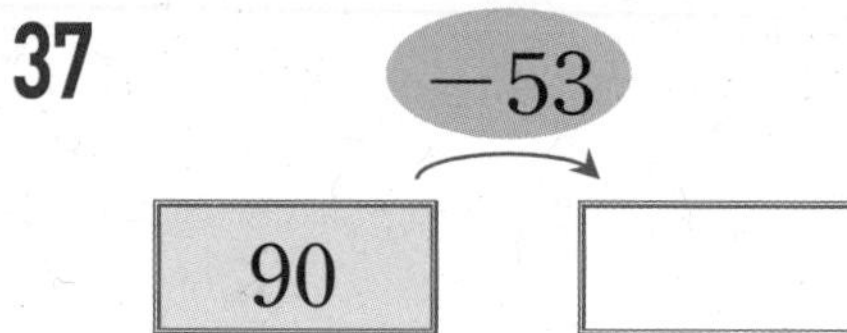

38

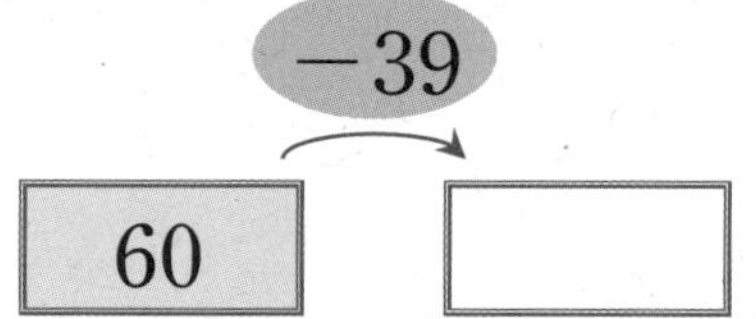

39

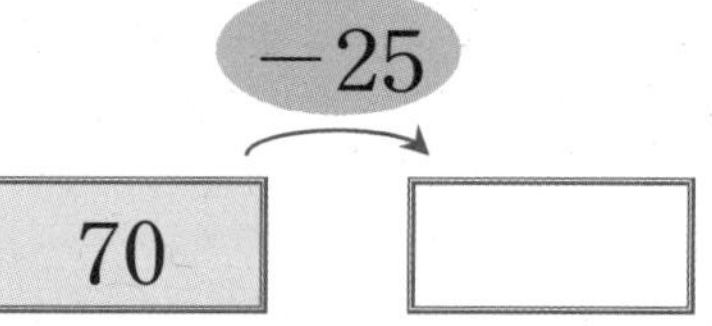

40

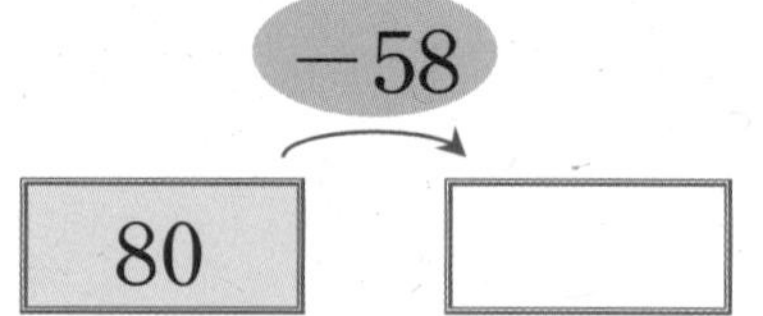

41

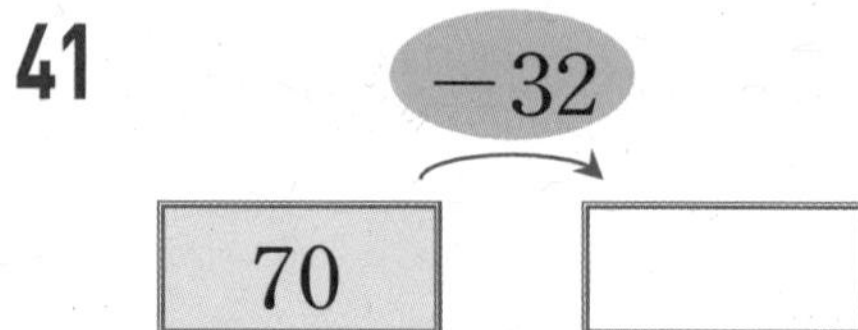

서술형 풀어보기

구조화 해서 풀어보아요

42 딸기 50개를 동생과 나누려고 합니다. 동생 몫으로 22개를 주기로 했을 때, 내 몫은 몇 개가 될까요?

풀이과정

(1) 딸기 ☐개 있습니다.

(2) 동생 몫으로 ☐개를 주기로 했습니다.

(3) 나의 몫은 ☐ − ☐ = ☐개입니다.

−22

50 → ☐

(43~46) 풀이과정을 쓰고 답을 구하세요.

43 바구니에 붉은색 사탕과 흰색 사탕 60개가 섞여 있습니다. 붉은색 사탕이 22개이면 흰색 사탕은 몇 개일까요?

풀이

답 개

45 버스에 40명이 탈 수 있습니다. 현재 23명이 타고 있다면 몇 명이 더 탈 수 있나요?

풀이

답 명

44 90걸음을 걷기로 하고 33걸음을 걸었다면 앞으로 몇 걸음을 더 걸어야 할까요?

풀이

답 걸음

46 어머니는 40살이고 형은 13살입니다. 어머니와 형의 나이 차이는 몇 살일까요?

풀이

답 살

연마 Check 칭찬이나 노력할 점을 써 주세요.

맞힌 개수	지도 의견		확인란
개	나의 생각		

받아 내림이 있는 (두 자리 수)−(두 자리 수) ①

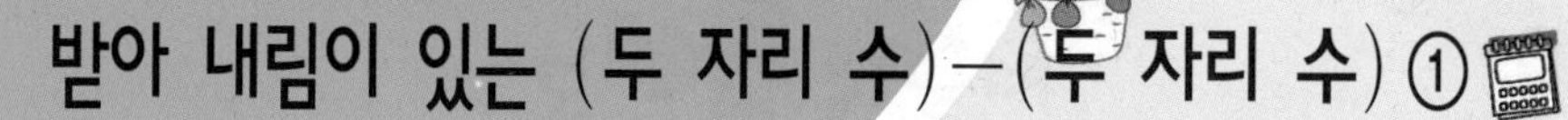

월 일

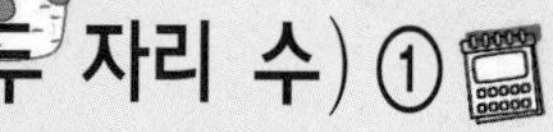

● 33−14의 계산

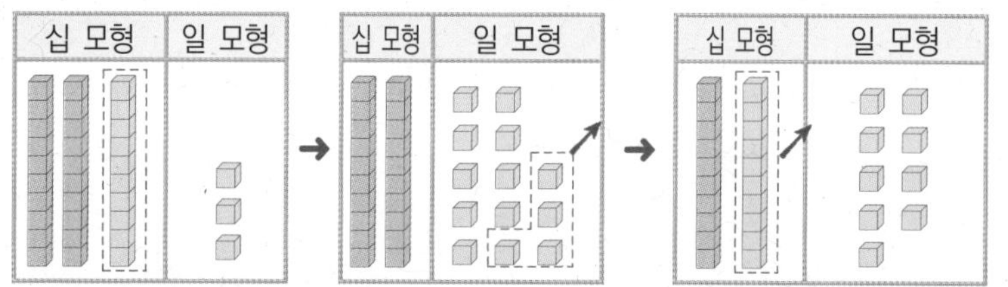

→ 일 모형에서 뺄 수 없으면 십 모형 1개를 일 모형 10개로 바꾸어 계산해요.

세로셈 하기

	2	10
	~~3~~	3
−	1	4

	2	10
	~~3~~	3
−	1	4
		9

	2	10
	~~3~~	3
−	1	4
	1	9

핵심포인트

- 1의 자리 수끼리 뺄셈을 할 수 없으면 10을 받아 내림하여 계산하여 일의 자리에 남은 수를 씁니다. (13−4=9)
- 받아 내림한 수의 10의 자리는 반드시 1을 뺀 수로 고칩니다.
- 받아 내림하고 남은 수와 아래의 수를 계산하여 10의 자리에 내려 씁니다. (2−1=1)

⌛ (01~06) 빈칸을 채우세요.

01

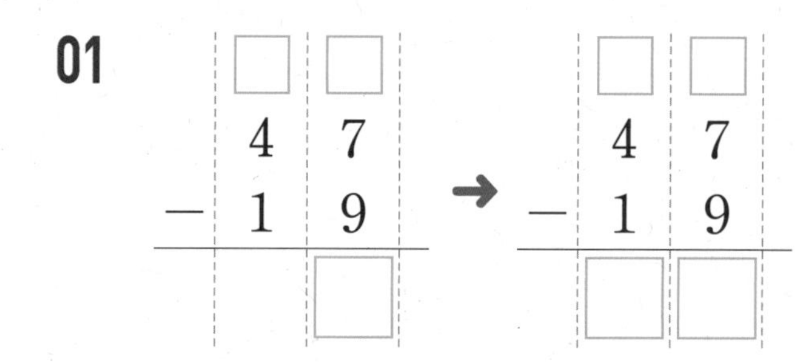

04

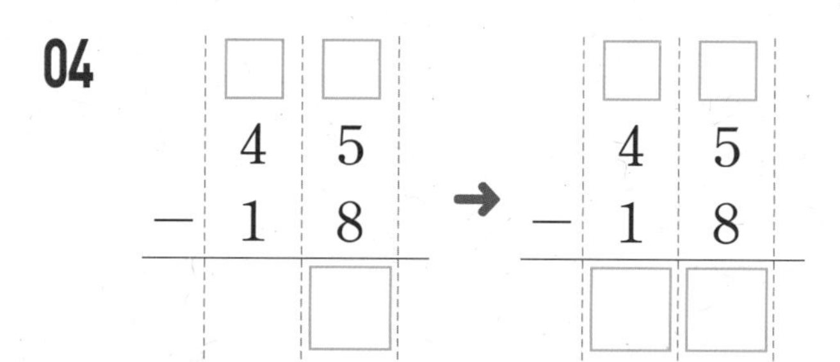

02

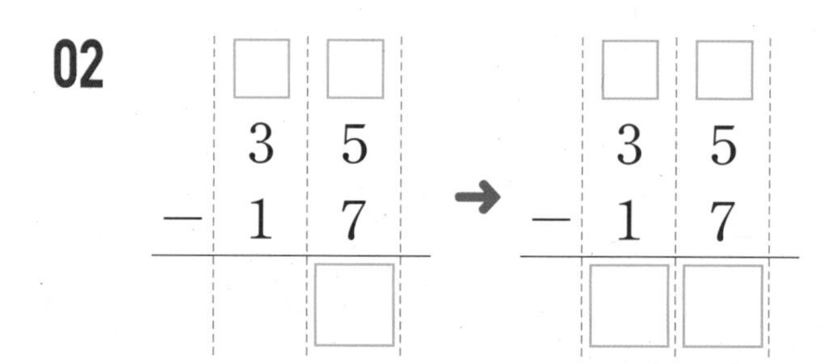

05

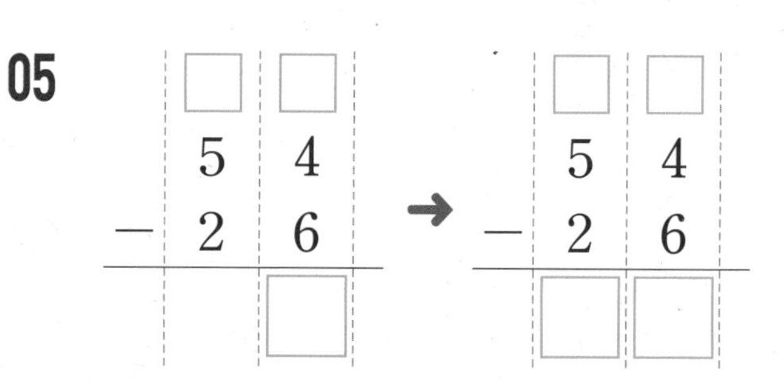

03

	□	□
	5	2
−	1	5
		□

→

	□	□
	5	2
−	1	5
	□	□

06

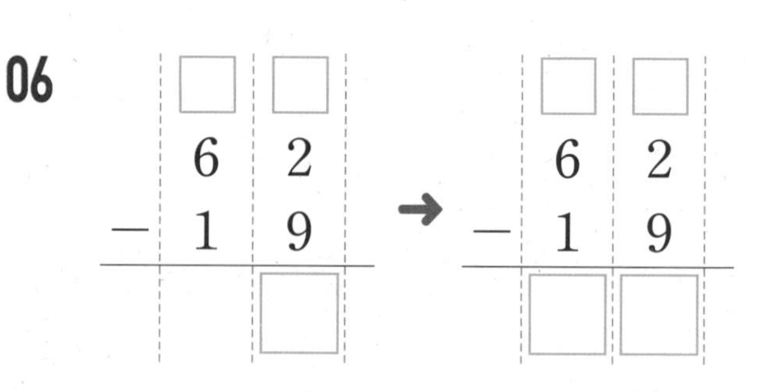

계산력 강화하기

정확하게 풀어보아요

(07~24) 두 수를 뺄셈하여 빈칸에 쓰세요.

07 $\begin{array}{r} 54 \\ -\ 28 \\ \hline \end{array}$

08 $\begin{array}{r} 36 \\ -\ 17 \\ \hline \end{array}$

09 $\begin{array}{r} 65 \\ -\ 29 \\ \hline \end{array}$

10 $\begin{array}{r} 53 \\ -\ 35 \\ \hline \end{array}$

11 $\begin{array}{r} 62 \\ -\ 19 \\ \hline \end{array}$

12 $\begin{array}{r} 32 \\ -\ 14 \\ \hline \end{array}$

13 $\begin{array}{r} 43 \\ -\ 18 \\ \hline \end{array}$

14 $\begin{array}{r} 37 \\ -\ 19 \\ \hline \end{array}$

15 $\begin{array}{r} 41 \\ -\ 13 \\ \hline \end{array}$

16 $\begin{array}{r} 63 \\ -\ 34 \\ \hline \end{array}$

17 $\begin{array}{r} 43 \\ -\ 16 \\ \hline \end{array}$

18 $\begin{array}{r} 74 \\ -\ 38 \\ \hline \end{array}$

19 $\begin{array}{r} 72 \\ -\ 46 \\ \hline \end{array}$

20 $\begin{array}{r} 86 \\ -\ 38 \\ \hline \end{array}$

21 $\begin{array}{r} 76 \\ -\ 57 \\ \hline \end{array}$

22 $\begin{array}{r} 77 \\ -\ 48 \\ \hline \end{array}$

23 $\begin{array}{r} 93 \\ -\ 29 \\ \hline \end{array}$

24 $\begin{array}{r} 86 \\ -\ 57 \\ \hline \end{array}$

구조화 하기

구조화 하기를 연습하면 서술형도 쉽게 풀어요

(25~45) 두 수를 뺄셈하여 빈칸에 쓰세요.

25

35	
17	

26

43	
18	

27

52	
23	

28

64	
26	

29

76	
17	

30

73	
24	

31

51	
24	

32

76	
38	

33

65	
37	

34

97	
29	

35

51	
15	

36

60	
28	

37

63	
44	

38

64	
37	

39

55	
27	

40

36	
18	

41

44	
27	

42

65	
19	

43

67	
28	

44

87	
29	

45

95	
28	

서술형 풀어보기

구조화 해서 풀어보아요

46 아버지는 43살, 삼촌은 27살입니다. 아버지는 삼촌보다 몇 살 더 많을까요?

풀이과정

(1) 아버지의 나이는 ☐ 살입니다.

(2) 삼촌의 나이는 ☐ 살입니다.

(3) 아버지는 삼촌보다 ☐ − ☐ = ☐ 살 더 많습니다.

43	
27	☐

(47~50) 풀이과정을 쓰고 답을 구하세요.

47 운동장에 모인 학생 63명 가운데 축구만 좋아하는 학생이 37명이고 나머지는 야구만 좋아한다고 합니다. 야구만 좋아하는 학생은 몇 명일까요?

풀이 ______

답 ______ 명

48 유리 컵이 53개가 있습니다. 이 중에서 15개를 강아지가 깨트렸습니다. 유리 컵은 몇 개가 남아 있을까요?

풀이 ______

답 ______ 개

49 우리 학교는 3학년이 92명, 2학년이 67명입니다. 3학년이 2학년보다 몇 명 더 많은가요?

풀이 ______

답 ______ 명

50 아몬드 34개 가운데 16개를 먹었다면, 남은 아몬드는 모두 몇 개일까요?

풀이 ______

답 ______ 개

연마 Check 칭찬이나 노력할 점을 써 주세요.

맞힌 개수	지도 의견		확인란
개	나의 생각		

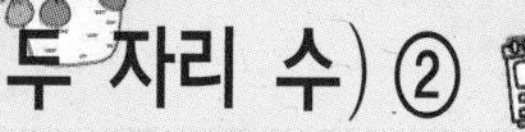

받아 내림이 있는 (두 자리 수)−(두 자리 수) ②

월 일

● 62−28의 계산

가로셈 하기

① 일의 자리 계산: $\underline{10}+2-8=4$

② 십의 자리 계산: $60-\underline{10}-20=30$

➜ $30+4=34$

① 1의 자릿수끼리 뺄셈을 할 수 없으면 10을 받아 내림하여 계산하여 일의 자리에 남은 수를 씁니다. (12−8=4)

② 받아 내림하고 남은 수와 아래의 수를 계산하여 10의 자리에 내려씁니다. (5−2=3)

핵심포인트

• 받아 내림한 십의 자리 수는 반드시 10을 뺀 수로 고칩니다.

• 자릿값을 틀리지 않도록 주의합니다.

(01~06) 빈칸을 채우세요.

01 45−26

① □−6=□

② □−20=□

➜ □+□=□

02 63−35

① □−5=□

② □−30=□

➜ □+□=□

03 43−27

① □−7=□

② □−20=□

➜ □+□=□

04 51−23

① □−3=□

② □−20=□

➜ □+□=□

05 32−13

① □−3=□

② □−10=□

➜ □+□=□

06 82−59

① □−9=□

② □−50=□

➜ □+□=□

계산력 강화하기

정확하게 풀어보아요

(07~27) 계산을 하세요.

07 $35-19$

08 $43-26$

09 $32-19$

10 $92-65$

11 $63-25$

12 $62-46$

13 $72-36$

14 $93-49$

15 $77-38$

16 $42-16$

17 $51-39$

18 $58-29$

19 $42-18$

20 $63-35$

21 $75-59$

22 $64-38$

23 $93-59$

24 $86-28$

25 $46-28$

26 $73-58$

27 $86-17$

구조화 하기를 연습하면 서술형도 쉽게 풀어요

(28~41) 빈칸을 채우세요.

28

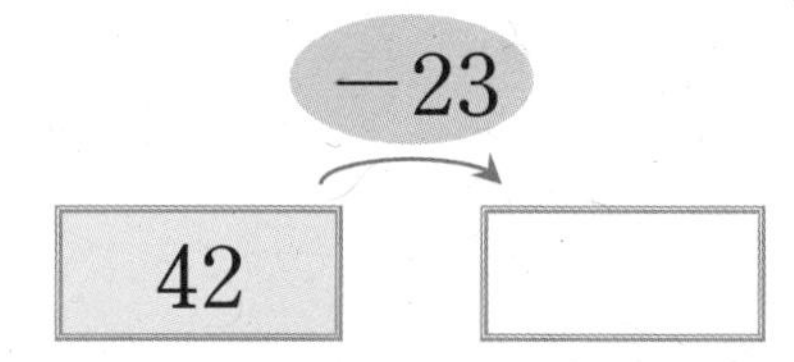

29

−33

51 → ☐

30

−18

36 → ☐

31

−26

53 → ☐

32

−35

63 → ☐

33

−39

66 → ☐

34

−28

62 → ☐

35

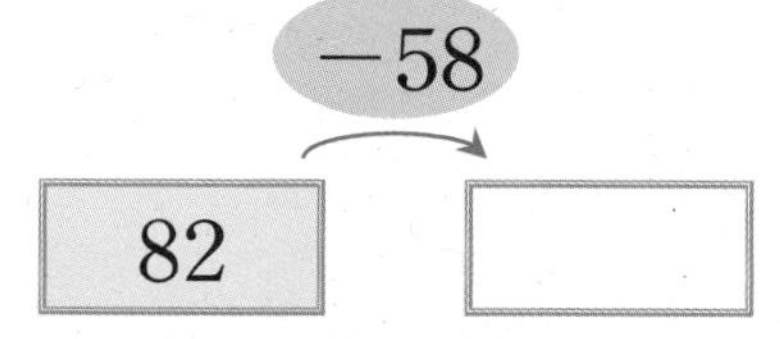

36

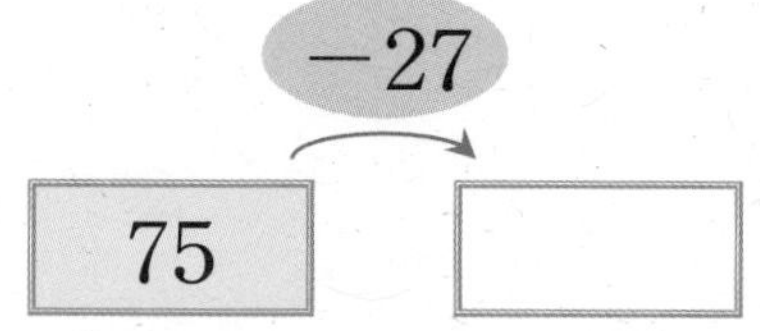

37

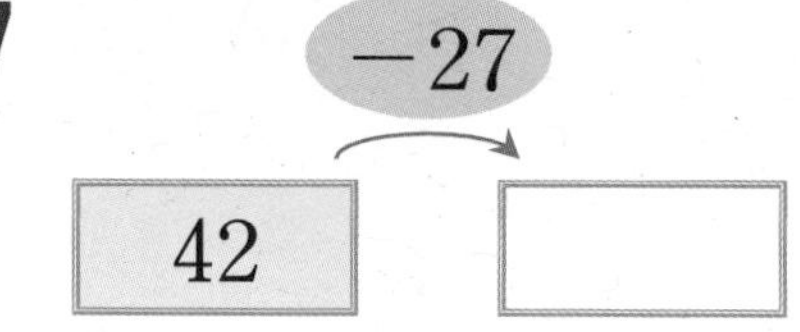

38

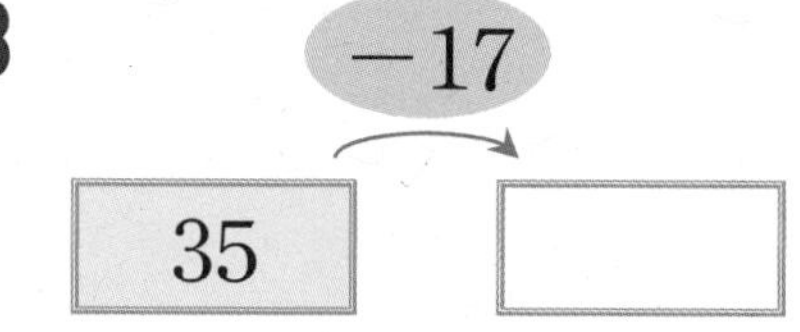

39

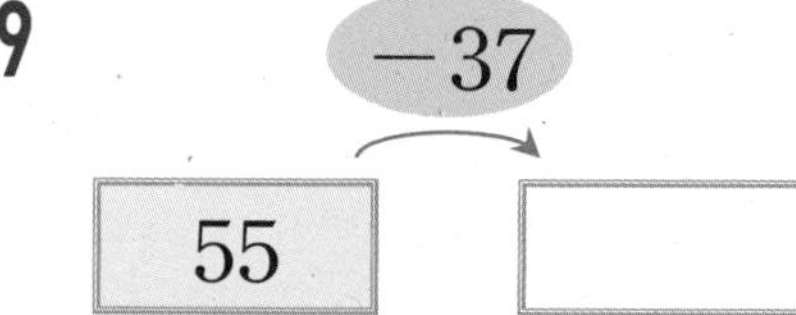

40

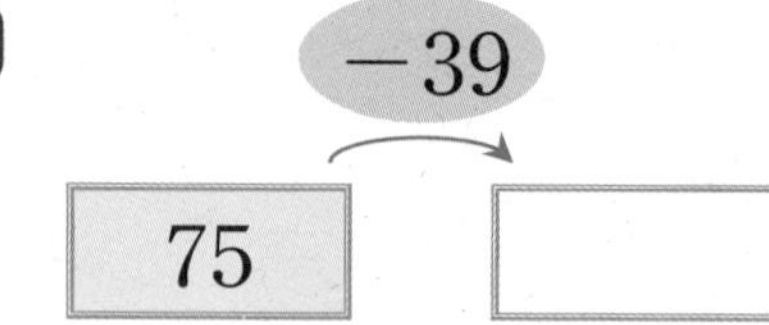

41

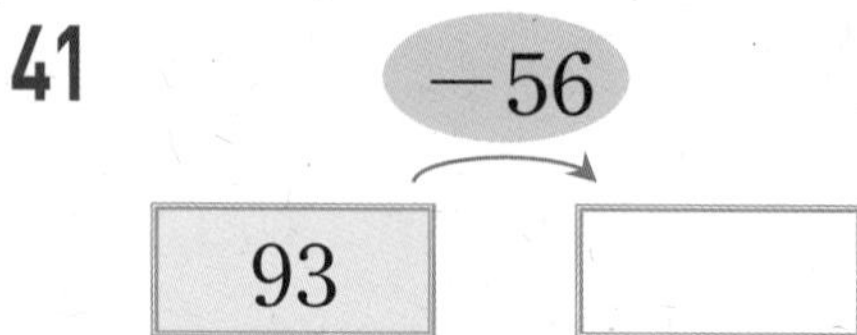

서술형 풀어보기

구조화 해서 풀어보아요

42 거북이는 62살이고, 코끼리는 16살입니다. 코끼리가 거북이의 현재 나이만큼 되려면 몇 년을 더 살아야 할까요?

풀이과정

(1) 거북이의 나이는 ☐살입니다.

(2) 코끼리의 나이는 ☐살입니다.

(3) 그러므로 ☐ − ☐ = ☐년을 더 살아야 합니다.

62 —(−16)→ ☐

(43~46) 풀이과정을 쓰고 답을 구하세요.

43 원숭이에게 사과 53개를 아침과 점심에 나누어 주려고 합니다. 아침에 27개를 주었다면 점심에는 몇 개를 줄 수 있을까요?

풀이

답 개

44 주차장에 자동차를 52대까지 댈 수 있습니다. 빈자리가 17개가 있다면 현재 주차장에는 차가 몇 대가 있을까요?

풀이

답 대

45 우리 반은 모두 32명입니다. 남학생이 17명이면 여학생은 몇 명일까요?

풀이

답 명

46 지난달에는 칭찬 스티커를 36장 받았고, 이번 달은 오늘까지 19장 받았습니다. 지난달 만큼 받으려면 몇 장을 더 모아야 할까요?

풀이

답 장

엄마 Check 칭찬이나 노력할 점을 써 주세요.

맞힌 개수	지도 의견		확인란
개	나의 생각		

18 일차 여러 가지 방법으로 뺄셈

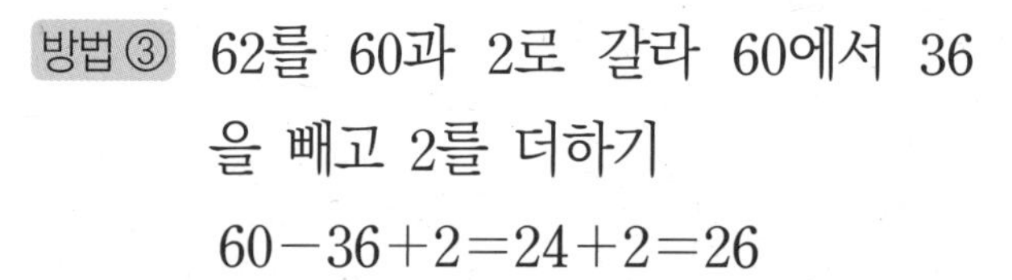
월 일

- 62−36의 계산

방법① 62에 30을 빼고 6을 더 빼기
$62-30-6=32-6=26$

방법② 62에서 32를 빼고 4를 더 빼기
$62-32-4=30-4=26$

방법③ 62를 60과 2로 갈라 60에서 36을 빼고 2를 더하기
$60-36+2=24+2=26$

방법④ 36을 40으로 생각하고 62에서 40을 뺀 뒤, 4를 더하기
$62-40+4=22+4=26$

(01~14) 방법①로 계산하세요.

01 $30-15=30-10-\square=\square$

02 $50-22=50-20-\square=\square$

03 $30-16=30-10-\square=\square$

04 $50-27=50-20-\square=\square$

05 $40-29=40-20-\square=\square$

06 $50-31=50-30-\square=\square$

07 $60-33=60-30-\square=\square$

08 $42-15=42-10-\square=\square$

09 $35-25=35-20-\square=\square$

10 $56-23=56-20-\square=\square$

11 $72-35=72-30-\square=\square$

12 $88-44=88-40-\square=\square$

13 $64-15=64-10-\square=\square$

14 $83-45=83-40-\square=\square$

정확하게 풀어보아요

15 $42-15=42-12-\square=\square$

16 $51-12=51-11-\square=\square$

17 $43-16=43-13-\square=\square$

18 $65-27=65-25-\square=\square$

19 $47-29=47-27-\square=\square$

20 $50-31=50-30-\square=\square$

21 $61-33=61-31-\square=\square$

22 $44-17=44-14-\square=\square$

23 $52-25=52-22-\square=\square$

24 $83-26=83-23-\square=\square$

25 $61-25=61-21-\square=\square$

26 $62-38=62-32-\square=\square$

27 $53-37=53-33-\square=\square$

28 $56-27=56-26-\square=\square$

29 $82-45=82-42-\square=\square$

30 $68-49=68-48-\square=\square$

31 $75-47=75-45-\square=\square$

32 $83-69=83-63-\square=\square$

33 $76-17=76-16-\square=\square$

34 $94-37=94-34-\square=\square$

35 $88-39=88-38-\square=\square$

36 $81-55=81-51-\square=\square$

계산력 강화하기

정확하게 풀어보아요

(37~43) 방법③으로 계산하세요.

37 $35-17=30-17+\square=\square$

38 $74-45=70-45+\square=\square$

39 $56-17=50-17+\square=\square$

40 $62-28=60-28+\square=\square$

41 $52-34=50-34+\square=\square$

42 $41-26=40-26+\square=\square$

43 $36-19=30-19+\square=\square$

(44~50) 방법④로 계산하세요.

44 $63-38=63-40+\square=\square$

45 $62-18=62-20+\square=\square$

46 $93-65=93-70+\square=\square$

47 $96-67=96-70+\square=\square$

48 $84-68=84-70+\square=\square$

49 $73-26=73-30+\square=\square$

50 $95-18=95-20+\square=\square$

서술형 풀어보기

구조화 해서 풀어보아요

51 54를 50+4로 생각하고 54−28을 계산하려 합니다. 빈칸에 알맞은 수를 쓰세요.

풀이과정

(1) 54=□+□

(2) 54−28=50−28+□=□+□=□

(52~55) 다음 물음에 답하세요.

52 27을 20+7로 생각하고 45−27을 계산하려 합니다. 빈칸에 알맞은 수를 쓰세요.

➜ 45−27=45−□−7

=□−7=□

53 45−28을 계산할 때, 28을 30으로 생각하여 계산하려 합니다. 빈칸에 알맞은 수를 쓰세요.

➜ 45−28=45−30+□

=□+□=□

54 62−26을 여러 가지 방법으로 계산한 것입니다. 빈칸에 알맞은 수를 써넣으세요.

➜ 62−26=62−22−□

=□−□=□

55 53−17을 여러 가지 방법으로 계산한 것입니다. 빈칸에 알맞은 수를 써넣으세요.

➜ 53−17=50−17+□

=□+□=□

연마 Check 칭찬이나 노력할 점을 써 주세요.

맞힌 개수	지도 의견		확인란
개	나의 생각		

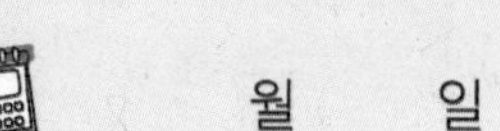

19일차 덧셈과 뺄셈의 관계

월 일

- 덧셈식을 뺄셈식으로 나타내기

$7+3=10$ → $10-3=7$, $10-7=3$

→ 덧셈식 $7+3=10$을 뺄셈식 $10-3=7$과 $10-7=3$으로 나타낼 수 있다.

- 뺄셈식을 덧셈식으로 나타내기

$10-7=3$ → $3+7=10$, $7+3=10$

→ 뺄셈식 $10-7=3$을 덧셈식 $3+7=10$과 $7+3=10$으로 나타낼 수 있다.

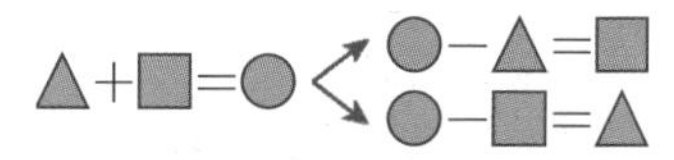

핵심 포인트

- 덧셈식을 뺄셈식으로

▲+■=● → ●−▲=■, ●−■=▲

- 뺄셈식을 덧셈식으로

●−■=▲ → ▲+■=●, ■+▲=●

(01~10) 덧셈식을 뺄셈식으로 나타내세요.

01 $16+6=22$ → □−□=□, □−□=□

02 $12+5=17$ → □−□=□, □−□=□

03 $26+5=31$ → □−□=□, □−□=□

04 $16+4=20$ → □−□=□, □−□=□

05 $7+6=13$ → □−□=□, □−□=□

06 $8+6=14$ → □−□=□, □−□=□

07 $6+9=15$ → □−□=□, □−□=□

08 $36+6=42$ → □−□=□, □−□=□

09 $13+6=19$ → □−□=□, □−□=□

10 $12+6=18$ → □−□=□, □−□=□

계산력 강화하기

정확하게 풀어보아요

(11~24) 뺄셈식을 덧셈식으로 나타내세요.

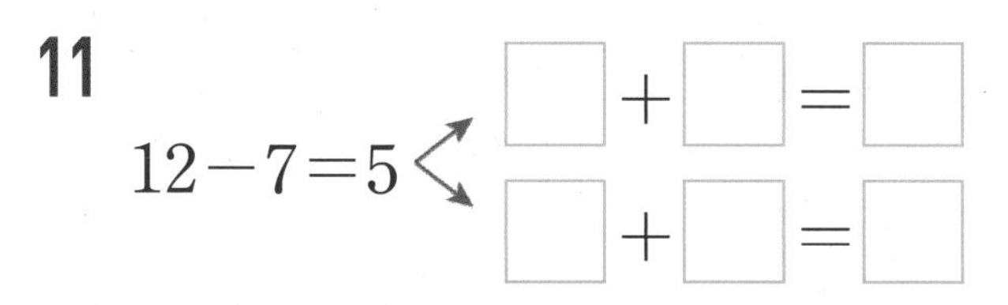

11 $12-7=5$ → □+□=□, □+□=□

12 $11-6=5$ → □+□=□, □+□=□

13 $13-4=9$ → □+□=□, □+□=□

14 $23-7=16$ → □+□=□, □+□=□

15 $25-9=16$ → □+□=□, □+□=□

16 $23-5=18$ → □+□=□, □+□=□

17 $32-7=25$ → □+□=□, □+□=□

18 $28-19=9$ → □+□=□, □+□=□

19 $16-7=9$ → □+□=□, □+□=□

20 $45-23=22$ → □+□=□, □+□=□

21 $28-16=12$ → □+□=□, □+□=□

22 $16-11=5$ → □+□=□, □+□=□

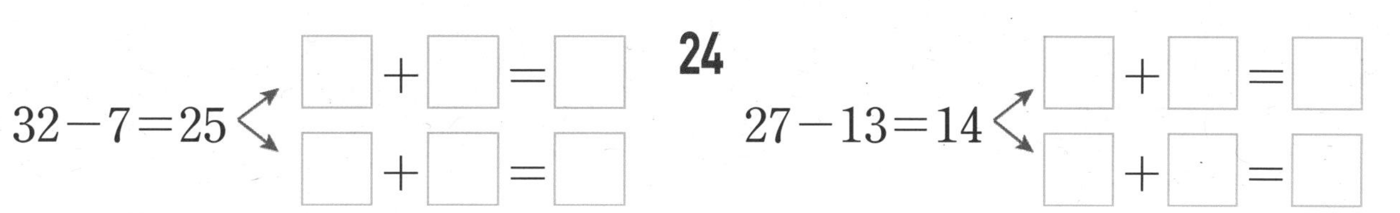

23 $32-15=17$ → □+□=□, □+□=□

24 $27-13=14$ → □+□=□, □+□=□

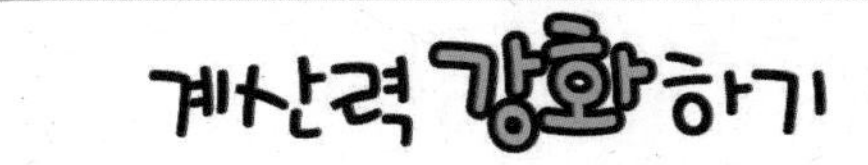

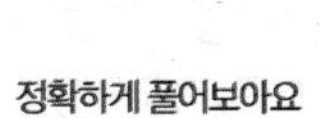

 (25~31) 뺄셈식으로 나타내세요.

25 $\square+15=53$ → $\square-\square=\square$, $\square-\square=\square$

26 $\square+16=51$ → $\square-\square=\square$, $\square-\square=\square$

27 $\square+12=40$ → $\square-\square=\square$, $\square-\square=\square$

28 $\square+17=75$ → $\square-\square=\square$, $\square-\square=\square$

29 $\square+7=70$ → $\square-\square=\square$, $\square-\square=\square$

30 $\square+13=41$ → $\square-\square=\square$, $\square-\square=\square$

31 $\square+15=57$ → $\square-\square=\square$, $\square-\square=\square$

 (32~38) 덧셈식으로 나타내세요.

32 $\square-32=30$ → $\square+\square=\square$, $\square+\square=\square$

33 $\square-15=10$ → $\square+\square=\square$, $\square+\square=\square$

34 $\square-12=20$ → $\square+\square=\square$, $\square+\square=\square$

35 $\square-21=22$ → $\square+\square=\square$, $\square+\square=\square$

36 $\square-7=11$ → $\square+\square=\square$, $\square+\square=\square$

37 $\square-15=43$ → $\square+\square=\square$, $\square+\square=\square$

38 $\square-15=17$ → $\square+\square=\square$, $\square+\square=\square$

서술형 풀어보기

구조화 해서 풀어보아요

39 민우는 곶감 16개 중에서 7개를 먹었습니다. 빈칸을 채우세요.

풀이과정

(1) 민우가 먹고 남은 곶감이 몇 개인지 뺄셈식으로 쓰면 16−☐=☐입니다.

(2) 민우가 먹기 전에 곶감은 모두 몇 개였는지 덧셈식으로 나타내면

☐+9=☐, 또는 ☐+☐=☐입니다.

(40~43) 풀이과정을 쓰고 답을 구하세요.

40 덧셈식을 뺄셈식으로 고친 식입니다. 빈칸을 채우세요.

26+17=☐

➜ ☐−26=☐

➜ ☐−☐=26

41 식탁에 고구마 17개와 감자 18개 가 있습니다. 다음 물음에 답하세요.

(1) 고구마와 감자의 개수는 모두 몇 개인지 식으로 나타내세요.

답 ______

(2) (1)에서 만든 덧셈식을 뺄셈식으로 나타내세요.

답 ______

42 다영이는 사탕을 53개 가지고 있었는데 그중에서 28개를 먹었습니다.

(1) 남은 사탕은 몇 개인지 식으로 나타내세요.

답 ______

(2) (1)에서 만든 뺄셈식을 덧셈식으로 나타내세요.

답 ______

43 초콜릿 상자를 뜯어, 초콜릿을 동생이 14개, 내가 13개를 먹으니 상자가 비었습니다. 물음에 답하세요.

(1) 처음 상자의 초콜릿은 모두 몇 개였는지 식으로 나타내세요.

답 ______

(2) (1)에서 만든 덧셈식을 뺄셈식으로 나타내세요.

답 ______

연마 Check 칭찬이나 노력할 점을 써 주세요.

맞힌 개수	지도 의견		확인란
개	나의 생각		

4단계

덧셈식에서 □의 값 구하기

월 일

- 귤이 7개 있었는데 오늘 아버지가 더 사 오셔서 20개가 되었습니다. 오늘 아버지가 사 오신 귤은 몇 개일까요?

① 덧셈식으로 나타내기 ➜ $7+\square=20$

② □의 값 구하기(뺄셈식으로 바꾸어 구하기) ➜ $20-7=\square$

핵심포인트

- 처음 귤의 수: 7개
- 더 사 온 귤의 수: □개
- 식으로 나타내면 $7+\square=20$
- □의 값을 구하면 $20-7=\square$, 그러므로 $\square=13$

(01~15) 빈칸을 채우세요.

01 $13+\square=21$

02 $15+\square=22$

03 $18+\square=23$

04 $18+\square=28$

05 $16+\square=23$

06 $23+\square=33$

07 $18+\square=26$

08 $21+\square=24$

09 $19+\square=24$

10 $33+\square=36$

11 $16+\square=21$

12 $32+\square=36$

13 $40+\square=43$

14 $27+\square=34$

15 $51+\square=59$

계산력 강화하기

정확하게 풀어보아요

(16~42) 빈칸을 채우세요.

16 $\square+33=41$

17 $\square+15=27$

18 $\square+36=41$

19 $\square+10=63$

20 $\square+7=30$

21 $\square+13=35$

22 $\square+30=43$

23 $\square+16=24$

24 $\square+25=57$

25 $\square+15=41$

26 $\square+16=32$

27 $\square+14=41$

28 $\square+19=61$

29 $\square+28=61$

30 $\square+18=43$

31 $\square+38=81$

32 $\square+14=44$

33 $\square+27=91$

34 $\square+19=66$

35 $\square+16=73$

36 $\square+35=79$

37 $\square+54=95$

38 $\square+8=84$

39 $\square+27=89$

40 $\square+39=91$

41 $\square+35=86$

42 $\square+39=97$

하기

구조화 하기를 연습하면 서술형도 쉽게 풀어요

(43~56) 빈칸을 채우세요.

43

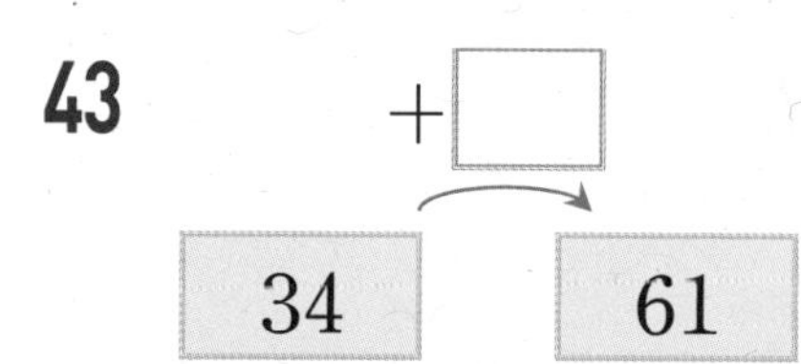

44

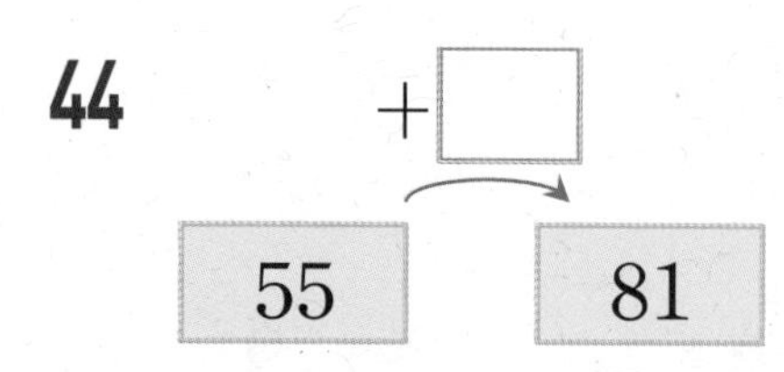

45

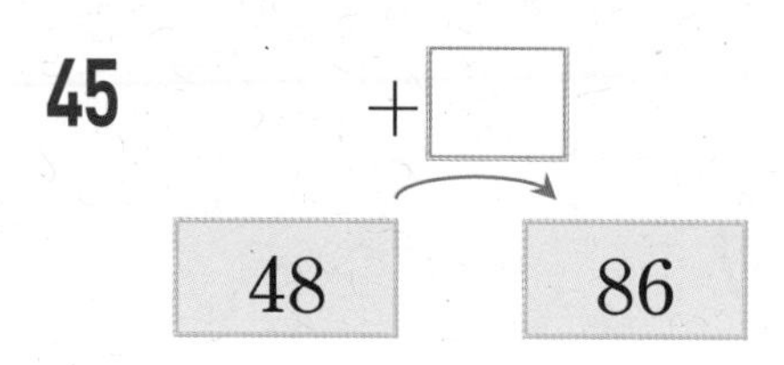

46

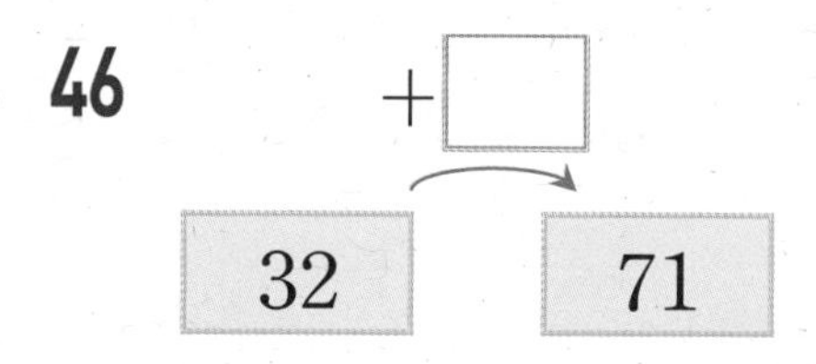

47

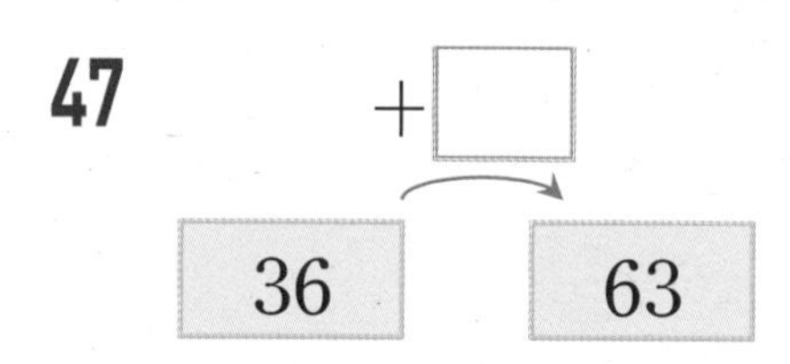

48

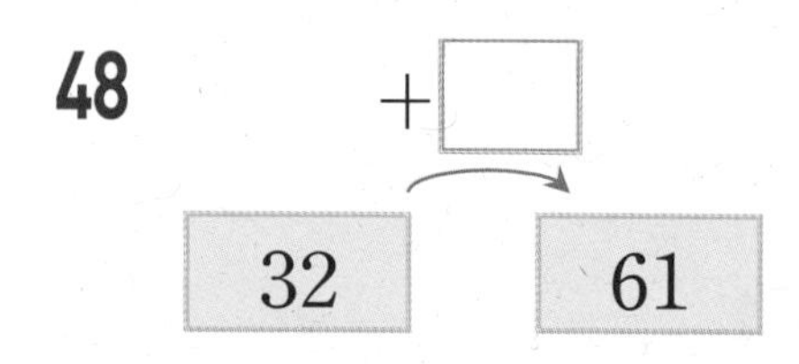

49

+ □

75 → 93

50

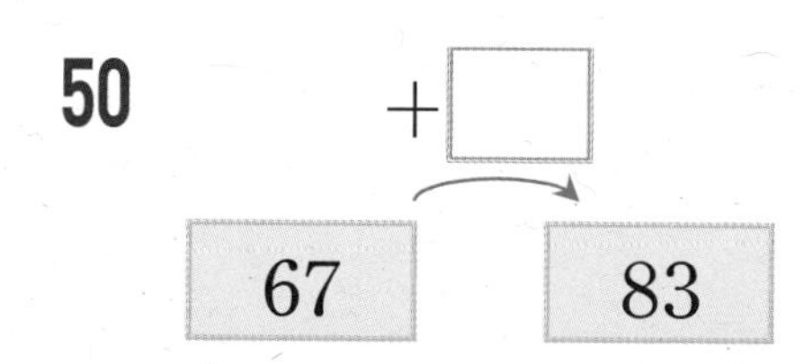

51

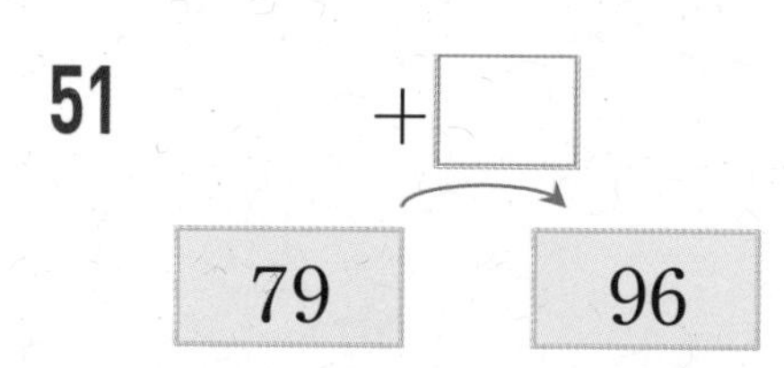

52

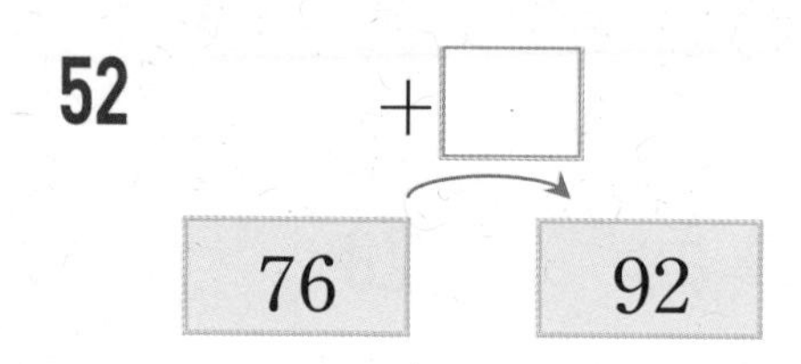

53

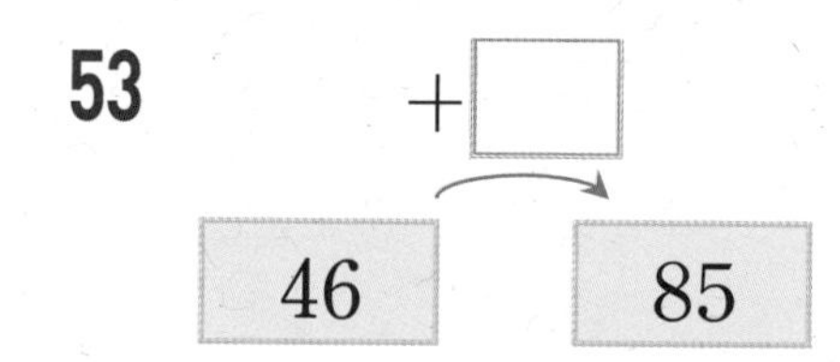

54

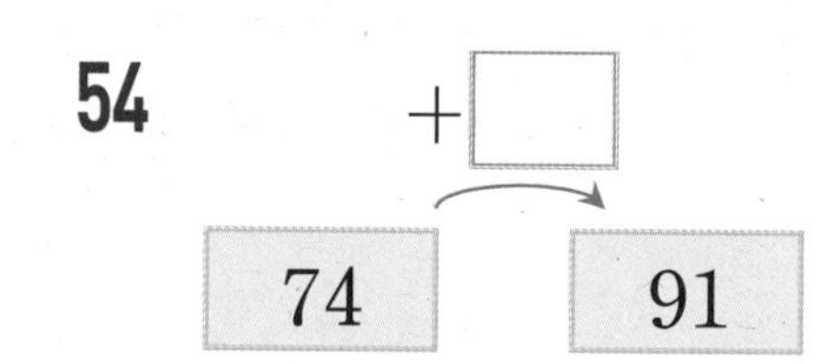

55

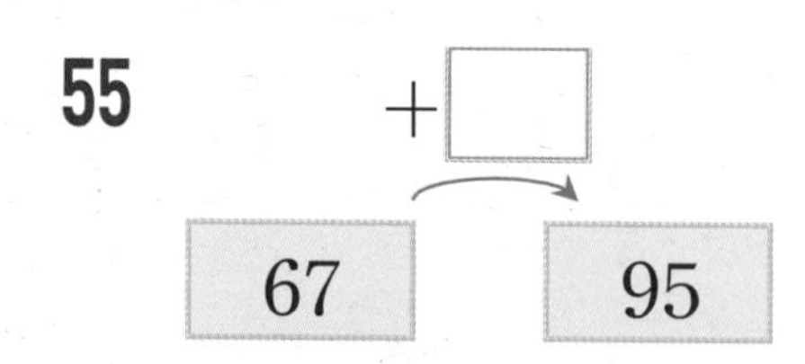

56

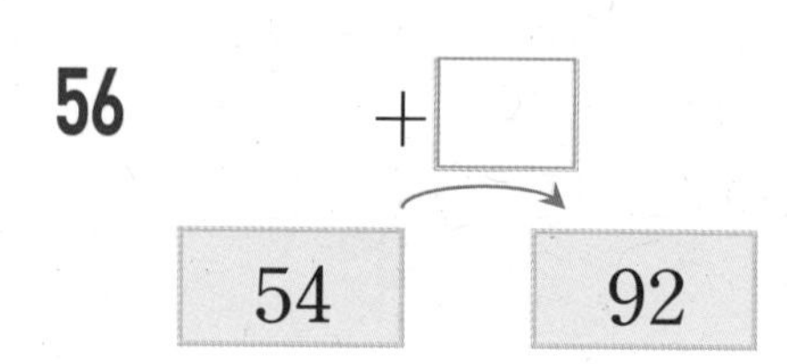

서술형 풀어보기

구조화 해서 풀어보아요

57 책상 위에 구슬이 13개가 있었는데 가방에서 더 꺼내었더니 모두 32개가 되었습니다. 가방에서 꺼낸 구슬은 몇 개일까요?

풀이과정

(1) (책상 위의 구슬 개수)+(가방에서 꺼낸 구슬 개수)
=(전체 구슬 개수)이므로 13+□=□입니다.

(2) □의 값을 구하기 위해 계산하면 □=□−□입니다.

(3) 그러므로 가방에서 꺼낸 구슬 개수는 □개입니다.

+□
13 → 32

(58~61) 풀이과정을 쓰고 답을 구하세요.

58 귤이 12개가 있었는데 친구가 더 주어서 30개가 되었습니다. 친구가 몇 개를 주었을까요?

풀이 ____________________

답 __________ 개

59 주차장에 자동차를 15대가 있었는데 1시간이 지나고 나서 보니 42대가 되었습니다. 자동차가 몇 대가 늘어났나요?

풀이 ____________________

답 __________ 대

60 32권의 동화책 중에 18권을 읽었습니다. 아직 읽지 않은 동화책은 몇 권일까요?

풀이 ____________________

답 __________ 권

61 사과가 45개가 있었습니다. 하루가 지난 후 세어보니 29개로 줄었습니다. 하루 동안 사과는 몇 개가 줄었을까요?

풀이 ____________________

답 __________ 개

연마 Check 칭찬이나 노력할 점을 써 주세요.

맞힌 개수	지도 의견		확인란
개	나의 생각		

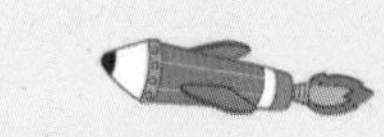

21일차 뺄셈식에서 □의 값 구하기

월 일

- 상자에 사과가 있었는데 오늘 5개를 먹고 나니 22개가 되었습니다. 상자에 사과는 몇 개 있었을까요?

(1) 뺄셈식으로 나타내기: □−5=22

(2) □의 값 구하기: 덧셈식으로 바꾸어 구하기

□−5=22 ➜ □=22+5, □=27

핵심 포인트

- 뺄셈을 덧셈으로 바꾸어 □의 값을 구합니다.
- 처음 사과 수: □개
- 먹은 사과 수: 5개
- 남은 사과 수: 22개
- 식으로 나타내면 □−5=22, □=22+5, 그러므로 □=27

(01~18) 빈칸을 채우세요.

01 23−□=11

02 35−□=22

03 48−□=23

04 58−□=28

05 56−□=38

06 33−□=16

07 26−□=11

08 24−□=12

09 24−□=19

10 36−□=23

11 40−□=16

12 51−□=43

13 16−□=11

14 27−□=20

15 32−□=28

16 53−□=37

17 42−□=27

18 61−□=46

계산력 강화하기

정확하게 풀어보아요

(19~45) 빈칸을 채우세요.

19 $44-\square=16$

20 $33-\square=17$

21 $53-\square=32$

22 $29-\square=22$

23 $58-\square=43$

24 $30-\square=15$

25 $66-\square=48$

26 $52-\square=20$

27 $25-\square=4$

28 $\square-16=10$

29 $\square-11=21$

30 $\square-12=21$

31 $\square-5=27$

32 $\square-16=32$

33 $\square-15=16$

34 $\square-17=38$

35 $\square-22=29$

36 $\square-18=26$

37 $\square-8=88$

38 $\square-16=41$

39 $\square-35=39$

40 $\square-54=27$

41 $\square-19=28$

42 $\square-27=35$

43 $\square-14=16$

44 $\square-35=16$

45 $\square-39=29$

구조화 하기

구조화 하기를 연습하면 서술형도 쉽게 풀어요

(46~59) 빈칸을 채우세요.

46

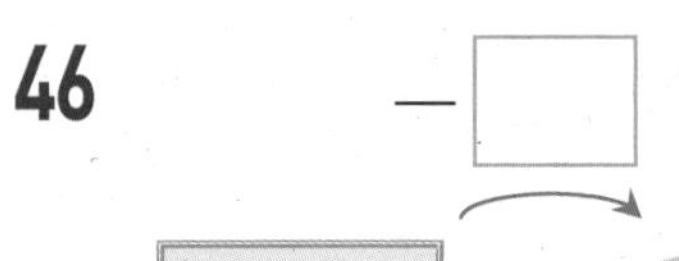

47

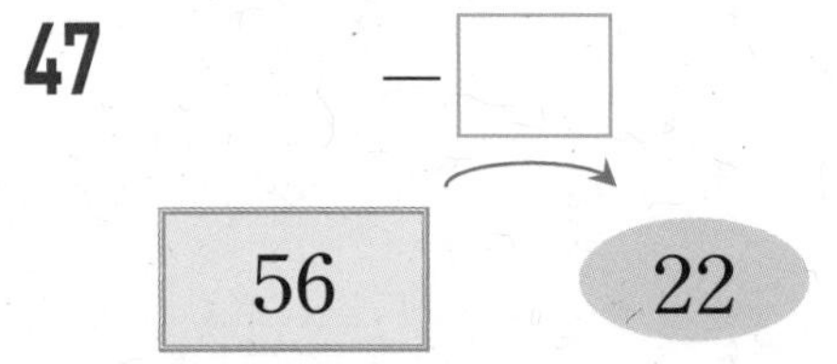

48

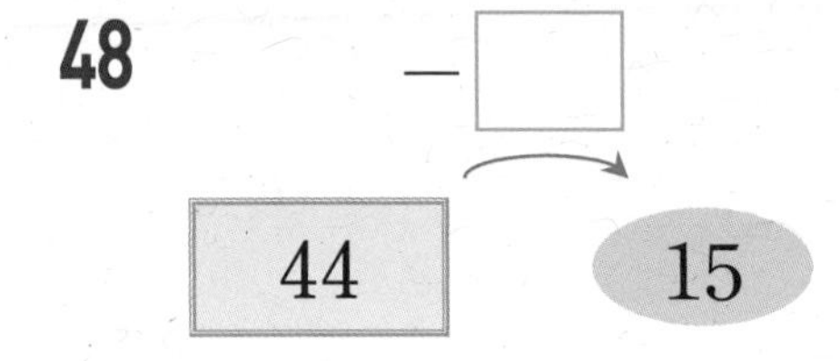

49

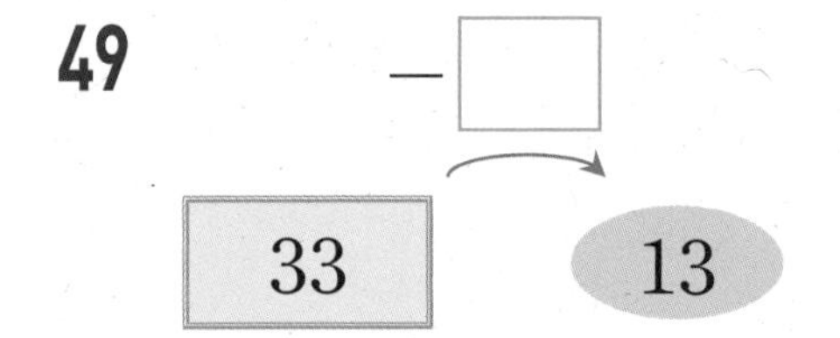

50

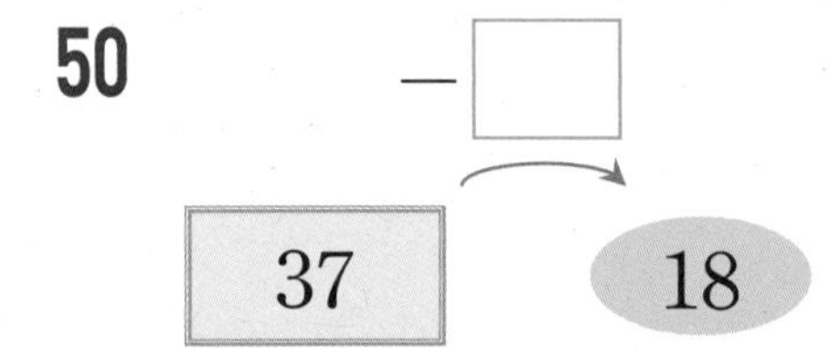

51

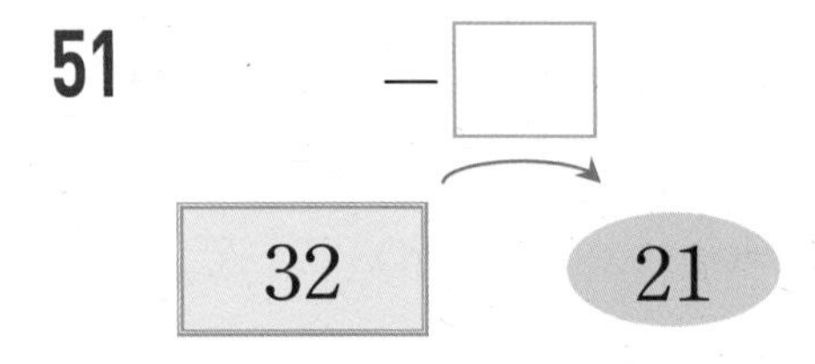

52

− □

76 → 37

53

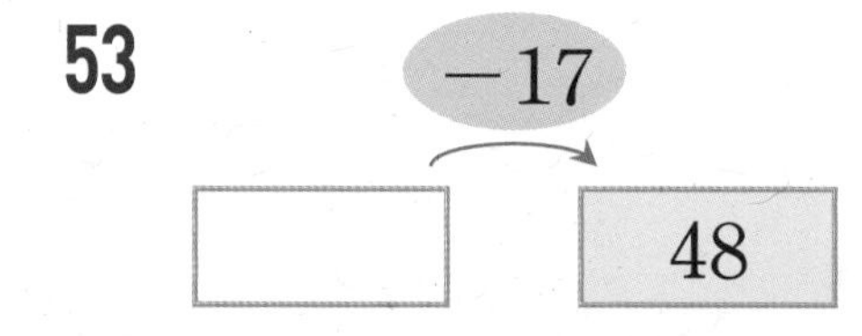

54

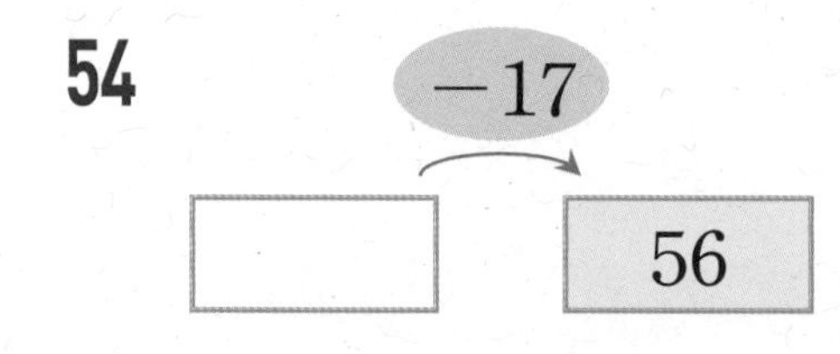

55

−70

□ → 28

56

−16

□ → 28

57

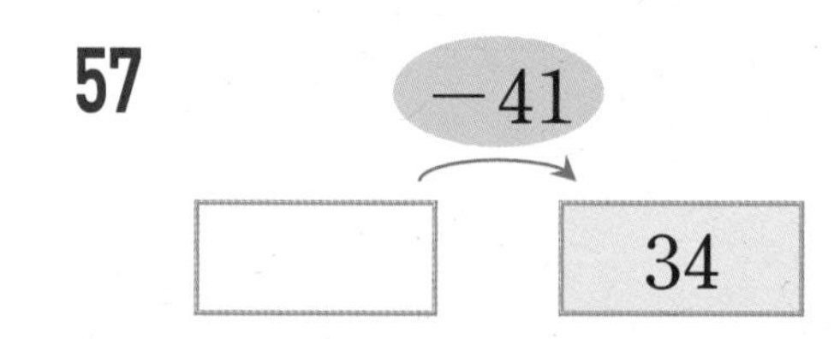

58

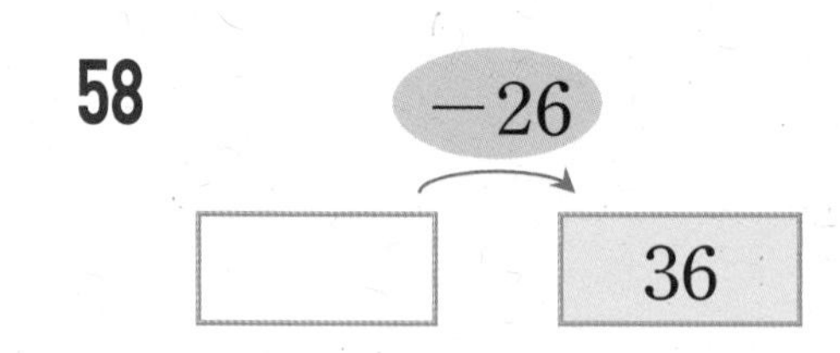

59

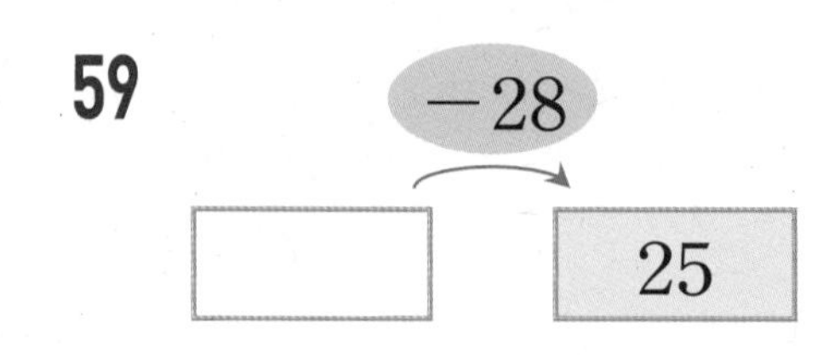

서술형 풀어보기

60 사탕 봉지를 뜯어 사탕 11개를 먹고 나니 19개가 남았습니다. 처음 사탕은 몇 개가 있었을까요?

풀이과정

(1) (처음 사탕 개수)−(먹은 사탕 개수)=(남은 사탕 개수)이므로 □−11=19입니다.

(2) □의 값을 구하기 위해 계산을 하면 □=□+□입니다.

(3) 그러므로 처음 사탕은 □개 있었습니다.

□ —(−11)→ 19

(61~64) **풀이과정을 쓰고 답을 구하세요.**

61 크레파스 통에서 필요한 색 12개를 책상 위에 꺼내 놓았더니 통 안에는 크레파스가 23개 남았습니다. 처음 크레파스 상자에는 몇 개가 들어있었을까요?

풀이 ____________________

답 ________ 개

62 쿠키 상자를 뜯어, 쿠키를 11개를 먹고 나니 상자에 쿠키가 15개 남았습니다. 처음 쿠키 상자에는 쿠키가 몇 개 들어있었을까요?

풀이 ____________________

답 ________ 개

63 배에서 19명이 내리고 나니 68명이 남았습니다. 배에 몇 명이 타고 있었을까요?

풀이 ____________________

답 ________ 명

64 책꽂이에서 책을 7권을 빼서 친구에게 빌려주고 나니 책꽂이에는 책이 21권 남았습니다. 처음 책꽂이에 책은 몇 권 있었을까요?

풀이 ____________________

답 ________ 권

연마 Check 칭찬이나 노력할 점을 써 주세요.

맞힌 개수	지도 의견		확인란
개	나의 생각		

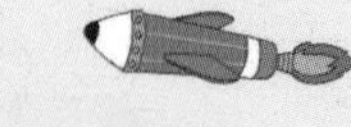

세 수의 덧셈 ①

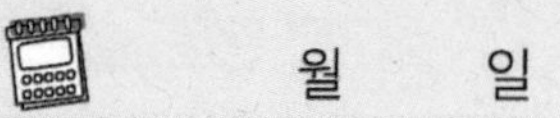

- $16+15+12$의 계산

$$\begin{array}{r} 16 \\ +\ 15 \\ \hline 31 \end{array} \rightarrow \begin{array}{r} 31 \\ +\ 12 \\ \hline 43 \end{array}$$

➜ 먼저 두 수를 더하고($16+15$), 두 수를 더한 결과(31)에 나머지 수(12)를 더합니다.

핵심 포인트

- 세 수의 덧셈은 더하는 순서를 바꾸어도 계산 결과가 같습니다.
- $16+15+12=31+12=43$
- $16+12+15=28+15=43$

(01~08) 빈칸을 채우세요.

01 $10+32+41$

$$\begin{array}{r} 10 \\ +\ 32 \\ \hline \square\square \end{array} \rightarrow \begin{array}{r} \square\square \\ +\ 41 \\ \hline \square\square \end{array}$$

02 $30+12+10$

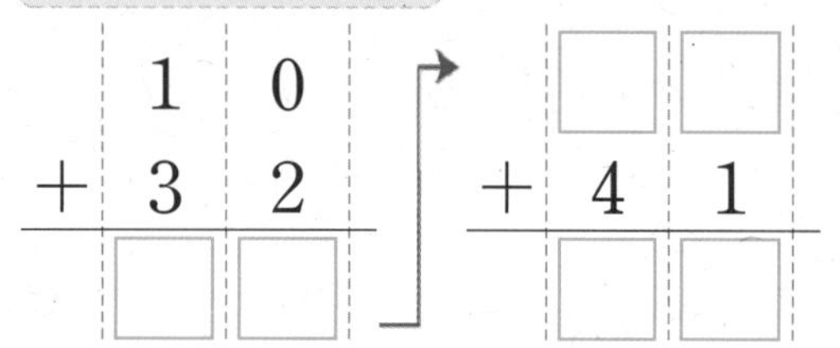

03 $20+15+23$

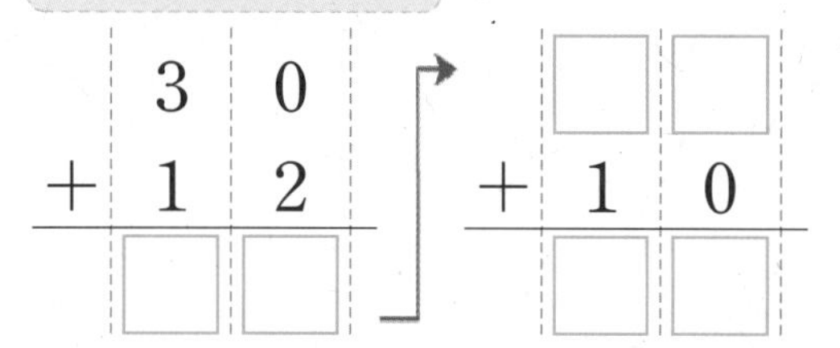

04 $10+23+15$

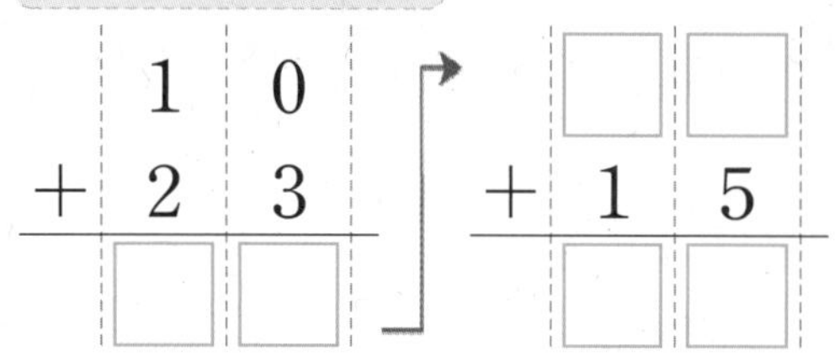

05 $20+10+51$

$$\begin{array}{r} 20 \\ +\ 10 \\ \hline \square\square \end{array} \rightarrow \begin{array}{r} \square\square \\ +\ 51 \\ \hline \square\square \end{array}$$

06 $20+30+15$

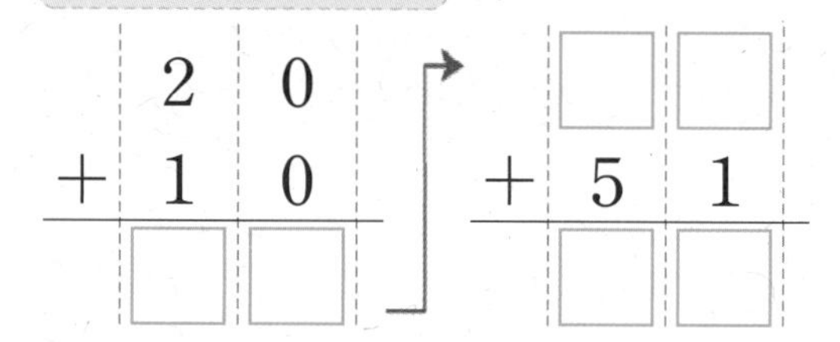

07 $20+11+18$

$$\begin{array}{r} 20 \\ +\ 11 \\ \hline \square\square \end{array} \rightarrow \begin{array}{r} \square\square \\ +\ 18 \\ \hline \square\square \end{array}$$

08 $30+15+12$

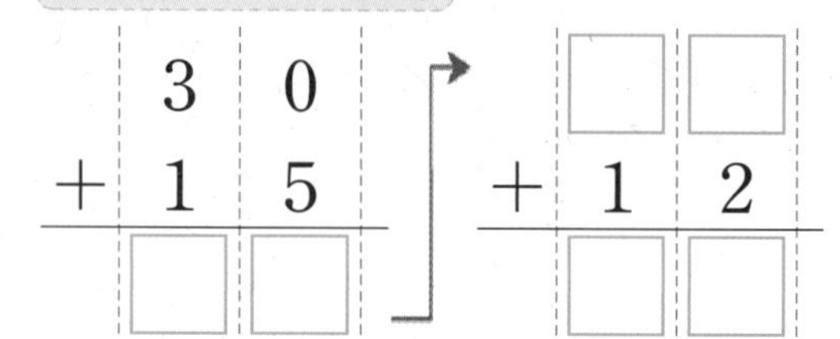

계산력 강화하기

정확하게 풀어보아요

(09~26) 계산을 하세요.

09 $23+5+27$

15 $22+18+33$

21 $22+9+13$

10 $27+7+33$

16 $16+34+28$

22 $31+8+27$

11 $17+7+18$

17 $39+18+28$

23 $29+31+33$

12 $12+9+18$

18 $42+16+25$

24 $18+7+33$

13 $16+5+32$

19 $19+42+15$

25 $22+28+31$

14 $14+8+16$

20 $31+27+25$

26 $10+32+18$

구조화 하기

구조화 하기를 연습하면 서술형도 쉽게 풀어요

(27~44) 빈칸을 채우세요.

27

+

12	19		
		+25	

28

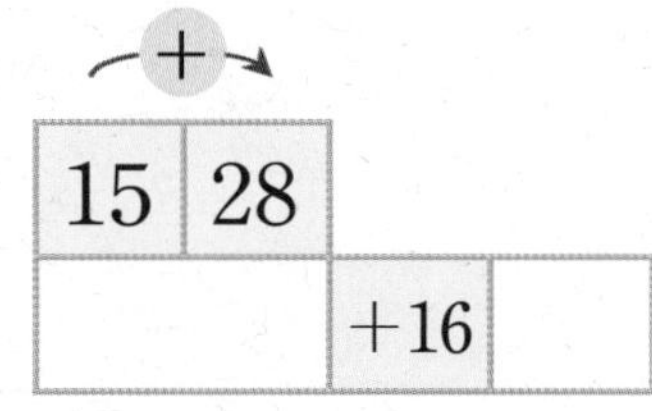

29

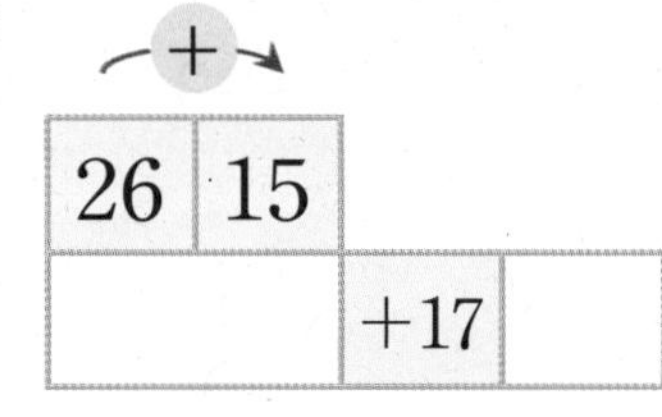

30

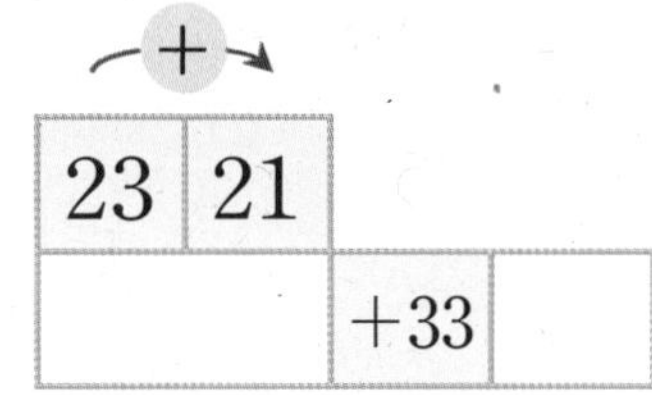

31

+

31	14		
		+51	

32

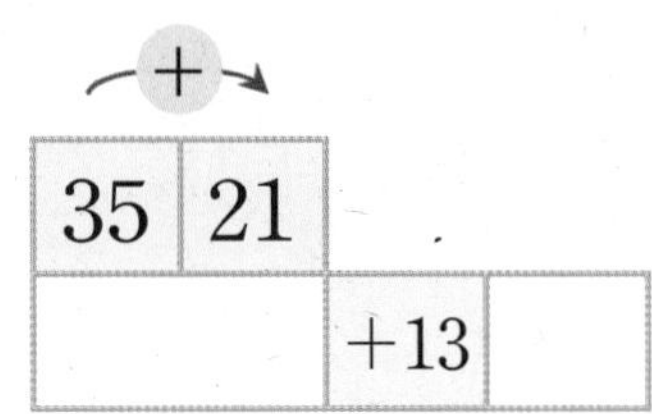

33

+

16	27		
		+12	

34

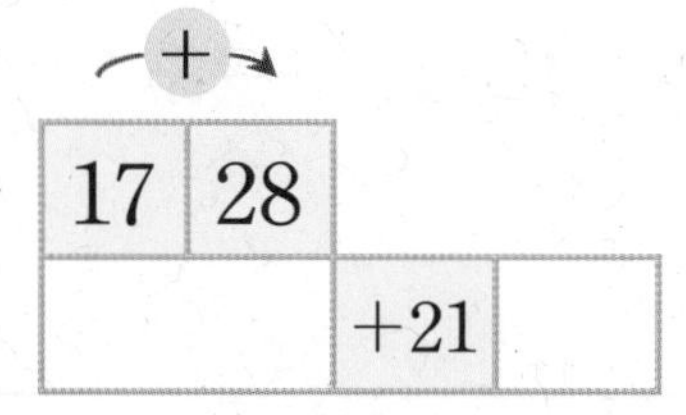

35

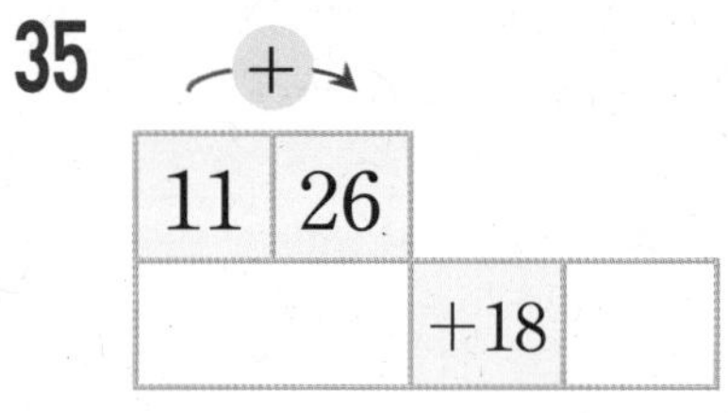

36

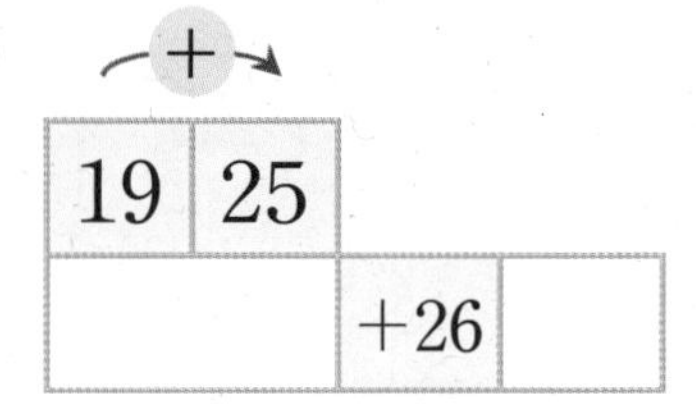

37

+

25	17		
		+13	

38

+

21	16		
		+21	

39

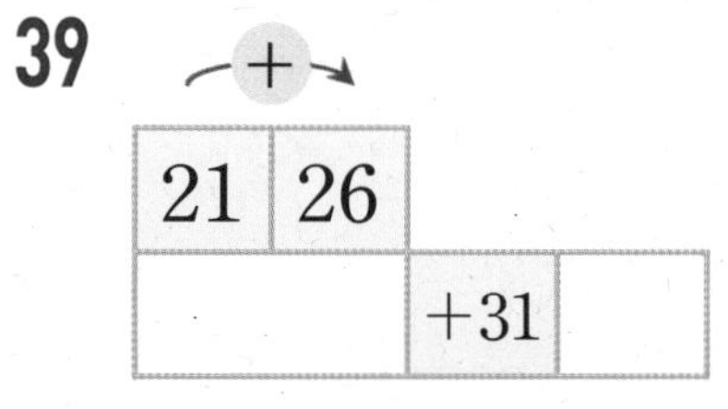

40

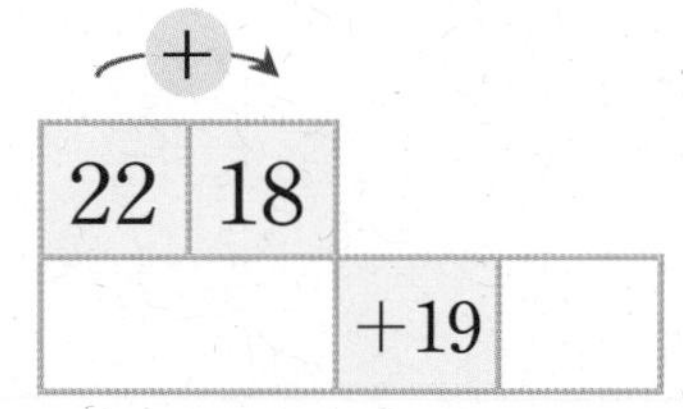

41

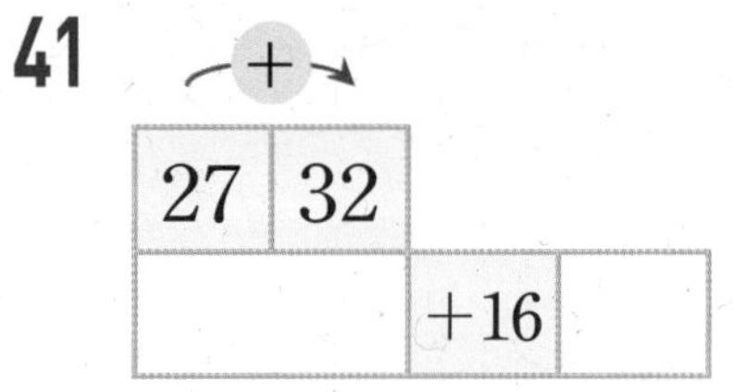

42

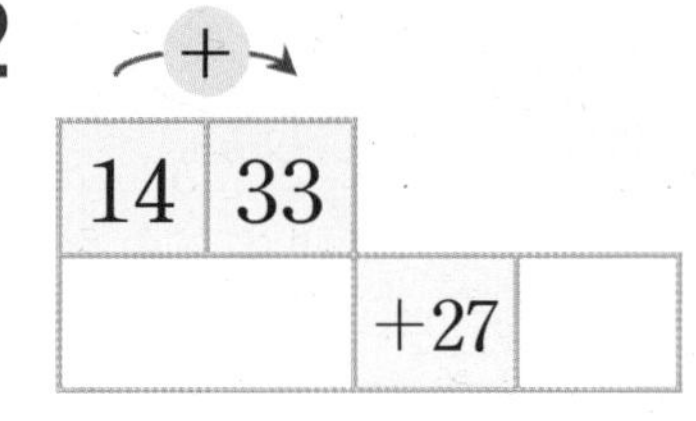

43

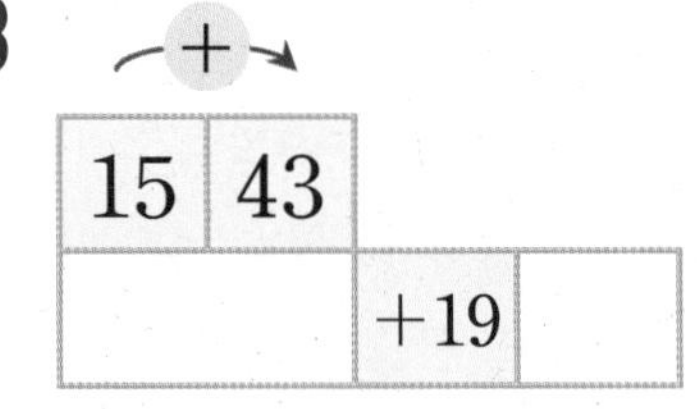

44

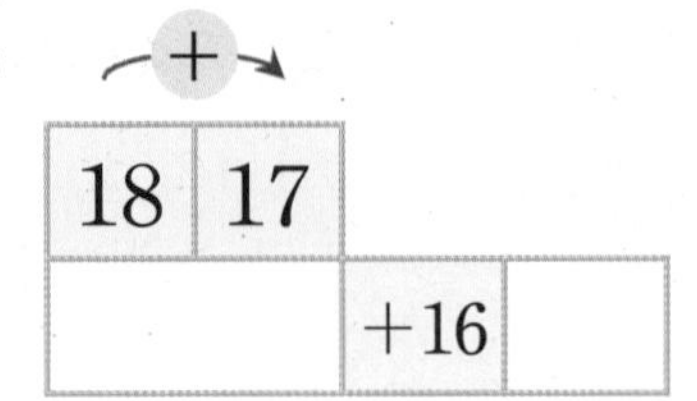

서술형 풀어보기

구조화 해서 풀어보아요

45 우영이는 구슬을 12개 가지고 있었는데 오늘 17개를 더 샀고 또 형으로부터 23개를 얻었습니다. 우영이의 구슬은 모두 몇 개일까요?

풀이과정

(1) 식을 만들면 □+□+□입니다.

(2) 순서대로 계산하면 □+23=□입니다.

(3) 그러므로 우영이의 구슬은 모두 □개입니다.

+

12	17		
		+23	

(46~49) 풀이과정을 쓰고 답을 구하세요.

46 명준이는 9살이고 형은 14살, 엄마는 42살입니다. 세 사람의 나이를 모두 더하면 몇살일까요?

풀이

답 살

47 상자에 사과 12개, 배 8개, 감 21개가 있습니다. 상자에 있는 과일은 모두 몇 개일까요?

풀이

답 개

48 신발장에 아버지 신발이 7켤레, 어머니 신발이 15켤레, 내 신발이 6켤레 있습니다. 신발장의 신발은 모두 몇 켤레일까요?

풀이

답 켤레

49 다음은 세 사람이 읽은 책의 쪽수입니다.

• 민수: 23쪽 • 영미: 32쪽 • 지민: 18쪽

세 사람이 읽은 책은 모두 몇 쪽일까요?

풀이

답 쪽

연마 Check 칭찬이나 노력할 점을 써 주세요.

맞힌 개수	지도 의견		확인란
개	나의 생각		

세 수의 덧셈 ②

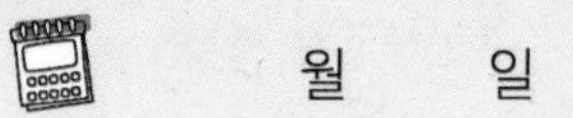
월 일

세 수의 덧셈을 할 때는 먼저 두 수를 더하고 나머지 수를 더합니다.

- $27+32+11$의 계산

$27+32+11$ ➜ ① $27+32=59$

② $59+11=70$

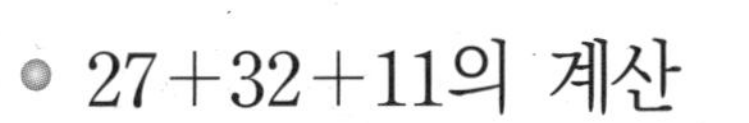

핵심포인트

• 세 수의 덧셈은 계산이 쉬운 두 수를 먼저 더하고, 나머지를 더해도 결과는 같습니다.
예를 들어 $17+24+13$의 덧셈에서 $17+13$을 먼저 계산하면 몇십이 되기 때문에 계산이 좀 더 쉬워집니다.
➜ $17+13+24=30+24=54$

(01~10) 빈칸을 채우세요.

01 $10+32+41$
$=\square+41=\square$

02 $20+10+51$
$=\square+51=\square$

03 $10+7+32$
$=\square+32=\square$

04 $20+15+23$
$=\square+23=\square$

05 $20+15+28$
$=\square+28=\square$

06 $20+30+40$
$=\square+40=\square$

07 $20+11+18$
$=\square+18=\square$

08 $30+15+18$
$=\square+18=\square$

09 $30+12+10$
$=\square+12=\square$

10 $10+32+18$
$=\square+50=\square$

정확하게 풀어보아요

[11~28] 계산을 하세요.

11 $16+5+32$

12 $17+7+18$

13 $27+7+33$

14 $12+9+18$

15 $23+5+27$

16 $14+8+16$

17 $22+18+33$

18 $16+34+28$

19 $39+18+28$

20 $42+16+25$

21 $19+42+15$

22 $31+27+25$

23 $18+7+33$

24 $16+7+34$

25 $31+8+27$

26 $22+28+31$

27 $29+31+33$

28 $28+33+32$

구조화 하기를 연습하면 서술형도 쉽게 풀어요

(29~42) 빈칸을 채우세요.

29 (+, +) 21 13 21 → ☐

30 (+, +) 24 17 24 → ☐

31 (+, +) 38 16 22 → ☐

32 (+, +) 17 11 31 → ☐

33 (+, +) 12 15 26 → ☐

34 (+, +) 41 12 25 → ☐

35 (+, +) 35 14 27 → ☐

36 (+, +) 15 21 23 → ☐

37 (+, +) 16 29 33 → ☐

38 (+, +) 19 24 35 → ☐

39 (+, +) 14 27 42 → ☐

40 (+, +) 11 28 36 → ☐

41 (+, +) 15 26 32 → ☐

42 (+, +) 13 24 37 → ☐

서술형 풀어보기

43 동전통에는 동전 22개가 있습니다. 그런데 오늘 아버지께서 15개를 넣어주셨고, 어머니도 13개를 넣어주셨습니다. 동전통에는 모두 몇 개의 동전이 있을까요?

풀이과정

(1) 식을 만들면 □ + □ + □ 입니다.

(2) 그러므로 모두 □ 개의 동전이 있습니다.

22 —+→ 15 —+→ 13 → □

(44~47) 풀이과정을 쓰고 답을 구하세요.

44 장미꽃 8송이, 국화 12송이, 수선화 11송이를 샀습니다. 모두 몇 송이의 꽃을 샀을까요?

풀이

답 송이

46 광주리에 고구마 11개, 감자 21개, 옥수수 15개가 있습니다. 모두 합하면 몇 개일까요?

풀이

답 개

45 연못에 붕어 17마리, 잉어 15마리, 피라미 12마리가 있습니다. 연못에 물고기는 모두 몇 마리가 있을까요?

풀이

답 마리

47 선아 아버지는 41살, 어머니는 39살, 선아는 9살입니다. 세 사람의 나이를 합하면 모두 몇 살입니까?

풀이

답 살

연마 Check 칭찬이나 노력할 점을 써 주세요.

맞힌 개수	지도 의견		확인란
개	나의 생각		

24일차 세 수의 덧셈 ③

월 일

세 수의 덧셈을 할 때는 먼저 두 수를 더하고 나머지 수를 더합니다.

- 13+18+22의 계산

$$13+18+22 \rightarrow \begin{array}{r} 13 \\ +\ 18 \\ \hline 31 \end{array} \rightarrow \begin{array}{r} 31 \\ +\ 22 \\ \hline 53 \end{array}$$

핵심 포인트

- 세 수의 덧셈식은 순서대로 계산해도 되지만, 계산하기 편리한 숫자가 나오는 순서로 계산해도 됩니다.

(예) 13+18+22
=13+40=53

(01~12) 계산을 하세요.

01 21+28+31

05 32+32+12

09 23+16+38

02 28+17+41

06 33+17+18

10 22+31+19

03 22+15+12

07 38+18+21

11 11+54+19

04 18+14+33

08 19+11+36

12 22+31+17

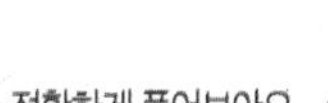

계산력 강화하기

정확하게 풀어보아요

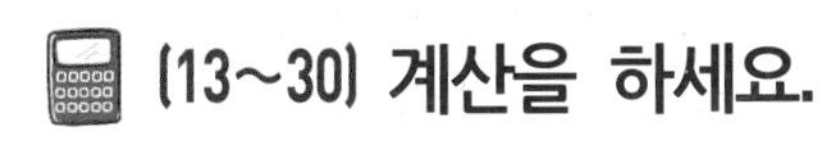

(13~30) 계산을 하세요.

13 $26+12+17$

19 $23+18+31$

25 $18+13+24$

14 $27+17+23$

20 $26+16+22$

26 $33+12+15$

15 $35+22+18$

21 $28+19+27$

27 $31+11+26$

16 $33+18+19$

22 $27+16+23$

28 $24+28+28$

17 $37+16+24$

23 $25+22+15$

29 $38+12+16$

18 $14+15+22$

24 $34+27+25$

30 $39+31+21$

(31~48) 세 수를 더하여 빈칸에 쓰세요.

31
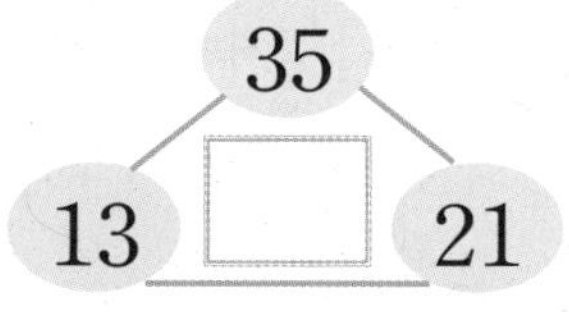

32
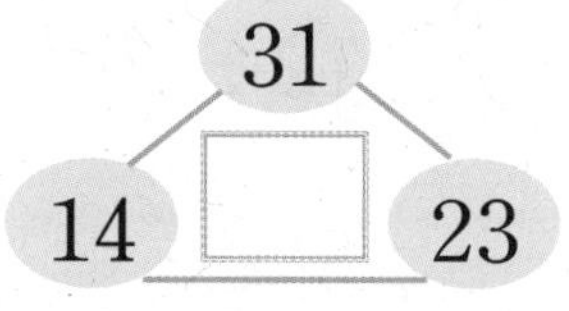

33
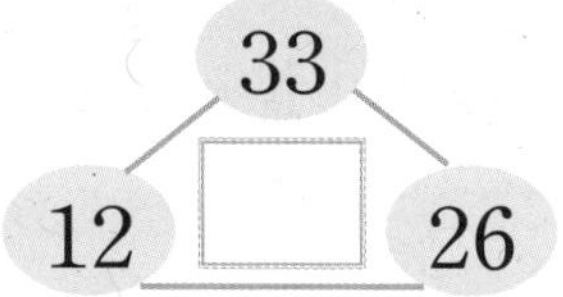

34
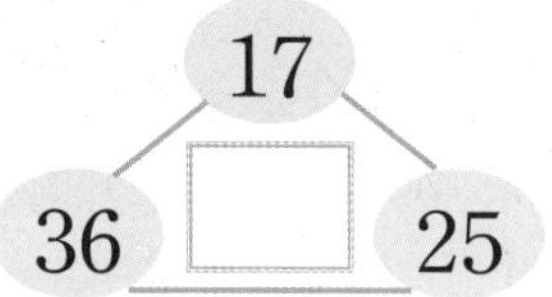

35
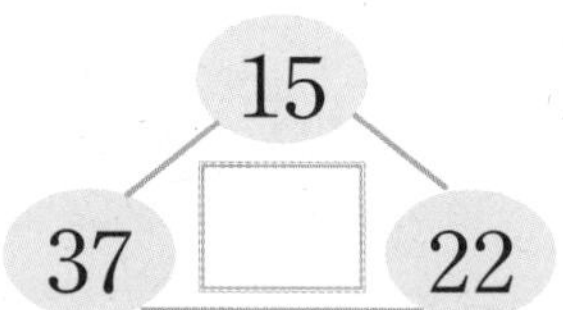

36
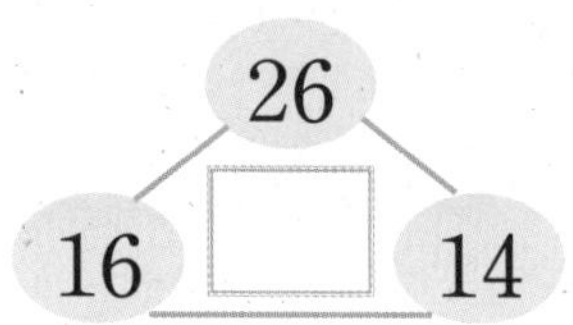

37
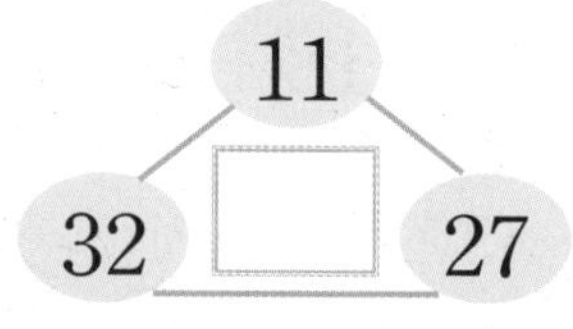

38
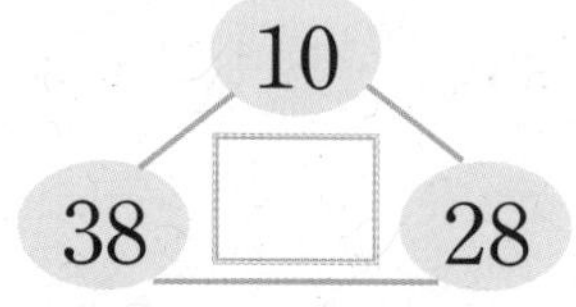

39
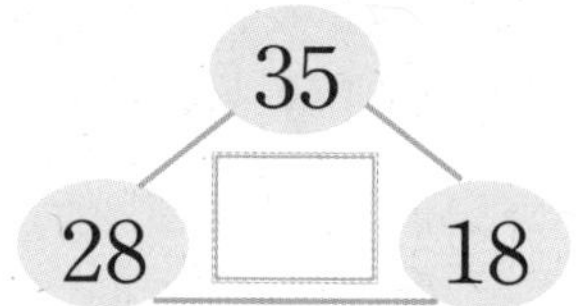

40
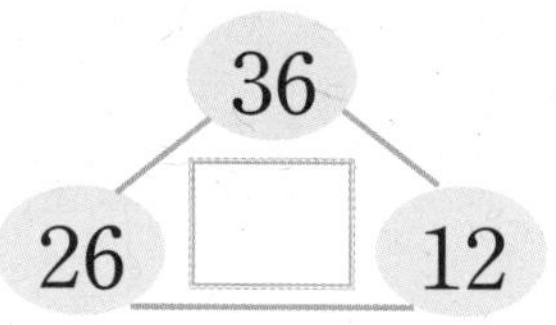

41
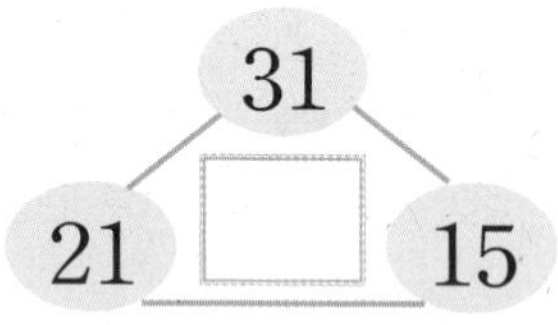

42
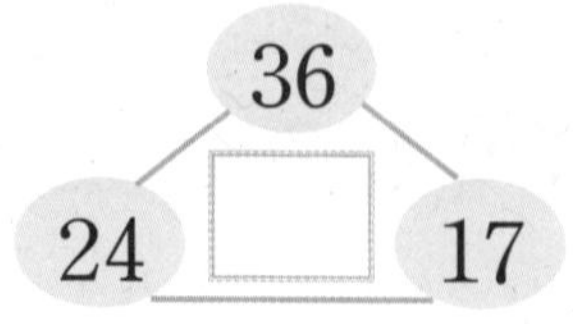

43
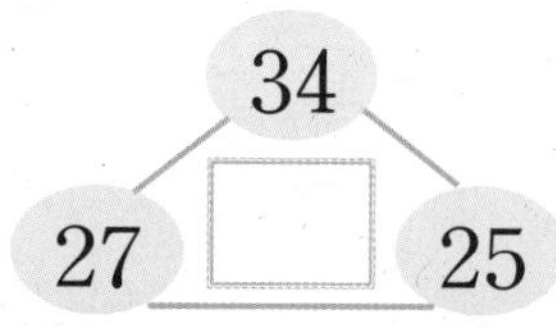

44
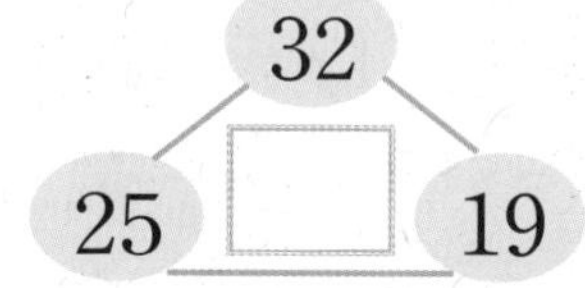

45
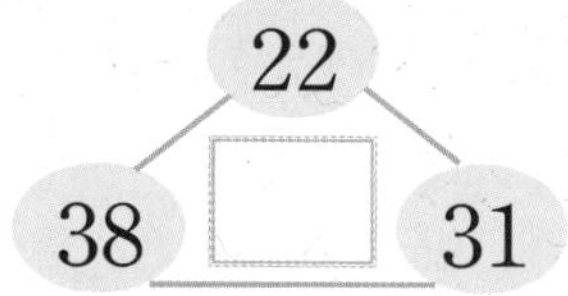

46
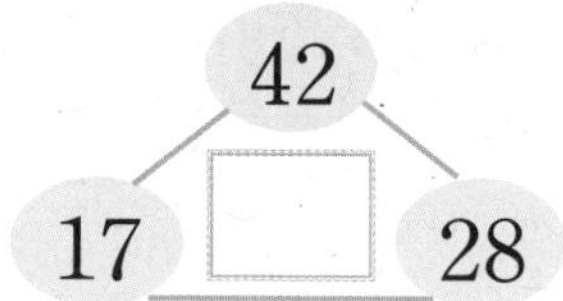

47
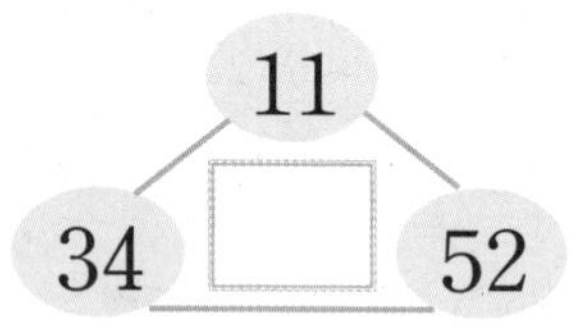

48
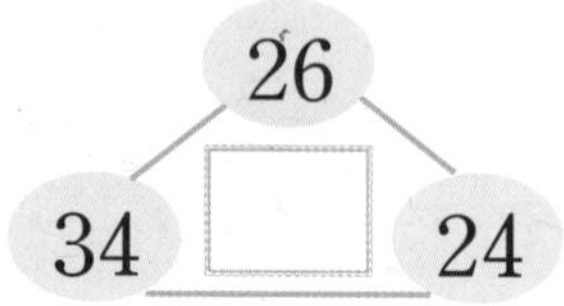

서술형 풀어보기

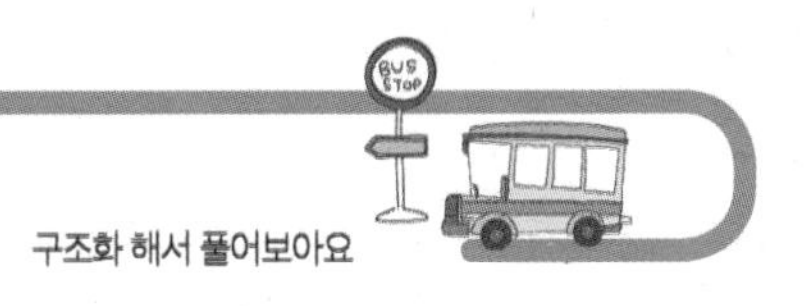

49 노트가 서랍에 11권, 가방에 7권이 있었습니다. 그런데 어머니께서 22권을 더 주셨습니다. 노트는 모두 몇 권일까요?

풀이과정

(1) 식을 만들면 □ + □ + □ 입니다.

(2) 계산하면 □ 입니다.

11, 7, □, 22

(50~53) 풀이과정을 쓰고 답을 구하세요.

50 바구니에 자두 15개와 복숭아 22개, 사과 23개가 담겨 있습니다. 바구니의 과일은 모두 몇 개일까요?

풀이

답 ______ 개

51 영화관에서 오늘 아침에 15개, 점심에 18개, 저녁에 22개의 팝콘을 팔았습니다. 오늘 판 팝콘은 모두 몇 개일까요?

풀이

답 ______ 개

52 사탕을 친구에게 17개, 동생에게 15개를 주고 32개가 남았습니다. 처음 사탕은 모두 몇 개였나요?

풀이

답 ______ 개

53 빨간 구슬 17개, 노란 구슬 15개, 파란 구슬 25개를 한 바구니에 넣었습니다. 바구니에 넣은 구슬은 모두 몇 개일까요?

풀이

답 ______ 개

엄마 Check 칭찬이나 노력할 점을 써 주세요.

맞힌 개수	지도 의견		확인란
개	나의 생각		

세 수의 뺄셈 ①

월 일

● 66－10－13의 계산

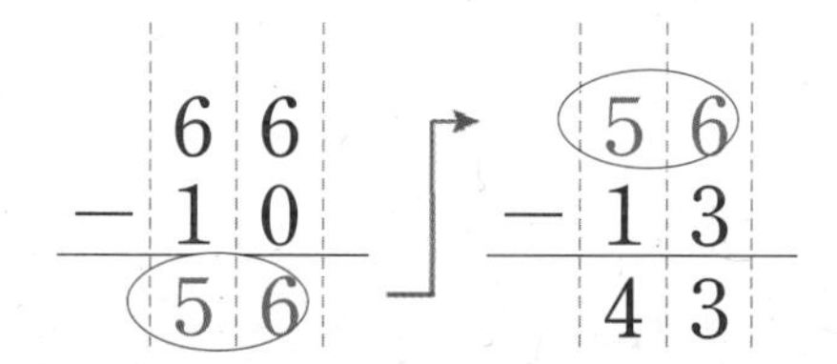

➜ 세 수의 뺄셈은 순서대로 계산합니다.

• 세 수의 뺄셈은 앞에서부터 순서대로 계산해야 합니다.

(01~06) 빈칸을 채우세요.

01 75－20－13

04 70－25－22

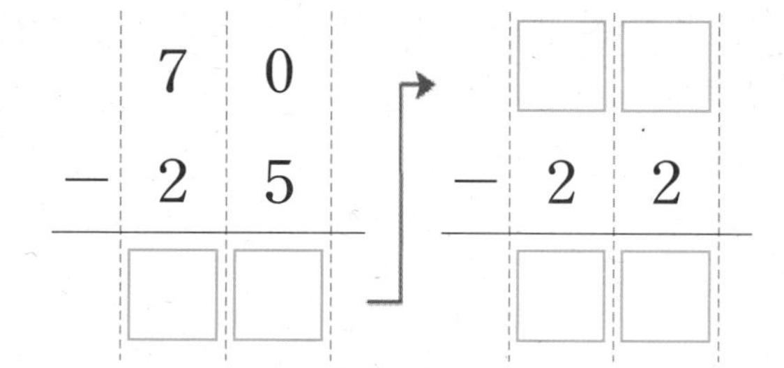

02 38－10－12

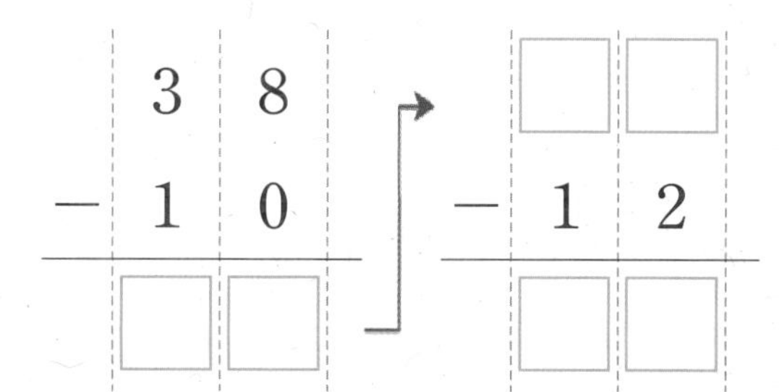

05 50－12－11

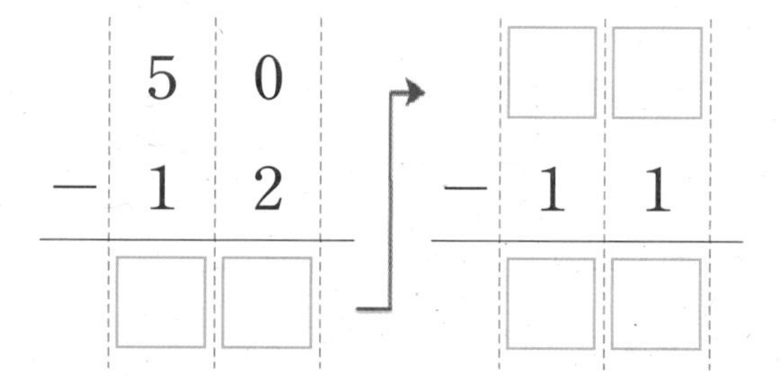

03 63－20－22

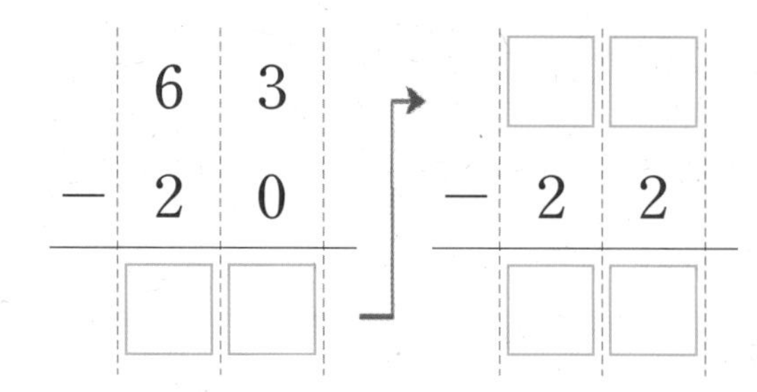

06 70－22－33

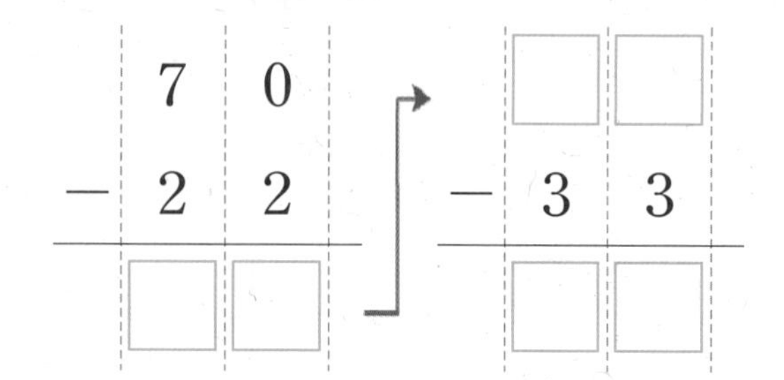

계산력 강화하기

정확하게 풀어보아요

(07~24) 계산을 하세요.

07 $99-55-22$

13 $82-28-32$

19 $82-21-53$

08 $66-22-13$

14 $77-28-32$

20 $43-12-18$

09 $59-31-14$

15 $53-22-21$

21 $59-22-37$

10 $72-32-27$

16 $92-42-32$

22 $82-53-18$

11 $63-22-24$

17 $77-23-21$

23 $54-21-19$

12 $55-12-24$

18 $65-23-18$

24 $75-10-32$

4단계

구조화 하기

구조화 하기를 연습하면 서술형도 쉽게 풀어요

(25~39) 빈칸을 채우세요.

25 $53-18-17$

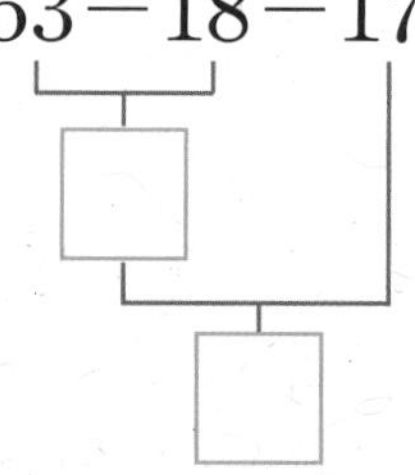

26 $55-11-23$

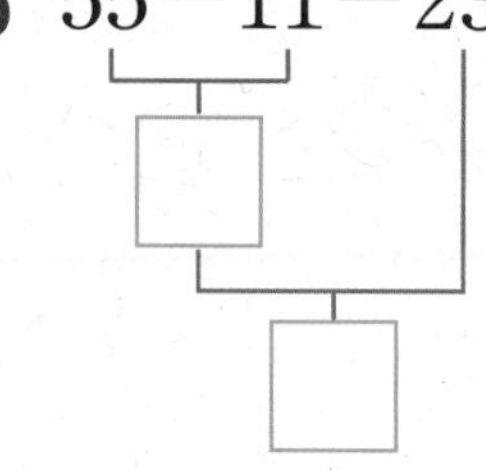

27 $62-13-22$

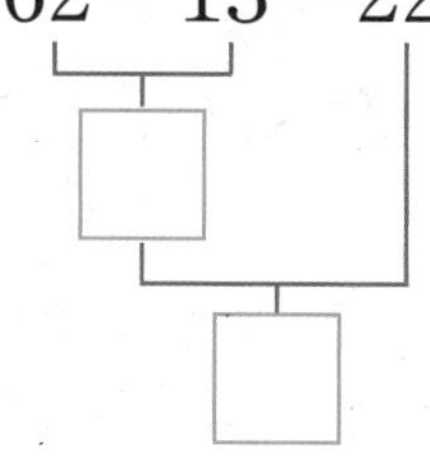

28 $67-16-31$

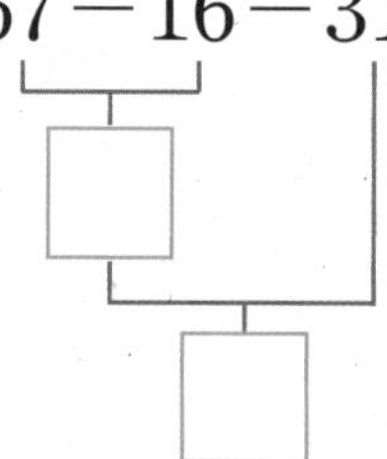

29 $52-17-26$

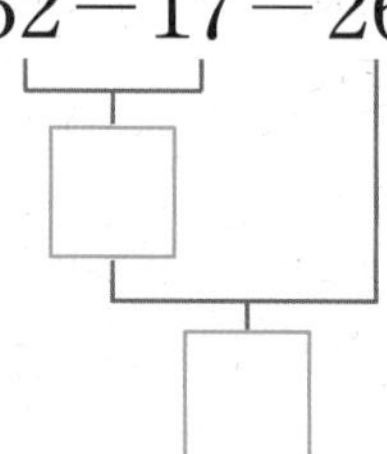

30 $63-21-25$

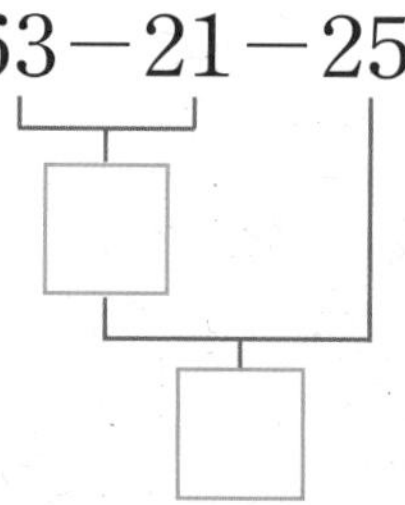

31 $68-16-27$

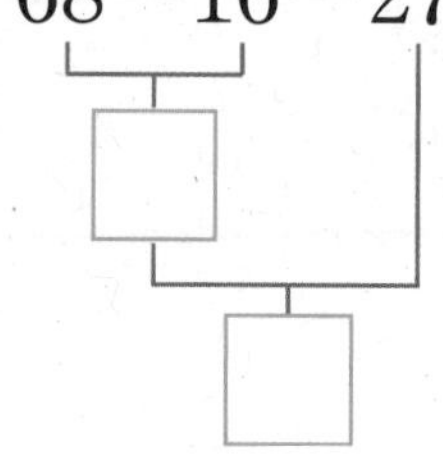

32 $47-21-15$

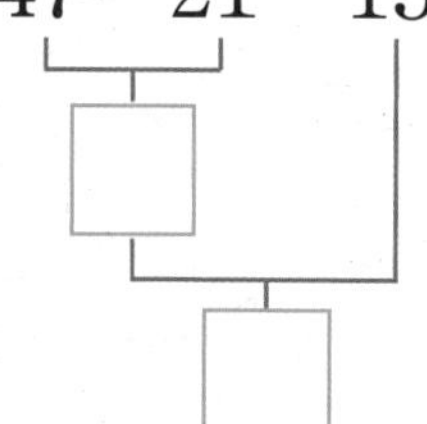

33 $49-29-12$

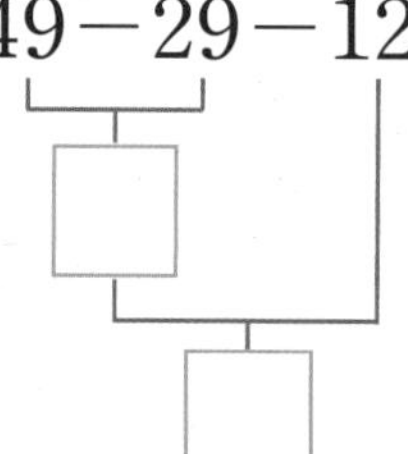

34 $46-22-11$

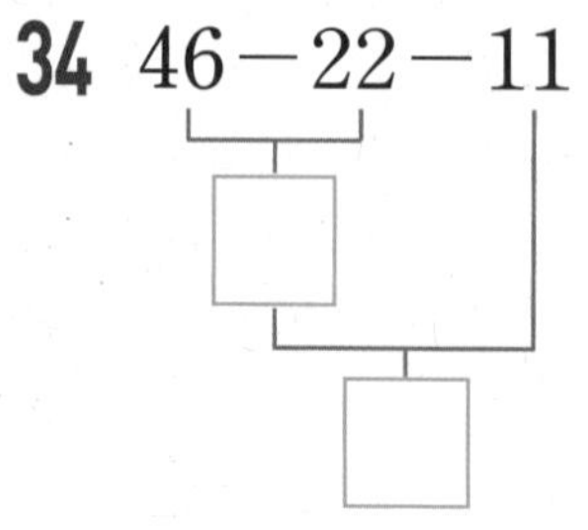

35 $48-28-18$

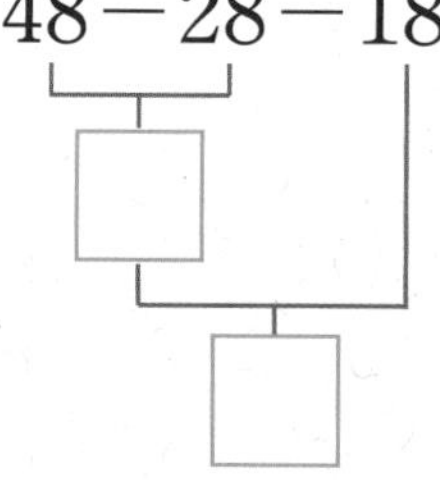

36 $71-31-24$

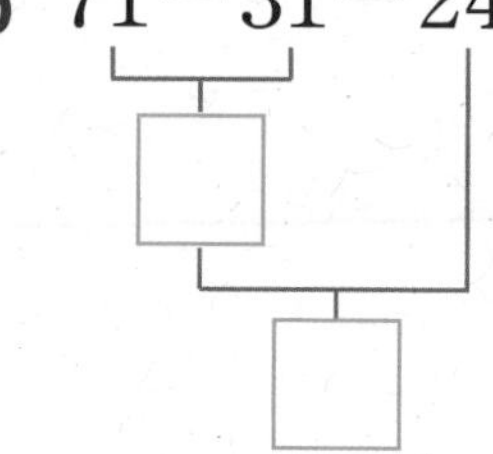

37 $75-33-25$

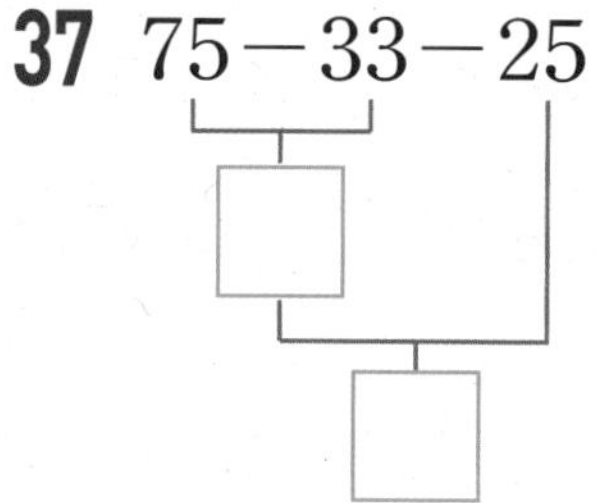

38 $66-36-13$

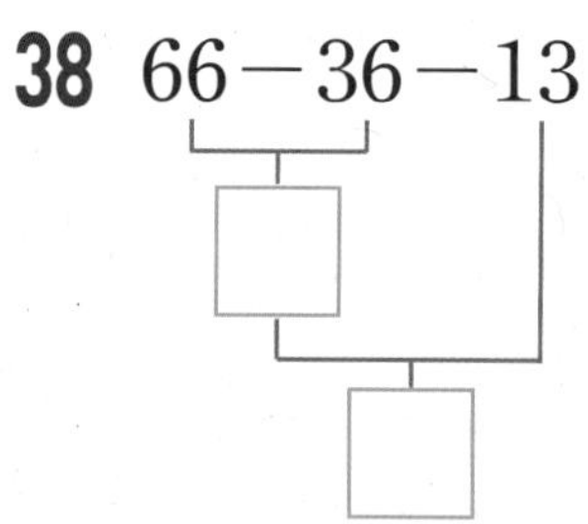

39 $72-16-21$

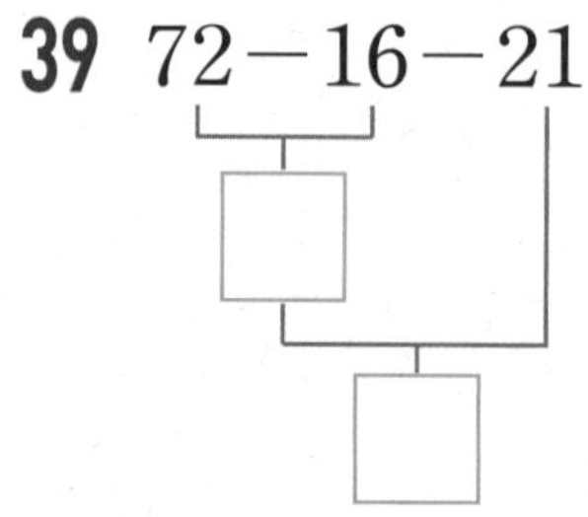

서술형 풀어보기

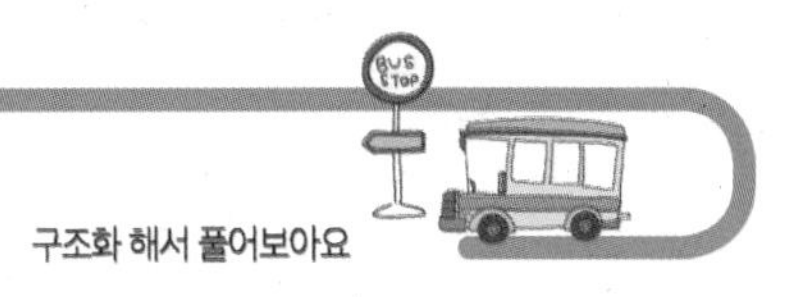

구조화 해서 풀어보아요

40 버스에 30명이 타고 있었는데, 다음 정거장에서 12명이 내렸고 그다음 정거장에서 13명 내렸습니다. 버스에는 몇 명이 남아 있을까요?

풀이과정

(1) 식을 만들면 ☐ − ☐ − ☐ 입니다.

(2) 앞의 두 수를 먼저 빼고 결과에 다음 수를 뺍니다.

(☐ − ☐) − 13 ➜ ☐ − 13 = ☐

(3) 그러므로 버스에는 ☐ 명이 남습니다.

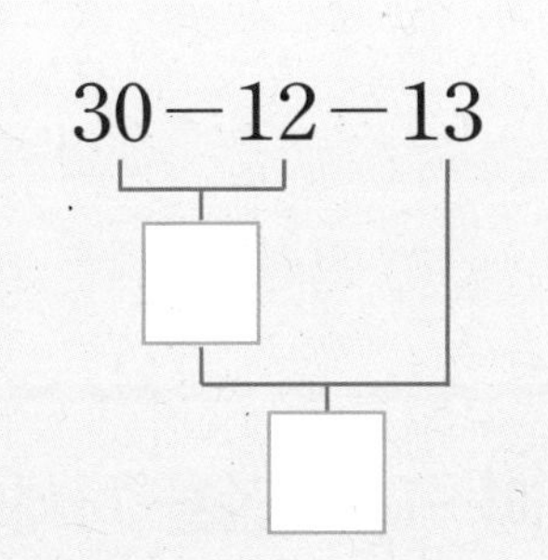

(41~44) 풀이과정을 쓰고 답을 구하세요.

41 바구니에 사과가 30개 있습니다. 동생이 7개를 가져가고 내가 10개를 가져갔습니다. 바구니에는 몇 개의 사과가 남았을까요?

풀이 ____________________

답 ________ 개

42 45개의 밤을 삶아 12개를 먹고, 11개는 옆집에 주었습니다. 남은 삶은 밤은 몇 개일까요?

풀이 ____________________

답 ________ 개

43 은수는 52쪽짜리 동화책을 읽고 있습니다. 어제는 13쪽을 읽었고 오늘은 15쪽을 읽었습니다. 다 읽으려면 몇 쪽을 더 읽어야 할까요?

풀이 ____________________

답 ________ 쪽

44 귤 66개 가운데 21개는 까서 먹고, 19개는 갈아서 먹었습니다. 먹고 남은 귤은 몇 개일까요?

풀이 ____________________

답 ________ 개

연마 Check 칭찬이나 노력할 점을 써 주세요.

맞힌 개수	지도 의견		확인란
개	나의 생각		

26 일차 세 수의 뺄셈 ②

 월 일

- $55-12-18$의 계산

$\underline{55}-\underline{12}-\underline{18}$ → ① $55-12=43$

② $43-18=25$

핵심 포인트

- 세 수의 뺄셈은 앞에서부터 순서대로 계산해야 합니다.

(01~12) 계산을 하세요.

01 $62-18-12$
$=\square-12=\square$

02 $48-16-21$
$=\square-21=\square$

03 $39-17-13$
$=\square-13=\square$

04 $59-22-21$
$=\square-21=\square$

05 $63-19-33$
$=\square-33=\square$

06 $72-25-21$
$=\square-21=\square$

07 $52-23-16$
$=\square-16=\square$

08 $71-28-32$
$=\square-32=\square$

09 $82-36-37$
$=\square-37=\square$

10 $55-32-16$
$=\square-16=\square$

11 $67-13-28$
$=\square-28=\square$

12 $49-15-17$
$=\square-17=\square$

계산력 강화하기

정확하게 풀어보아요

(13~36) 계산을 하세요.

13 $89-55-22$

14 $76-22-13$

15 $69-31-14$

16 $63-32-27$

17 $82-22-24$

18 $56-12-24$

19 $66-21-24$

20 $67-11-19$

21 $83-28-29$

22 $72-28-27$

23 $59-22-18$

24 $48-12-18$

25 $75-23-27$

26 $67-23-21$

27 $78-19-16$

28 $77-21-23$

29 $73-21-33$

30 $91-42-22$

31 $57-22-17$

32 $79-53-18$

33 $82-33-21$

34 $83-17-15$

35 $89-23-47$

36 $97-27-33$

구조화 하기를 연습하면 서술형도 쉽게 풀어요

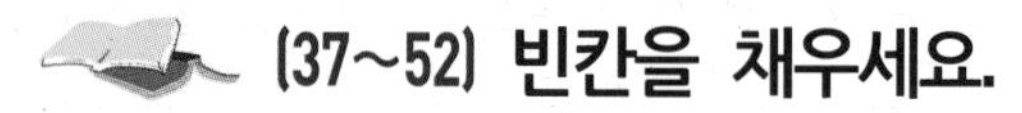

(37~52) 빈칸을 채우세요.

번호					
37	35	-11	-12	→	□
38	45	-17	-16	→	□
39	41	-13	-14	→	□
40	44	-16	-18	→	□
41	56	-22	-18	→	□
42	57	-28	-11	→	□
43	53	-23	-14	→	□
44	51	-12	-27	→	□
45	76	-27	-31	→	□
46	63	-28	-24	→	□
47	66	-32	-26	→	□
48	87	-22	-16	→	□
49	99	-17	-21	→	□
50	78	-27	-16	→	□
51	82	-25	-19	→	□
52	93	-33	-26	→	□

서술형 풀어보기

구조화 해서 풀어보아요

53 금붕어가 56마리 있었는데 어제 17마리를 팔았고, 오늘 22마리를 팔았습니다. 팔고 남은 금붕어는 몇 마리일까요?

풀이과정

(1) (처음 금붕어 수)−(어제 팔린 금붕어 수)−(오늘 팔린 금붕어 수)

=☐−☐−☐입니다.

56	−17	−22	→ ☐

(2) 계산하면 ☐입니다.

(3) 그러므로 팔고 남은 금붕어 수는 ☐마리입니다.

(54~57) 풀이과정을 쓰고 답을 구하세요.

54 선생님이 꽃씨 42개 가운데 12개를 희수에게, 13개를 호섭이에게 나누어 주셨습니다. 선생님께는 몇 개의 꽃씨가 남았을까요?

풀이 ____________________

답 ________ 개

55 감자 75개를 삶아 세 반이 나누어 먹었습니다. 1반은 22개를 먹고, 2반은 23개를 먹었습니다. 3반은 감자를 몇 개 먹었을까요?

풀이 ____________________

답 ________ 개

56 명호는 82쪽짜리 위인전을 읽고 있습니다. 어제는 21쪽을 읽었고 오늘은 18쪽을 읽었습니다. 다 읽으려면 몇 쪽을 더 읽어야 할까요?

풀이 ____________________

답 ________ 쪽

57 어머니가 방울토마토 63개를 사오셨습니다. 이 가운데 21개는 옆집에 주고, 18개는 나와 동생이 먹었습니다. 방울토마토는 몇 개가 남았을까요?

풀이 ____________________

답 ________ 개

연마 Check 칭찬이나 노력할 점을 써 주세요.

맞힌 개수	지도 의견		확인란
개	나의 생각		

세 수의 뺄셈 ③

월 일

- 62−28−16의 계산

세로셈 하기

$$\begin{array}{r} 62 \\ -\ 28 \\ \hline 34 \end{array} \rightarrow \begin{array}{r} 34 \\ -\ 16 \\ \hline 18 \end{array}$$

가로셈 하기

62−28−16 → 34−16=18

① 62−28, ② (①의 결과)−16

(01~12) 계산을 하세요.

01 56−16−12

05 71−27−21

09 58−19−33

02 52−15−21

06 53−21−16

10 86−36−32

03 43−18−13

07 62−15−16

11 93−28−26

04 61−13−21

08 76−28−37

12 96−19−33

계산력 강화하기

정확하게 풀어보아요

(13~36) 계산을 하세요.

13 $88-43-21$

14 $66-26-15$

15 $79-31-17$

16 $65-22-25$

17 $91-23-24$

18 $62-17-24$

19 $79-33-27$

20 $81-48-27$

21 $85-36-31$

22 $68-28-16$

23 $72-25-35$

24 $78-52-16$

25 $59-16-22$

26 $67-23-28$

27 $66-17-16$

28 $83-29-31$

29 $73-28-29$

30 $58-17-18$

31 $77-22-32$

32 $78-19-13$

33 $76-26-16$

34 $98-19-17$

35 $92-43-26$

36 $91-26-31$

구조화 하기

구조화 하기를 연습하면 서술형도 쉽게 풀어요

(37~48) 위의 수를 가르려고 합니다. 빈칸을 채우세요.

37

56		
12	24	

38

49		
21	18	

39

45		
13	16	

40

55		
22	18	

41

62		
24	22	

42

63		
32	24	

43

72		
43		3

44

75		
36		12

45

76		
	25	23

46

83		
	35	11

47

82		
46		19

48

91		
	26	7

서술형 풀어보기

49 카드가 56장 있는데, 친구 두 명에게 18장씩 주면 몇 장이 남을까요?

풀이과정

(1) 식을 만들면 ☐ − ☐ − ☐ 입니다.

(2) 그러므로 카드는 ☐ 장이 남습니다.

56		
18	18	

(50~53) 풀이과정을 쓰고 답을 구하세요.

50 사탕 52개가 있는데 누나에게 18개, 동생에게 17개를 주면 몇 개가 남을까요?

풀이

답 개

51 사과 62개를 원숭이에게 13개 주고, 코끼리에게 31개 주고, 나머지를 토끼에서 주었습니다. 토끼는 사과를 몇 개 받았을까요?

풀이

답 개

52 나는 60분 중에서 21분 동안 수학 공부를 하고 17분 동안 동화책을 읽었습니다. 남은 시간은 몇 분일까요?

풀이

답 분

53 친구 세 명이 줄넘기를 합하여 90번 하기로 하였는데 한 명은 25번, 또 한 명은 42번을 하였습니다. 마지막 한 명은 몇 번을 해야 할까요?

풀이

답 번

연마 Check 칭찬이나 노력할 점을 써 주세요.

맞힌 개수	지도 의견		확인란
개	나의 생각		

28일차 세 수의 덧셈과 뺄셈 ①

월 일

● 46+15−13의 계산

세로셈 하기

$$\begin{array}{r} 46 \\ +\ 15 \\ \hline 61 \end{array} \rightarrow \begin{array}{r} 61 \\ -\ 13 \\ \hline 48 \end{array}$$

핵심포인트

• 덧셈과 뺄셈이 섞여 있는 계산은 순서대로 계산합니다.

(01~06) 계산을 하세요.

01 25+20−13

$$\begin{array}{r} 25 \\ +\ 20 \\ \hline \square\square \end{array} \rightarrow \begin{array}{r} \square\square \\ -\ 13 \\ \hline \square\square \end{array}$$

04 28+25−22

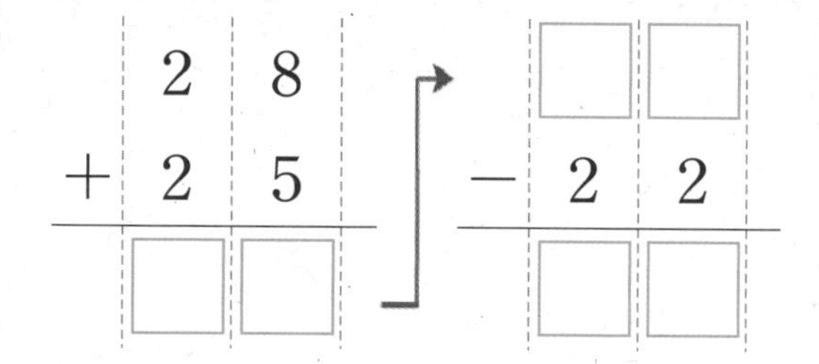

$$\begin{array}{r} 28 \\ +\ 25 \\ \hline \square\square \end{array} \rightarrow \begin{array}{r} \square\square \\ -\ 22 \\ \hline \square\square \end{array}$$

02 36+10−22

$$\begin{array}{r} 36 \\ +\ 10 \\ \hline \square\square \end{array} \rightarrow \begin{array}{r} \square\square \\ -\ 22 \\ \hline \square\square \end{array}$$

05 16+12−11

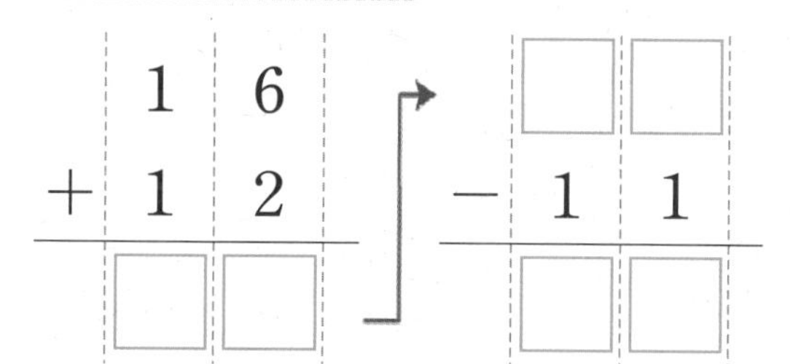

$$\begin{array}{r} 16 \\ +\ 12 \\ \hline \square\square \end{array} \rightarrow \begin{array}{r} \square\square \\ -\ 11 \\ \hline \square\square \end{array}$$

03 24+30−12

$$\begin{array}{r} 24 \\ +\ 30 \\ \hline \square\square \end{array} \rightarrow \begin{array}{r} \square\square \\ -\ 12 \\ \hline \square\square \end{array}$$

06 45+22−33

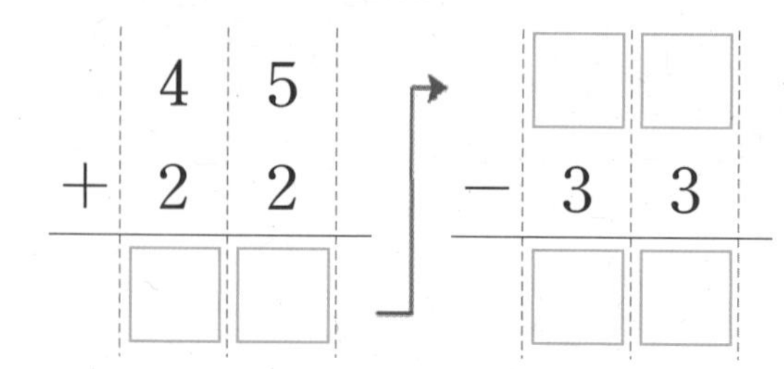

$$\begin{array}{r} 45 \\ +\ 22 \\ \hline \square\square \end{array} \rightarrow \begin{array}{r} \square\square \\ -\ 33 \\ \hline \square\square \end{array}$$

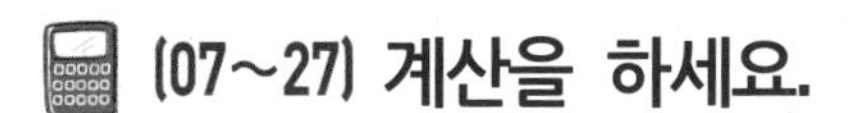

계산력 강화하기

정확하게 풀어보아요

(07~27) 계산을 하세요.

07 $32+21-23$

14 $62+36-31$

21 $45+29-55$

08 $63+12-14$

15 $55+29-32$

22 $28+27-19$

09 $48+31-15$

16 $33+16-23$

23 $36+16-36$

10 $13+42-43$

17 $46+28-37$

24 $46+16-15$

11 $52+33-25$

18 $18+32-11$

25 $42+21-17$

12 $63+15-25$

19 $56+23-21$

26 $75+19-19$

13 $29+17-23$

20 $42+19-38$

27 $75+24-28$

구조화 하기를 연습하면 서술형도 쉽게 풀어요

(28~45) 빈칸을 채우세요.

28

+
53 18
−17

34

+
31 21
−25

40

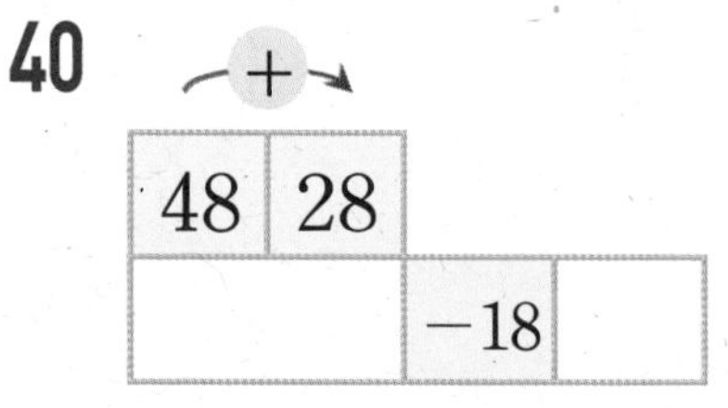

29

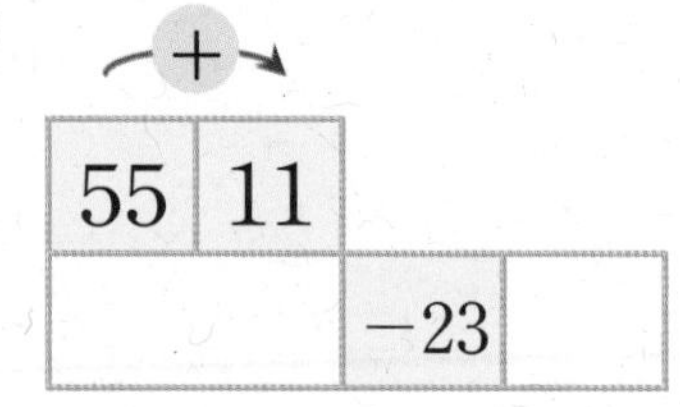

35

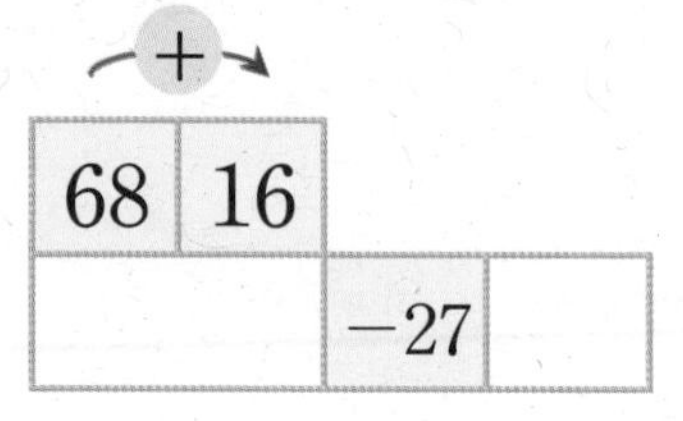

41

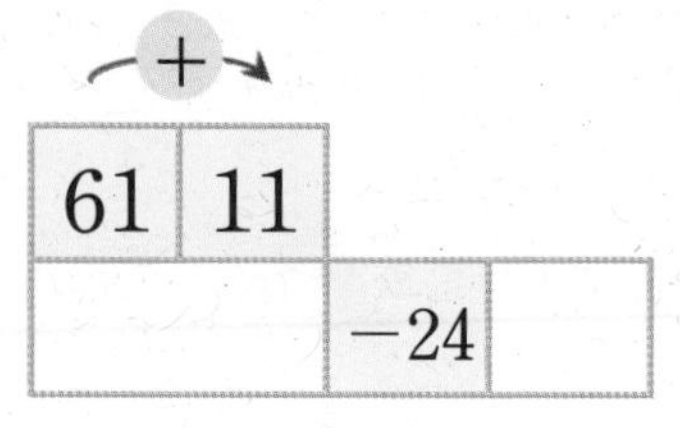

30

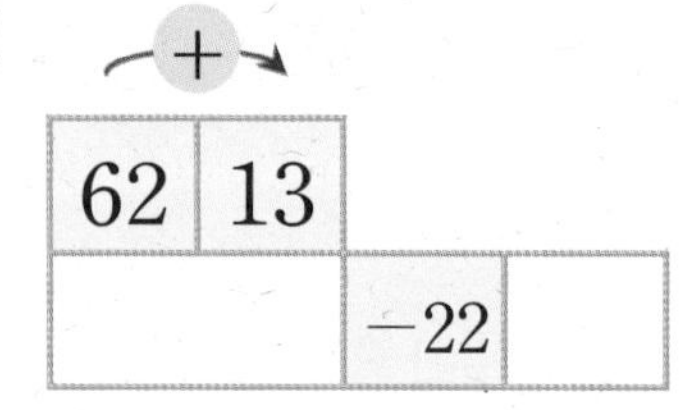

36

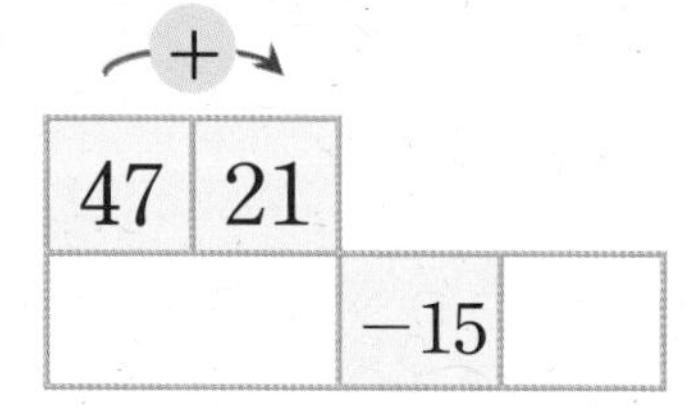

42

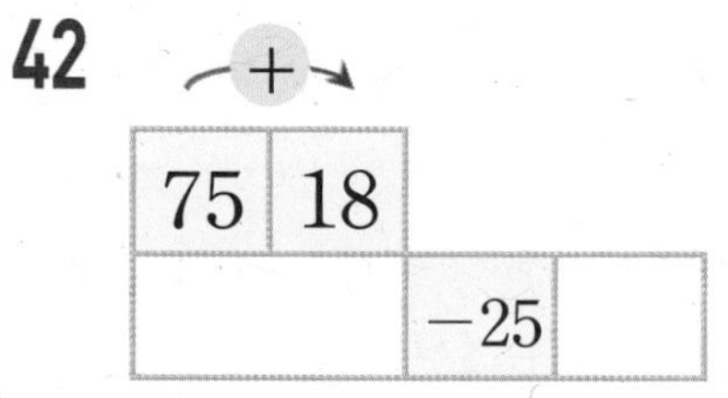

31

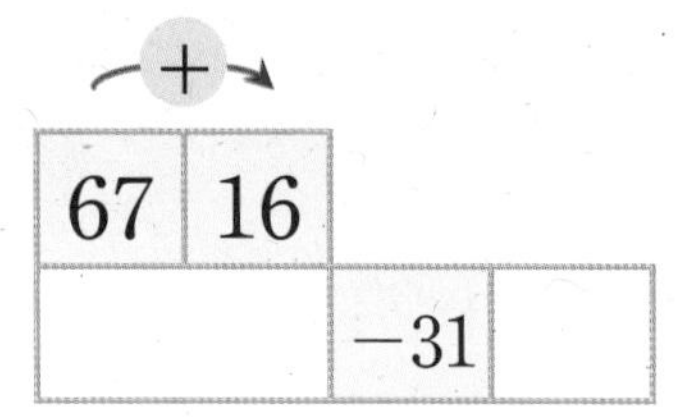

37

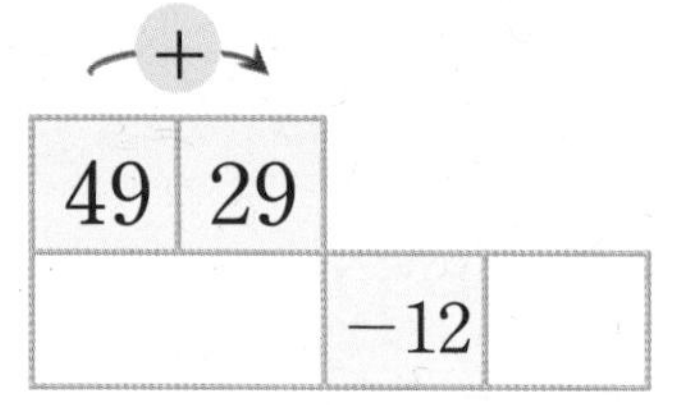

43

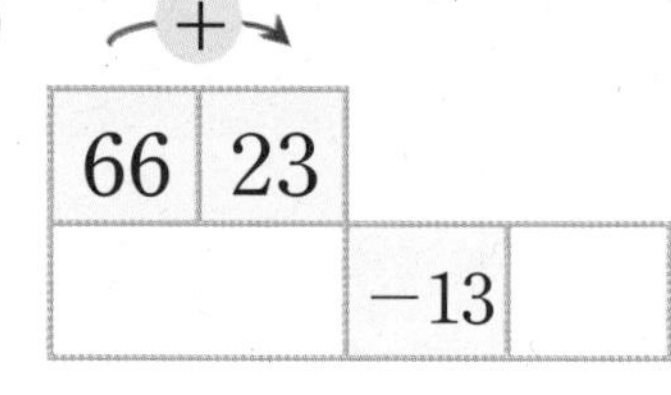

32

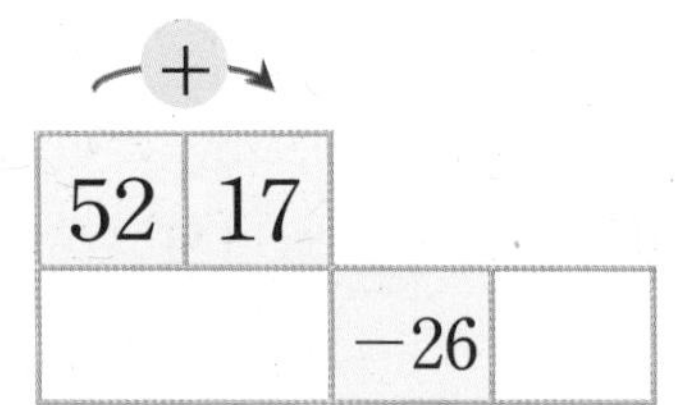

38

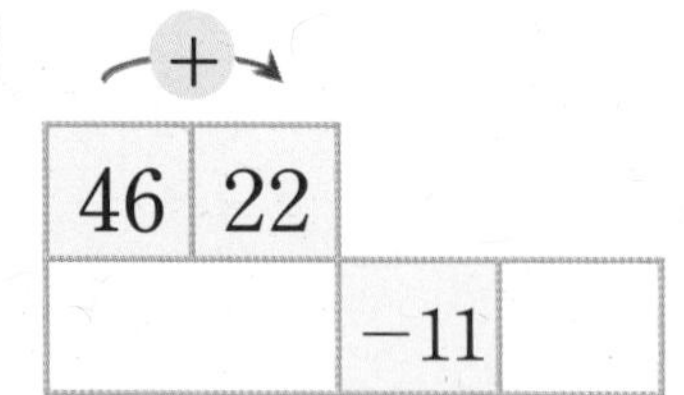

44

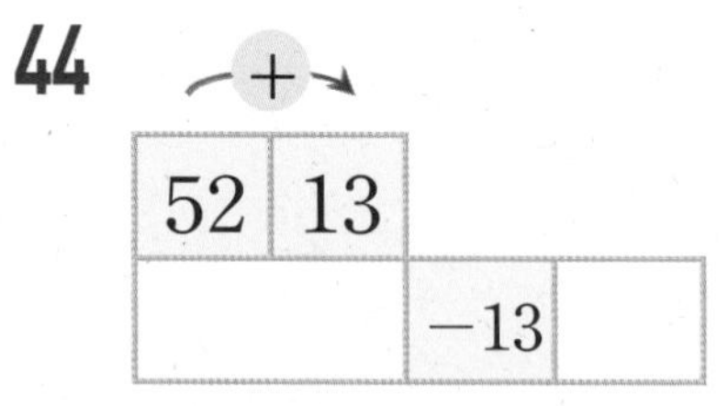

33

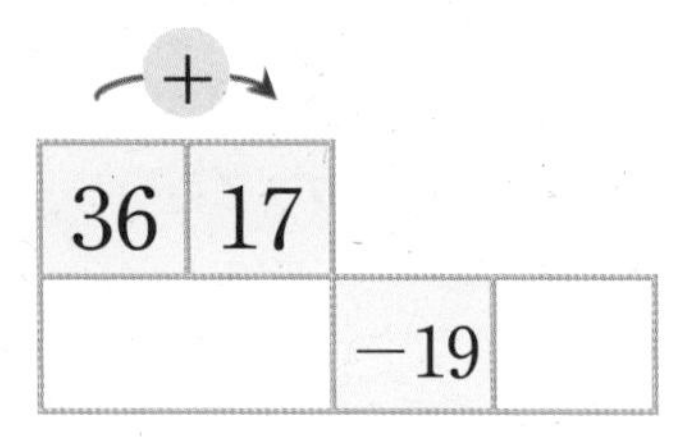

39

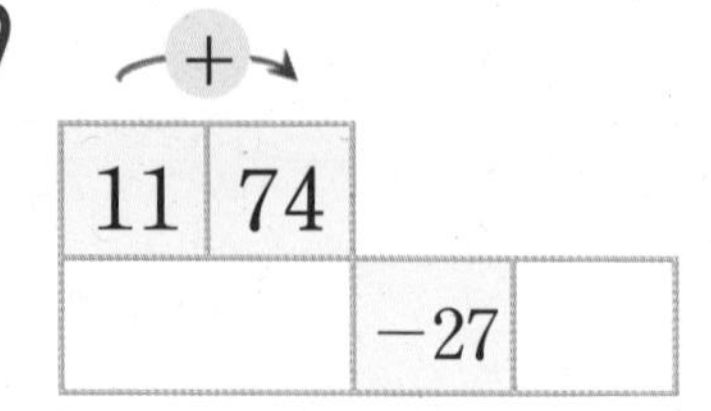

45

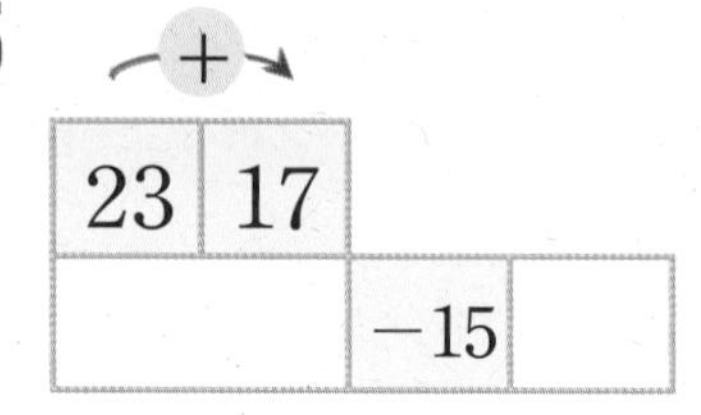

서술형 풀어보기

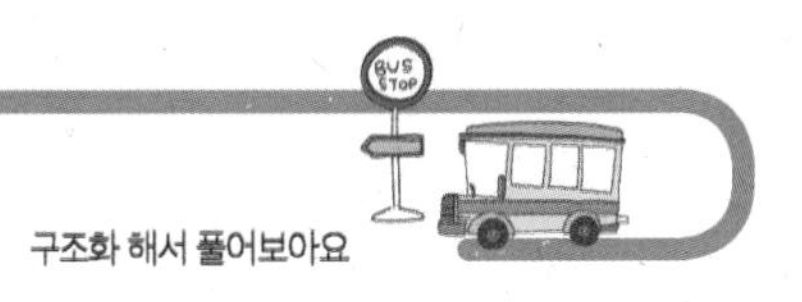

구조화 해서 풀어보아요

46 버스에 23명이 타고 있었는데 다음 정거장에서 11명이 타고 12명이 내렸습니다. 버스에는 몇 명이 타고 있을까요?

풀이과정

(1) (처음 버스에 타고 있던 사람 수)+(새로 탄 사람 수)−(내린 사람 수)=□+□−□입니다.

(2) 그러므로 버스에는 □명이 타고 있습니다.

+			
23	11		
		−12	

(47~50) 풀이과정을 쓰고 답을 구하세요.

47 어느 목장의 울타리에 양이 35마리 있습니다. 12마리가 풀을 먹고 돌아오고 16마리가 풀을 먹으러 나갔습니다. 울타리에는 몇 마리의 양이 남아 있을까요?

풀이 ______

답 ______ 마리

48 얼룩말 22마리가 강물 속에서 강을 건너고 있는데, 이어서 13마리가 강으로 더 들어갔고 18마리는 강을 완전히 건넜습니다. 물속에서 강을 건너고 있는 얼룩말은 몇 마리일까요?

풀이 ______

답 ______ 마리

49 젓가락 통에 23쌍의 젓가락이 있었는데, 여기에 새것으로 15쌍 더 넣으면서 낡은 것 8쌍 꺼내었습니다. 젓가락 통에 남은 젓가락은 몇 쌍일까요?

풀이 ______

답 ______ 쌍

50 어항에 붕어 23마리가 있었는데 오늘 여기에 7마리를 더 넣고, 11마리를 꺼내었습니다. 어항 속에 붕어는 몇 마리가 남아 있을까요?

풀이 ______

답 ______ 마리

연마 Check 칭찬이나 노력할 점을 써 주세요.

맞힌 개수	지도 의견		확인란
개	나의 생각		

29 일차 세 수의 덧셈과 뺄셈 ②

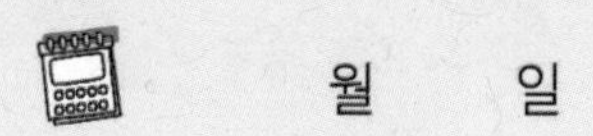

월 일

- 52－22＋23의 계산
  → 순서대로 계산합니다.

가로셈 하기

52－22＋23 → ① 52－22＝30
② 30＋23＝53

핵심포인트

- 덧셈과 뺄셈의 혼합계산식은 순서대로 계산합니다.

(01~12) 계산을 하세요.

01 27－15＋13

02 45－12＋11

03 23－14＋15

04 26－17＋26

05 36－25＋16

06 32－18＋24

07 33－16＋32

08 33－17＋25

09 28－10＋12

10 51－12＋15

11 48－39＋22

12 62－51＋18

계산력 강화하기

정확하게 풀어보아요

(13~37) 계산을 하세요.

13 $33-21+11$

14 $64-32+14$

15 $47-31+19$

16 $79-24+26$

17 $55-33+23$

18 $62-15+26$

19 $83-59+10$

20 $87-69+12$

21 $56-36+29$

22 $62-29+32$

23 $42-16+26$

24 $33-28+32$

25 $65-19+19$

26 $46-23+28$

28 $97-83+27$

29 $96-87+33$

30 $33-29+42$

31 $43-27+19$

32 $28-16+36$

33 $72-16+19$

34 $49-21+26$

35 $34-17+16$

36 $33-12+18$

37 $48-17+23$

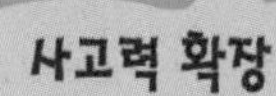

구조화 하기

(38~51) 빈칸을 채우세요.

38

25	−11		
		+12	

39

46	−22		
		+11	

40

41	−26		
		+30	

41

35	−16		
		+27	

42

57	−22		
		+19	

43

49	−28		
		+13	

44

62	−23		
		+25	

45

46	−22		
		+23	

46

51	−17		
		+21	

47

53	−32		
		+32	

48

71	−28		
		+24	

49

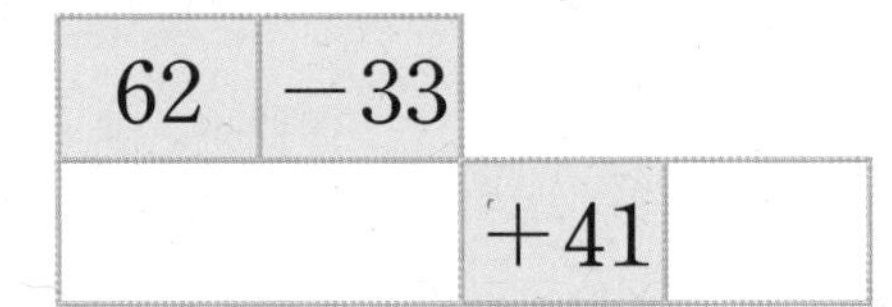

62	−33		
		+41	

50

65	−27		
		+16	

51

77	−25		
		+19	

서술형 풀어보기

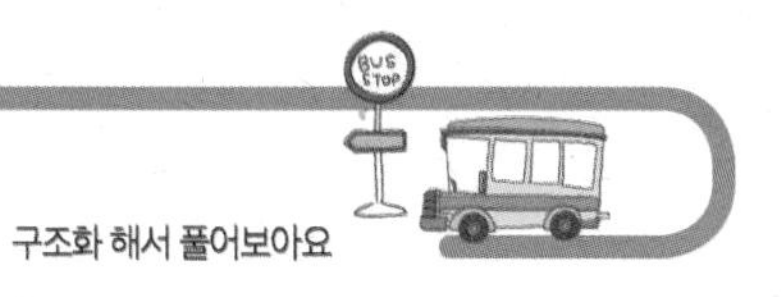

구조화 해서 풀어보아요

52 43개의 구슬이 있었는데 오늘 친구들과 구슬치기를 하여 오전에 12개를 잃고 오후에는 21개를 땄습니다. 남은 구슬은 몇 개일까요?

풀이과정

(1) (처음 구슬 개수)−(잃은 구슬 개수)
=(딴 구슬 개수)= □ − □ + □ 입니다.

(2) 그러므로 남은 구슬은 □ 개입니다.

43	−12	
	+21	

(53~56) 풀이과정을 쓰고 답을 구하세요.

53 바구니에 사과가 23개 있는데 썩은 사과 12개를 빼내고 새로 15개를 넣었습니다. 바구니에는 사과가 몇 개 있을까요?

풀이

답 개

54 진호네 집에 병아리가 63마리가 있었는데 12마리가 팔려 나가고 22마리가 새로 태어났습니다. 진호네 병아리는 몇 마리 남았을까요?

풀이

답 마리

55 교실에 아이들이 25명 있습니다. 이 중에서 12명이 나가고 16명이 새로 들어왔습니다. 교실에 아이들이 몇 명 있을까요?

풀이

답 명

56 정원에 나무가 23그루 있었는데 5그루가 죽어서 뽑아내고 13그루를 더 심었습니다. 정원에는 모두 몇 그루의 나무가 있나요?

풀이

답 그루

연마 Check 칭찬이나 노력할 점을 써 주세요.

맞힌 개수	지도 의견		확인란
개	나의 생각		

30일차 몇의 몇 배 알아보기

월 일

• △씩 □ 묶음은 △의 □배

2	2	2	2	2	2	2

(1) 2씩 7묶음은 14입니다.
(2) 2씩 7묶음은 2의 7배입니다.
(3) 2의 7배는 14입니다.

핵심 포인트

• 2+2+2+2+2+2+2=14
2가 7묶음

(01~05) 수박이 3개, 오렌지가 15개 있습니다. 빈칸을 채우세요.

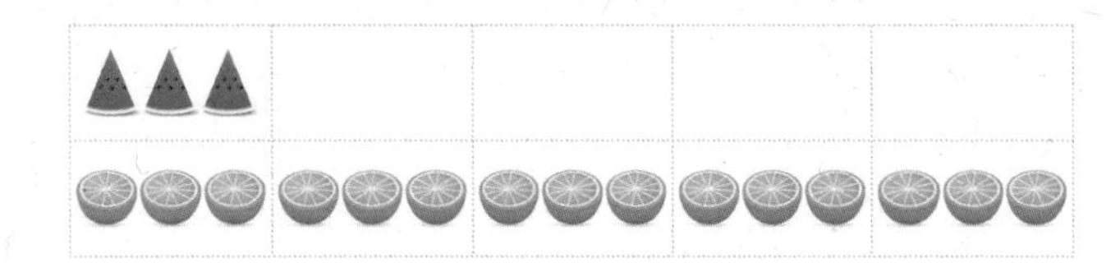

01 오렌지는 3씩 □ 묶음입니다.

02 3씩 5묶음은 □ 입니다.

03 오렌지의 수는 수박의 수의 □ 배입니다.

04 3의 □ 배는 15입니다.

05 3의 5배는 □ + □ + □ + □ + □ 입니다.

(06~10) 말이 4마리, 토끼가 20마리 있습니다. 빈칸을 채우세요.

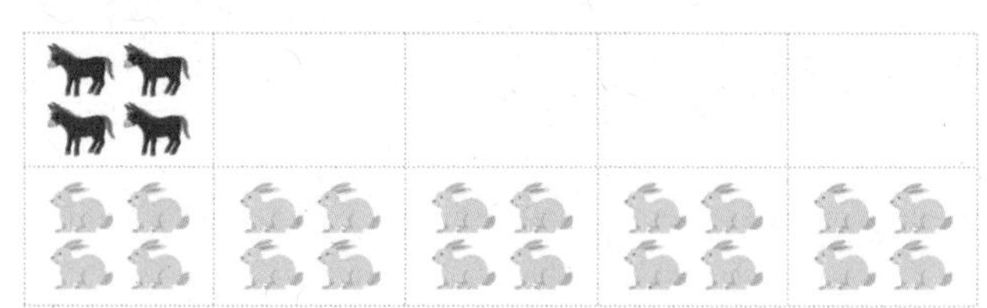

06 토끼는 4씩 □ 묶음입니다.

07 4씩 5묶음은 □ 입니다.

08 토끼의 수는 말수의 □ 배입니다.

09 4의 □ 배는 20입니다.

10 4의 5배는 □ + □ + □ + □ + □ 입니다.

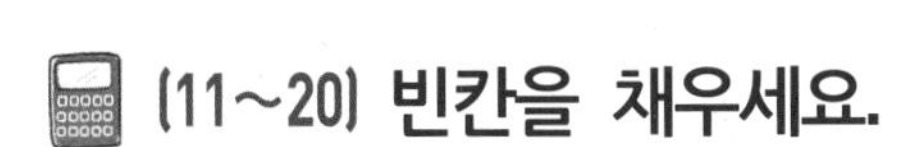

계산력 강화하기

정확하게 풀어보아요

(11~20) 빈칸을 채우세요.

11

➜ 2씩 □ 묶음은 8입니다.

➜ 8은 2의 □ 배입니다.

12

➜ 3씩 □ 묶음은 9입니다.

➜ 9는 3의 □ 배입니다.

13

➜ 4씩 □ 묶음은 20입니다.

➜ 20은 4의 □ 배입니다.

14

➜ 2씩 □ 묶음은 14입니다.

➜ 14는 2의 □ 배입니다.

15

➜ 6씩 □ 묶음은 12입니다.

➜ 12는 6의 □ 배입니다.

16

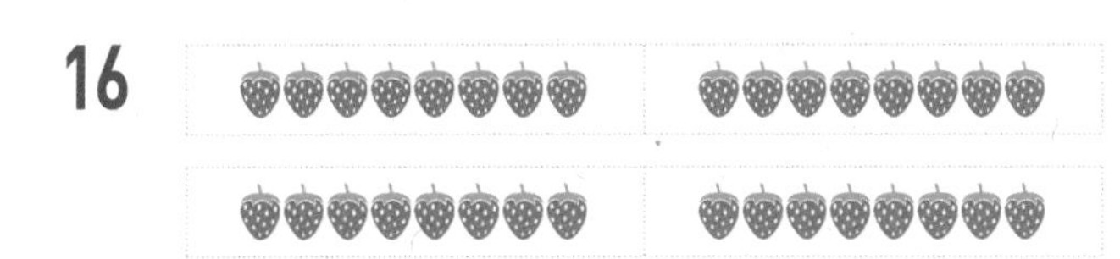

➜ 8씩 □ 묶음은 32입니다.

➜ 8의 □ 배는 32입니다.

17

➜ 5씩 □ 묶음은 15입니다.

➜ 5의 □ 배는 15입니다.

18

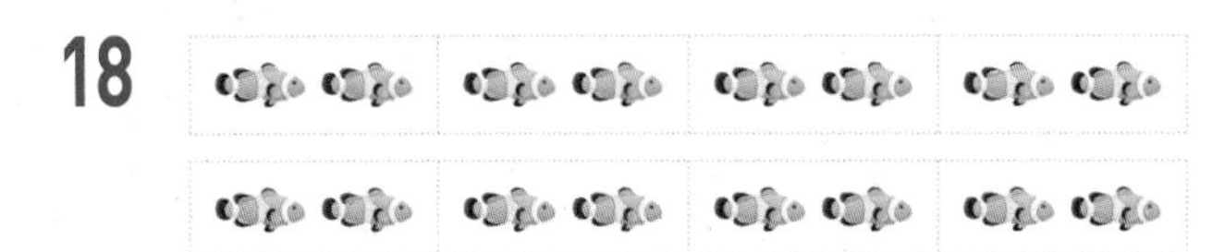

➜ 2씩 □ 묶음은 16입니다.

➜ 2의 □ 배는 16입니다.

19

➜ 9씩 □ 묶음은 54입니다.

➜ 9의 □ 배는 54입니다.

20

➜ 4씩 □ 묶음은 12입니다.

➜ 4의 □ 배는 12입니다.

계산력 강화하기

정확하게 풀어보아요

(21~30) 빈칸을 채우세요.

21

→ 7씩 □ 묶음은 42입니다.

→ 42는 7의 □ 배입니다.

22

→ 9씩 □ 묶음은 18입니다.

→ 18은 9의 □ 배입니다.

23

→ 3씩 □ 묶음은 24입니다.

→ 24는 3의 □ 배입니다.

24

→ 6씩 □ 묶음은 18입니다.

→ 18은 6의 □ 배입니다.

25

→ 8씩 □ 묶음은 40입니다.

→ 40은 8의 □ 배입니다.

26

→ 5씩 □ 묶음은 40입니다.

→ 5의 □ 배는 40입니다.

27

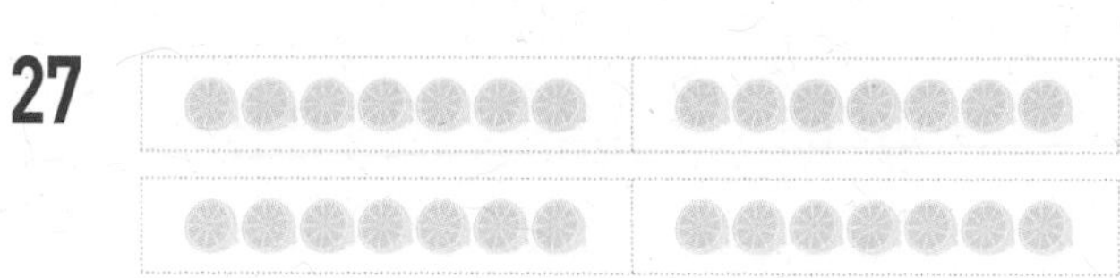

→ 7씩 □ 묶음은 28입니다.

→ 7의 □ 배는 28입니다.

28

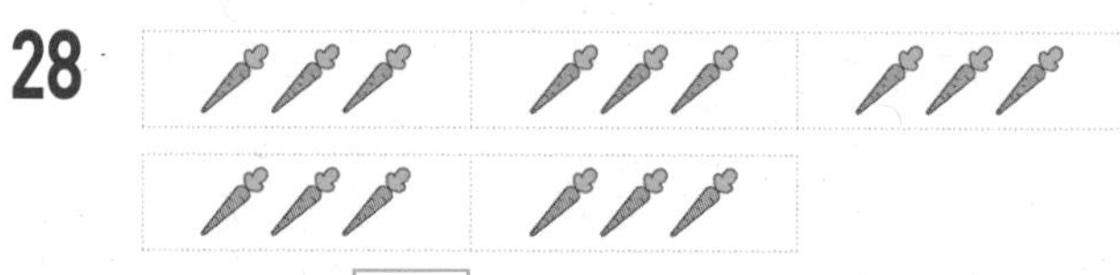

→ 3씩 □ 묶음은 15입니다.

→ 3의 □ 배는 15입니다.

29

→ 7씩 □ 묶음은 14입니다.

→ 7의 □ 배는 14입니다.

30

→ 5씩 □ 묶음은 25입니다.

→ 5의 □ 배는 25입니다.

서술형 풀어보기

구조화 해서 풀어보아요

31 도희는 구슬을 3개 가지고 있고 희수는 9개 가지고 있습니다. 희수가 가진 구슬의 개수는 도희의 몇 배일까요?

풀이과정

(1) $9=3+3+$ ☐ 이므로 3씩 ☐ 묶음은 9입니다.

(2) 9는 3의 ☐ 배입니다.

(3) 그러므로 희수는 도희 보다 ☐ 배 많은 구슬을 가지고 있습니다.

도희	○○○		
희수	○○○	○○○	○○○

(32~35) 풀이과정을 쓰고 답을 구하세요.

32 동물원에 원숭이는 4마리 있고, 얼룩말은 20마리가 있습니다. 얼룩말의 수는 원숭이의 몇 배일까요?

풀이

답 배

33 식탁에 토마토가 5개 있고, 귤은 토마토의 5배가 있습니다. 귤은 몇 개일까요?

풀이

답 개

34 동전이 4개씩 6묶음이 있습니다. 동전은 모두 몇 개일까요?

풀이

답 개

35 지수의 나이는 9살입니다. 아버지는 지수 나이의 5배입니다. 아버지는 몇 살일까요?

풀이

답 살

4단계

연마 Check 칭찬이나 노력할 점을 써 주세요.

맞힌 개수	지도 의견		확인란
개	나의 생각		

31 일차 곱셈식 알아보기 ①

월 일

• 바나나를 3개씩 묶어보세요.

➜ 바나나 15개는 3개씩 5묶음입니다.

(1) 3씩 5묶음은 15입니다.
(2) 15는 3의 5배입니다.
(3) 바나나는 모두 15개입니다.

➜ 3의 5배를 3×5로 씁니다. 3×5는 '3 곱하기 5'라고 읽습니다.

핵심포인트

- $3+3+3+3+3=15$
- $3\times5=15=5\times3$
- 3이 5묶음이면 15
- 5가 3묶음이면 15

(01~12) 빈칸을 채우세요.

01 $2+2+2=\square$
➜ $\square\times\square=\square$

02 $4+4+4=\square$
➜ $\square\times\square=\square$

03 $5+5+5=\square$
➜ $\square\times\square=\square$

04 $6+6+6=\square$
➜ $\square\times\square=\square$

05 $7+7+7=\square$
➜ $\square\times\square=\square$

06 $9+9+9=\square$
➜ $\square\times\square=\square$

07 $2+2+2+2=\square$
➜ $\square\times\square=\square$

08 $3+3+3+3=\square$
➜ $\square\times\square=\square$

09 $4+4+4+4=\square$
➜ $\square\times\square=\square$

10 $5+5+5+5=\square$
➜ $\square\times\square=\square$

11 $7+7+7=\square$
➜ $\square\times\square=\square$

12 $8+8+8+8+8=\square$
➜ $\square\times\square=\square$

계산력 강화하기

정확하게 풀어보아요

(13~30) 빈칸을 채우세요.

13 $6+6+6+6=\square$

→ $\square\times\square=\square$

14 $7+7+7+7=\square$

→ $\square\times\square=\square$

15 $8+8+8+8=\square$

→ $\square\times\square=\square$

16 $9+9+9+9=\square$

→ $\square\times\square=\square$

17 $3+3+3+3+3=\square$

→ $\square\times\square=\square$

18 $4+4+4+4+4=\square$

→ $\square\times\square=\square$

19 $5+5+5+5+5=\square$

→ $\square\times\square=\square$

20 $6+6+6+6+6=\square$

→ $\square\times\square=\square$

21 $7+7+7+7+7=\square$

→ $\square\times\square=\square$

22 $8+8+8+8+8=\square$

→ $\square\times\square=\square$

23 $9+9+9+9+9=\square$

→ $\square\times\square=\square$

24 $3+3+3+3+3+3=\square$

→ $\square\times\square=\square$

25 $5+5+5+5+5+5=\square$

→ $\square\times\square=\square$

26 $6+6+6+6+6+6=\square$

→ $\square\times\square=\square$

27 $8+8+8=\square$

→ $\square\times\square=\square$

28 $4+4+4+4+4+4=\square$

→ $\square\times\square=\square$

29 $8+8+8+8+8+8=\square$

→ $\square\times\square=\square$

30 $9+9+9+9+9+9=\square$

→ $\square\times\square=\square$

구조화 하기를 연습하면 서술형도 쉽게 풀어요

(31~42) 빈칸을 채우세요.

31

$2\times1=2$	$2\times2=4$	$2\times3=$ □

37

$8\times1=8$	$8\times2=16$	$8\times3=$ □

32

$3\times1=3$	$3\times2=6$	$3\times3=$ □

38

$9\times1=9$	$9\times2=18$	$9\times3=$ □

33

$4\times1=4$	$4\times2=8$	$4\times3=$ □

39

$3\times4=12$	$3\times5=15$	$3\times6=$ □

34

$5\times1=5$	$5\times2=10$	$5\times3=$ □

40

$4\times4=16$	$4\times5=20$	$4\times6=$ □

35

$6\times1=6$	$6\times2=12$	$6\times3=$ □

41

$5\times4=20$	$5\times5=25$	$5\times6=$ □

36

$7\times1=7$	$7\times2=14$	$7\times3=$ □

42

$6\times4=24$	$6\times5=30$	$6\times6=$ □

서술형 풀어보기

구조화 해서 풀어보아요

43 단추가 4개씩 5묶음이 있습니다. 단추는 모두 몇 개인가요?

풀이과정

(1) 4가 5번 있으면 □×□=□ 입니다.

(2) □×□=□+□+□+□+□=□ 입니다.

(3) 그러므로 단추는 □개 있습니다.

4×3=12	4×4=16	4×5=□

(44~47) 풀이과정을 쓰고 답을 구하세요.

44 한 통에 7개씩 들어있는 껌이 5통 있습니다. 껌은 모두 몇 개일까요?

풀이

답 개

45 우리 가족 4명이 피자를 각각 2조각씩 먹었습니다. 우리 가족이 먹은 피자는 모두 몇 조각일까요?

풀이

답 조각

46 우리학교 2학년은 5개 반입니다. 한 반에 6명씩 뽑아서 합창단을 만들려고 합니다. 합창단은 모두 몇 명이 될까요?

풀이

답 명

47 놀이터에 세발자전거가 6대가 있습니다. 놀이터에 있는 세발자전거의 바퀴를 모두 합하면 몇 개일까요?

풀이

답 개

연마 Check 칭찬이나 노력할 점을 써 주세요.

맞힌 개수	지도 의견		확인란
개	나의 생각		

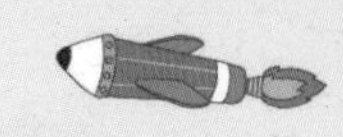

32일차 곱셈식 알아보기 ②

월 일

- 5×4의 계산

덧셈식 $5+5+5+5=20$

곱셈식 $5\times4=20$

➜ 5의 4배는 20입니다.

비교 4의 5배는 20입니다. $(4+4+4+4+4=20)$

핵심포인트

- $5\times4=20$은 '5 곱하기 4는 20과 같습니다.'라고 읽습니다.
- 5를 4배 하면 20입니다.
- 4를 5배 하면 20입니다.
- $5\times4=20$, $4\times5=20$
- ▲×■=● 이면, ■×▲=● 입니다.

(01~10) 빈칸을 채우세요.

01 $7+7+7+7+7+7=\square$

➜ $\square\times\square=\square$

02 $8+8+8+8+8+8=\square$

➜ $\square\times\square=\square$

03 $9+9+9+9+9+9=\square$

➜ $\square\times\square=\square$

04 $3+3+3+3+3+3+3=\square$

➜ $\square\times\square=\square$

05 $4+4+4+4+4+4+4=\square$

➜ $\square\times\square=\square$

06 $5+5+5+5+5+5+5=\square$

➜ $\square\times\square=\square$

07 $6+6+6+6+6+6+6=\square$

➜ $\square\times\square=\square$

08 $7+7+7+7+7+7+7=\square$

➜ $\square\times\square=\square$

09 $8+8+8+8+8+8+8=\square$

➜ $\square\times\square=\square$

10 $9+9+9+9+9+9+9=\square$

➜ $\square\times\square=\square$

(11~24) 빈칸을 채우세요.

11 $3+3+3+3+3+3+3+3=\square$

→ $\square\times\square=\square$

12 $4+4+4+4+4+4+4+4=\square$

→ $\square\times\square=\square$

13 $5+5+5+5+5+5+5+5=\square$

→ $\square\times\square=\square$

14 $6+6+6+6+6+6+6+6=\square$

→ $\square\times\square=\square$

15 $7+7+7+7+7+7+7+7=\square$

→ $\square\times\square=\square$

16 $8+8+8+8+8+8+8+8=\square$

→ $\square\times\square=\square$

17 $9+9+9+9+9+9+9+9=\square$

→ $\square\times\square=\square$

18 $2+2+2+2+2+2+2+2+2=\square$

→ $\square\times\square=\square$

19 $3+3+3+3+3+3+3+3+3=\square$

→ $\square\times\square=\square$

20 $4+4+4+4+4+4+4+4+4=\square$

→ $\square\times\square=\square$

21 $5+5+5+5+5+5+5+5+5=\square$

→ $\square\times\square=\square$

22 $6+6+6+6+6+6+6+6+6=\square$

→ $\square\times\square=\square$

23 $7+7+7+7+7+7+7+7+7=\square$

→ $\square\times\square=\square$

24 $8+8+8+8+8+8+8+8+8=\square$

→ $\square\times\square=\square$

구조화 하기를 연습하면 서술형도 쉽게 풀어요

(25~36) 빈칸을 채우세요.

25

2×2=4	2×3=6	2×4=☐

26

4×5=20	4×6=24	4×7=☐

27

5×5=25	5×6=30	5×7=☐

28

7×2=14	7×3=21	7×4=☐

29

9×2=18	9×3=27	9×4=☐

30

8×2=16	8×3=24	8×4=☐

31

8×5=40	8×6=48	8×7=☐

32

7×5=35	7×6=42	7×7=☐

33

3×5=15	3×6=18	3×7=☐

34

6×4=24	6×5=30	6×6=☐

35

5×4=20	5×5=25	5×6=☐

36

9×5=45	9×6=54	9×7=☐

서술형 풀어보기

구조화 해서 풀어보아요

37 과자가 8개씩 7묶음이 있습니다. 과자는 모두 몇 개일까요?

풀이과정

(1) 8이 7번 있으면 □ × □ = □ 입니다.

(2) □ × □ = □ + □ + □ + □ + □ + □ + □ = □ 입니다.

(3) 그러므로 과자는 모두 □ 개입니다.

(38~41) 풀이과정을 쓰고 답을 구하세요.

38 자동차 5대에 각각 3명씩 타고 있습니다. 자동차에는 모두 몇 명이 타고 있습니까?

풀이

답 명

39 연주는 연필을 4자루 가지고 있습니다. 수연이는 연주가 가진 연필 수의 3배를 가지고 있습니다. 수연이는 연필을 몇 자루 가지고 있을까요?

풀이

답 자루

40 한 상자에 병이 6개씩 들어있는 상자가 7개 있습니다. 병은 모두 몇 개일까요?

풀이

답 개

41 7명이 똑같이 귤을 7개씩 먹었습니다. 모두 몇 개의 귤을 먹었을까요?

풀이

답 개

연마 Check 칭찬이나 노력할 점을 써 주세요.

맞힌 개수	지도 의견		확인란
개	나의 생각		

구구단을 외우자~!

2단	3단	4단	5단
2×1=2	3×1=3	4×1=4	5×1=5
2×2=4	3×2=6	4×2=8	5×2=10
2×3=6	3×3=9	4×3=12	5×3=15
2×4=8	3×4=12	4×4=16	5×4=20
2×5=10	3×5=15	4×5=20	5×5=25
2×6=12	3×6=18	4×6=24	5×6=30
2×7=14	3×7=21	4×7=28	5×7=35
2×8=16	3×8=24	4×8=32	5×8=40
2×9=18	3×9=27	4×9=36	5×9=45

6단	7단	8단	9단
6×1=6	7×1=7	8×1=8	9×1=9
6×2=12	7×2=14	8×2=16	9×2=18
6×3=18	7×3=21	8×3=24	9×3=27
6×4=24	7×4=28	8×4=32	9×4=36
6×5=30	7×5=35	8×5=40	9×5=45
6×6=36	7×6=42	8×6=48	9×6=54
6×7=42	7×7=49	8×7=56	9×7=63
6×8=48	7×8=56	8×8=64	9×8=72
6×9=54	7×9=63	8×9=72	9×9=81

2-1 부모님/선생님 가이드

- 공부를 하면서 꼭 알아야 할 내용과, 문제 풀이 시간을 참고하여 아이의 학습 활동에 도움을 줄 수 있습니다.

단계	대단원명	일차	소단원명	학습 내용	문제 풀이 시간	부모님/선생님 체크	페이지
1단계	1. 세 자리 수	1일차	(1) 백, 몇백, 세 자리 수	100의 자리와 10의 자리, 일의 자리를 구분하여 세 자리 수에 대해 압니다.			12
		2일차	(2) 뛰어서 세기	100씩, 10씩, 1씩 뛰어서 셀 수 있습니다.			16
		3일차	(3) 세 자리 수의 크기 비교	세 자리 수의 크기를 비교할 수 있습니다.			20
2단계	2. 덧셈과 뺄셈	4일차	(1) 일의 자리에서 받아 올림이 있는 (두 자리 수)+(한 자리 수)①	두 자리 수와 한 자리 수의 덧셈입니다. 두 수의 일의 자리의 합이 10이 넘어가기 때문에 10을 십의 자리로 받아 올림합니다.			24
		5일차	일의 자리에서 받아 올림이 있는 (두 자리 수)+(한 자리 수)②				28
		6일차	(2) 일의 자리에서 받아 올림이 있는 (두 자리 수)+(두 자리 수)①	두 자리 수와 두 자리 수의 덧셈입니다. 두 수의 일의 자리의 합이 10이 넘어가기 때문에 10을 십의 자리로 받아 올림합니다.			32
		7일차	일의 자리에서 받아 올림이 있는 (두 자리 수)+(두 자리 수)②				36
		8일차	(3) 십의 자리에서 받아 올림이 있는 (두 자리 수)+(두 자리 수)①	두 자리 수와 두 자리 수의 덧셈입니다. 일의 자리에서 받아 올림이 없고, 십의 자리에서 받아 올림이 있어 100의 자리로 받아 올림하는 연습을 합니다.			40
		9일차	십의 자리에서 받아 올림이 있는 (두 자리 수)+(두 자리 수)②				44
		10일차	(4) 일, 십의 자리에서 받아 올림이 있는 (두 자리 수)+(두 자리 수)	두 자리 수와 두 자리 수의 덧셈입니다. 일의 자리에서 십의 자리로, 십의 자리에서 백의 자리로 받아올림이 있습니다.			48
		11일차	(5) 여러 가지 방법으로 덧셈	두 자리 수와 두 자리 수를 더할 때, 여러 가지 방법으로 수를 나타내어 더해봅니다.			52

연산 마스터

계산력 강화

초등

2·1

학부모 가이드북

3권

학력평가원

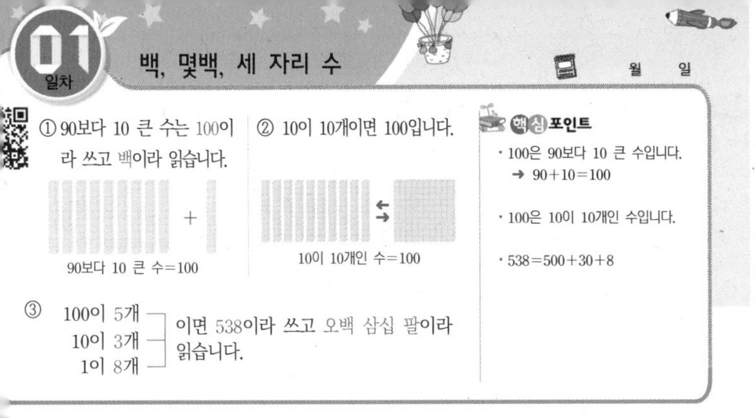

① 90보다 10 큰 수는 100이라 쓰고 백이라 읽습니다.

90보다 10 큰 수=100

② 10이 10개이면 100입니다.

10이 10개인 수=100

③ 100이 5개, 10이 3개, 1이 8개 이면 538이라 쓰고 오백 삼십 팔이라 읽습니다.

핵심 포인트

- 100은 90보다 10 큰 수입니다. ➜ 90+10=100
- 100은 10이 10개인 수입니다.
- 538=500+30+8

(01~12) 빈칸을 채우세요.

01 99보다 1 큰 수는 [100] 입니다.

02 90보다 10 큰 수는 [100] 입니다.

03 80보다 [20] 큰 수는 100입니다.

04 100은 99보다 [1] 큰 수입니다.

05 100은 10이 [10] 개인 수입니다.

06 10이 10개이면 [100] 입니다.

07 100이 2개이면 [200] 입니다.

08 100이 3개이면 [300] 입니다.

09 100이 5개이면 [500] 입니다.

10 100이 6개이면 [600] 입니다.

11 500은 100이 [5] 개입니다.

12 900은 [100] 이 9개입니다.

계산력 강화하기

정확하게 풀어보아요

(13~24) 빈칸을 채우세요.

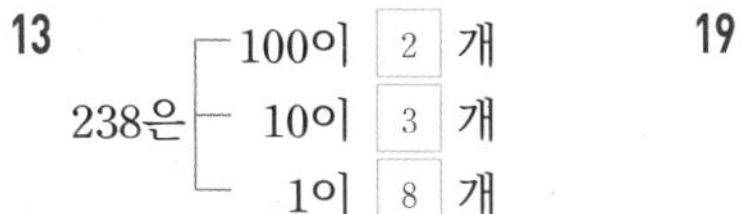

13 238은 100이 [2] 개, 10이 [3] 개, 1이 [8] 개

14 356은 100이 [3] 개, 10이 [5] 개, 1이 [6] 개

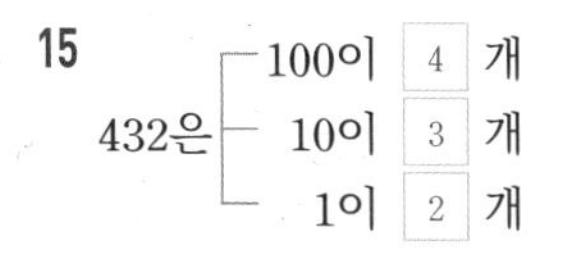

15 432은 100이 [4] 개, 10이 [3] 개, 1이 [2] 개

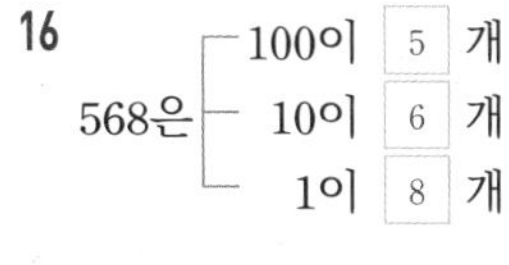

16 568은 100이 [5] 개, 10이 [6] 개, 1이 [8] 개

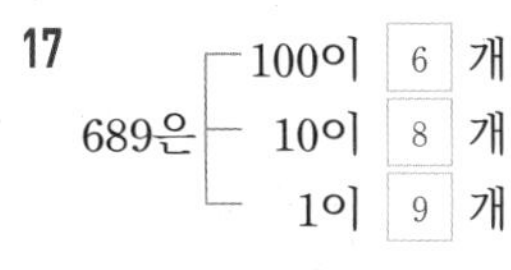

17 689은 100이 [6] 개, 10이 [8] 개, 1이 [9] 개

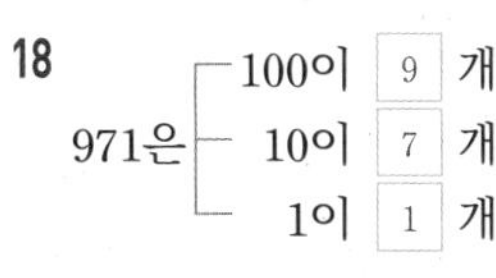

18 971은 100이 [9] 개, 10이 [7] 개, 1이 [1] 개

19 100이 3개, 10이 3개, 1이 2개 이면 [332]

20 100이 2개, 10이 5개, 1이 7개 이면 [257]

21 100이 4개, 10이 2개, 1이 8개 이면 [428]

22 100이 5개, 10이 1개, 1이 6개 이면 [516]

23 100이 6개, 10이 9개, 1이 5개 이면 [695]

24 100이 7개, 10이 8개, 1이 9개 이면 [789]

계산력 강화하기

정확하게 풀어보아요

(25~34) 빈칸을 채우세요.

25 ➜ 893에서
8은 [800] 을 나타냅니다.
9는 [90] 을 나타냅니다.
3은 [3] 을 나타냅니다.

26 ➜ 248에서
2는 [200] 을 나타냅니다.
4는 [40] 을 나타냅니다.
8은 [8] 을 나타냅니다.

27 ➜ 597에서
5는 [500] 을 나타냅니다.
9는 [90] 을 나타냅니다.
7은 [7] 을 나타냅니다.

28 ➜ 986에서
9는 [900] 을 나타냅니다.
8은 [80] 을 나타냅니다.
6은 [6] 을 나타냅니다.

29 ➜ 763에서
7은 [700] 을 나타냅니다.
6은 [60] 을 나타냅니다.
3은 [3] 을 나타냅니다.

30 ➜ 오백삼십팔

백의 자리	십의 자리	일의 자리
5	3	8

500 + 30 + 8 = 538

31 ➜ 팔백육십삼

백의 자리	십의 자리	일의 자리
8	6	3

800 + 60 + 3 = 863

32 ➜ 구백오십칠

백의 자리	십의 자리	일의 자리
9	5	7

900 + 50 + 7 = 957

33 ➜ 육백구십사

백의 자리	십의 자리	일의 자리
6	9	4

600 + 90 + 4 = 694

34 ➜ 사백삼십육

백의 자리	십의 자리	일의 자리
4	3	6

400 + 30 + 6 = 436

서술형 풀어보기

구조화 해서 풀어보아요

35 보라는 저금통에서 100원짜리 5개와 10원짜리 1개와 1원짜리 9개를 꺼냈습니다. 보라가 꺼낸 돈은 모두 얼마일까요?

풀이과정

(1) 100원짜리 동전은 모두 [500] 원입니다.

(2) 10원짜리 동전은 모두 [10] 원입니다.

(3) 1원짜리 동전은 모두 [9] 원입니다.

(4) 보라가 꺼낸 돈은 [500] + [10] + [9] = [519] 원입니다.

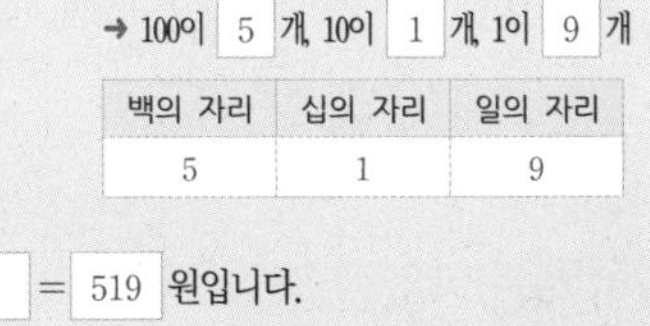

➜ 100이 [5] 개, 10이 [1] 개, 1이 [9] 개

백의 자리	십의 자리	일의 자리
5	1	9

(36~39) 풀이과정을 쓰고 답을 구하세요.

36 예슬이는 100원짜리 2개와 10원짜리 9개를, 준수는 100원짜리 3개를, 슬기는 100원짜리 2개와 10원짜리 9개와 1원짜리 5개를 가지고 있습니다. 누가 가장 많은 돈을 가지고 있을까요?

풀이 예슬:290원, 준수:300원, 슬기:295원

답 준수

37 수아는 10자루씩 묶음으로 된 연필을 10묶음을 샀습니다. 수아가 산 연필은 모두 몇 자루일까요?

풀이 10이 10개면 100입니다.

답 100 자루

38 서희는 100원짜리 8개와 10원짜리 7개와 1원짜리 3개를 가지고 있습니다. 서희가 가지고 있는 돈은 모두 얼마입니까?

풀이 800+70+3=873

답 873 원

39 253을 자릿수에 맞게 다음 표에 써 보세요.

백의 자리	십의 자리	일의 자리
2	5	3

엄마 Check 칭찬이나 노력할 점을 써 주세요.

맞힌 개수	지도 의견		확인란
개	나의 생각		

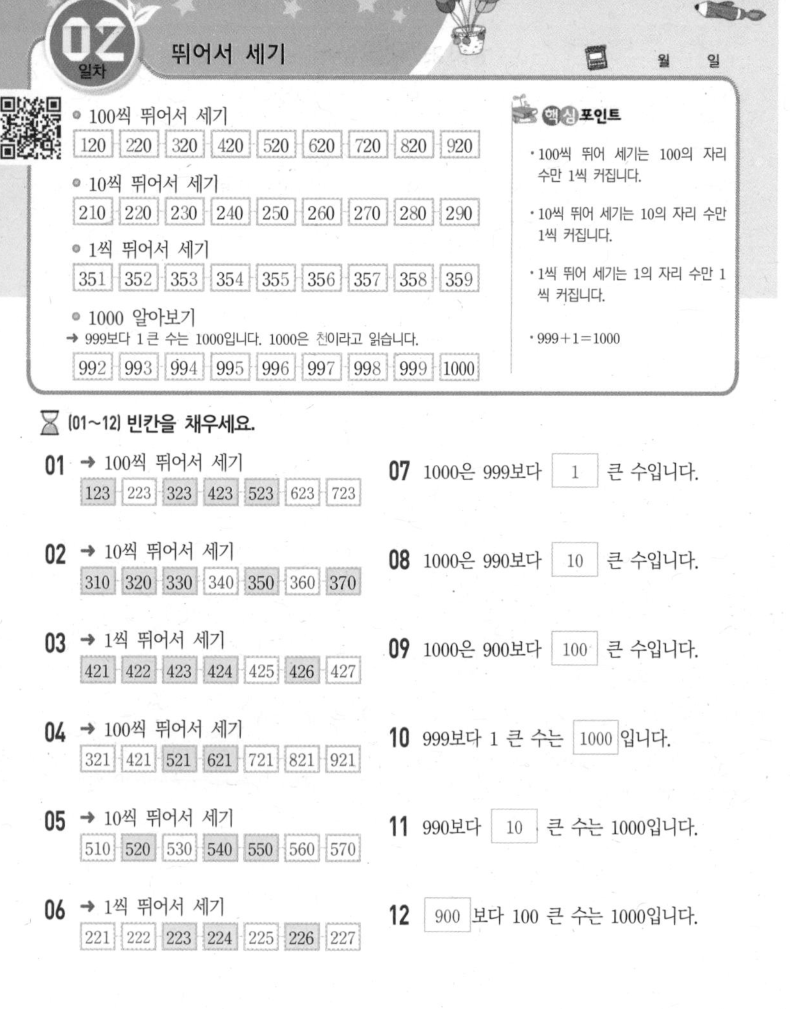
02 일차 뛰어서 세기

월 일

- 100씩 뛰어서 세기
  120 220 320 420 520 620 720 820 920
- 10씩 뛰어서 세기
  210 220 230 240 250 260 270 280 290
- 1씩 뛰어서 세기
  351 352 353 354 355 356 357 358 359
- 1000 알아보기
  → 999보다 1 큰 수는 1000입니다. 1000은 천이라고 읽습니다.
  992 993 994 995 996 997 998 999 1000

핵심포인트
- 100씩 뛰어 세기는 100의 자리 수만 1씩 커집니다.
- 10씩 뛰어 세기는 10의 자리 수만 1씩 커집니다.
- 1씩 뛰어 세기는 1의 자리 수만 1씩 커집니다.
- $999+1=1000$

(01~12) 빈칸을 채우세요.

01 → 100씩 뛰어서 세기
123 223 323 423 523 623 723

02 → 10씩 뛰어서 세기
310 320 330 340 350 360 370

03 → 1씩 뛰어서 세기
421 422 423 424 425 426 427

04 → 100씩 뛰어서 세기
321 421 521 621 721 821 921

05 → 10씩 뛰어서 세기
510 520 530 540 550 560 570

06 → 1씩 뛰어서 세기
221 222 223 224 225 226 227

07 1000은 999보다 [1] 큰 수입니다.

08 1000은 990보다 [10] 큰 수입니다.

09 1000은 900보다 [100] 큰 수입니다.

10 999보다 1 큰 수는 [1000]입니다.

11 990보다 [10] 큰 수는 1000입니다.

12 [900]보다 100 큰 수는 1000입니다.

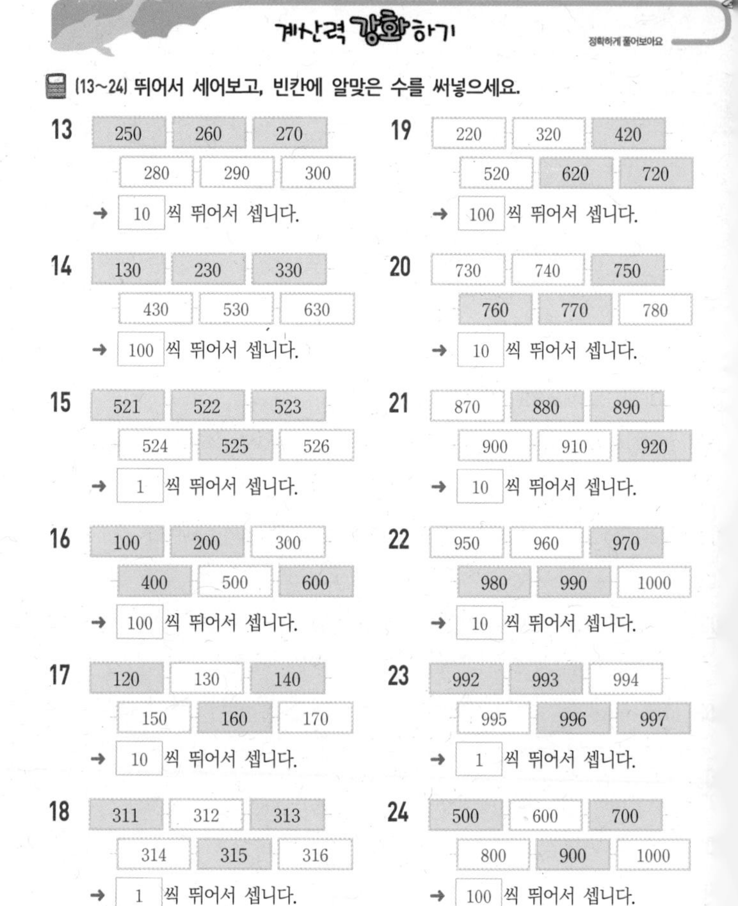
계산력 강화하기

정확하게 풀어보아요

(13~24) 뛰어서 세어보고, 빈칸에 알맞은 수를 써넣으세요.

13 250 260 270 280 290 300 → [10]씩 뛰어서 셉니다.

14 130 230 330 430 530 630 → [100]씩 뛰어서 셉니다.

15 521 522 523 524 525 526 → [1]씩 뛰어서 셉니다.

16 100 200 300 400 500 600 → [100]씩 뛰어서 셉니다.

17 120 130 140 150 160 170 → [10]씩 뛰어서 셉니다.

18 311 312 313 314 315 316 → [1]씩 뛰어서 셉니다.

19 220 320 420 520 620 720 → [100]씩 뛰어서 셉니다.

20 730 740 750 760 770 780 → [10]씩 뛰어서 셉니다.

21 870 880 890 900 910 920 → [10]씩 뛰어서 셉니다.

22 950 960 970 980 990 1000 → [10]씩 뛰어서 셉니다.

23 992 993 994 995 996 997 → [1]씩 뛰어서 셉니다.

24 500 600 700 800 900 1000 → [100]씩 뛰어서 셉니다.

사고력 확장 **구조화하기**

구조화 하기를 연습하면 서술형도 쉽게 풀어요

(25~32) 규칙에 따라 빈칸을 채우세요.

25
432	442	452
431	441	451
430	440	450

↑ 1씩 뛰어서 세기 / → 10씩 뛰어서 세기

26
502	512	522
501	511	521
500	510	520

↑ 1씩 뛰어서 세기 / → 10씩 뛰어서 세기

27
217	227	237
216	226	236
215	225	235

↑ 1씩 뛰어서 세기 / → 10씩 뛰어서 세기

28
323	333	343
322	332	342
321	331	341

↑ 1씩 뛰어서 세기 / → 10씩 뛰어서 세기

29
149	249	349
139	239	339
129	229	329

↑ 10씩 뛰어서 세기 / → 100씩 뛰어서 세기

30
322	422	522
312	412	512
302	402	502

↑ 10씩 뛰어서 세기 / → 100씩 뛰어서 세기

31
241	341	441
231	331	431
221	321	421

↑ 10씩 뛰어서 세기 / → 100씩 뛰어서 세기

32
138	238	338
128	228	328
118	218	318

↑ 10씩 뛰어서 세기 / → 100씩 뛰어서 세기

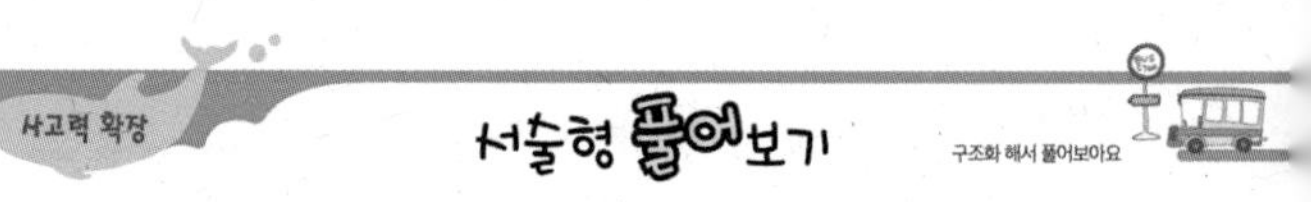
사고력 확장 **서술형 풀어보기**

구조화 해서 풀어보아요

33 현아는 매일 100원씩 저금합니다. 현아가 4일 동안 저금한 돈은 모두 얼마일까요?

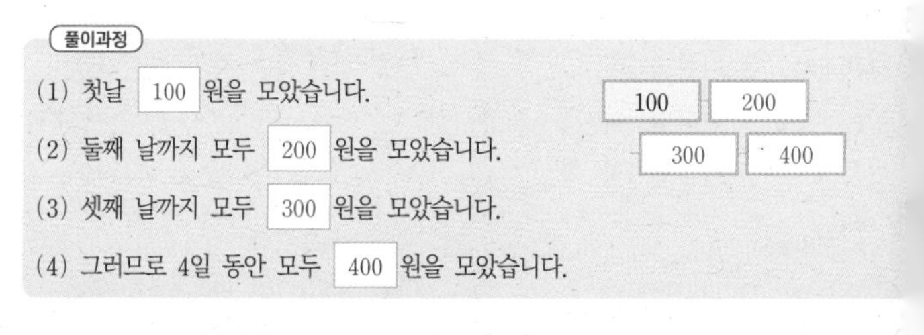
풀이과정

(1) 첫날 [100] 원을 모았습니다.

(2) 둘째 날까지 모두 [200] 원을 모았습니다.

(3) 셋째 날까지 모두 [300] 원을 모았습니다.

(4) 그러므로 4일 동안 모두 [400] 원을 모았습니다.

100 200 300 400

(34~37) 풀이과정을 쓰고 답을 구하세요.

34 정아는 매일 수학 문제를 10문제씩 공부합니다. 5일이면 몇 문제를 공부할까요?

풀이 10, 20, 30, 40, 50

답 50 문제

35 귤을 매일 100개씩 파는 과일가게가 있습니다. 이 가게에서 7일 동안 판 귤이 700개라면 10일 동안 판 귤은 모두 몇 개일까요?

풀이 800, 900, 1000

답 1000 개

36 민수는 하루에 구슬을 10개씩 삽습니다. 구슬을 90개 모으려면 며칠이 필요할까요?

풀이 10씩 9번 뛰어서 세면 90입니다.

답 9

37 매일 100번씩 줄넘기를 해서 1 동안 줄넘기를 한다면, 모두 몇 번 줄넘기를 하게 될까요?

풀이 100씩 10번 뛰어서 세면 1000입니다.

답 1000

엄마 Check 칭찬이나 노력할 점을 써 주세요.

맞힌 개수	지도 의견		확인
개	나의 생각		

세 자리 수의 크기 비교

월 일

● 백의 자리 수가 다른 경우(백의 자리 수를 비교)

백의 자리	십의 자리	일의 자리
5	6	3
4	7	8

563 > 478

● 백의 자리 수가 같은 경우(십의 자리 수를 비교)

백의 자리	십의 자리	일의 자리
9	5	4
9	3	2

954 > 932

● 백의 자리와 십의 자리 수가 같은 경우(일의 자리 수를 비교)

백의 자리	십의 자리	일의 자리
7	5	6
7	5	9

756 < 759

핵심 포인트

· 백의 자리 수부터 비교하고, 백의 자리 수가 같으면 10의 자리 수끼리 비교하며, 십의 자리 수까지 같으면 일의 자리 수까지 비교합니다.

· 높은 자리 숫자가 클수록 큰 수입니다.

[01~24] 두 수의 크기를 비교하여 ○안에 > 또는 <를 알맞게 써넣으세요.

01 128 < 211
02 247 < 347
03 563 > 398
04 617 > 517
05 238 < 371
06 431 > 397
07 512 > 482
08 187 < 231
09 863 < 898
10 719 < 731
11 753 < 761
12 521 > 517
13 238 < 251
14 461 > 449
15 379 > 329
16 378 > 369
17 547 < 549
18 283 > 280
19 781 < 789
20 479 > 473
21 561 < 563
22 313 < 318
23 328 > 326
24 815 > 811

계산력 강화하기

정확하게 풀어보아요

[25~30] 수의 크기를 비교하여 가장 큰 수부터 차례로 쓰세요.

25 120, 211, 510 → 510, 211, 120

26 238, 568, 751 → 751, 568, 238

27 561, 921, 368 → 921, 561, 368

28 432, 465, 478 → 478, 465, 432

29 921, 935, 919 → 935, 921, 919

30 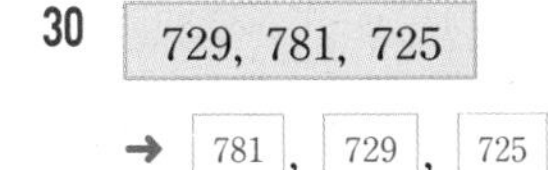 729, 781, 725 → 781, 729, 725

[31~36] 수의 크기를 비교하여 가장 작은 수부터 차례로 쓰세요.

31 123, 311, 410 → 123, 311, 410

32 136, 131, 137 → 131, 136, 137

33 563, 549, 589 → 549, 563, 589

34 843, 797, 819 → 797, 819, 843

35 627, 629, 638 → 627, 629, 638

36 729, 738, 799 → 729, 738, 799

사고력 확장

구조화 하기

구조화 하기를 연습하면 서술형도 쉽게 풀어요

[37~48] 다음 수 3개로 가장 큰 수와 가장 작은 수를 만들어 보세요.

37 2, 5, 7 → 큰 수 → 752 / 작은 수 → 257
38 1, 6, 4 → 큰 수 → 641 / 작은 수 → 146
39 2, 4, 3 → 큰 수 → 432 / 작은 수 → 234
40 4, 3, 6 → 큰 수 → 643 / 작은 수 → 346
41 2, 9, 7 → 큰 수 → 972 / 작은 수 → 279
42 9, 6, 4 → 큰 수 → 964 / 작은 수 → 469
43 6, 2, 8 → 큰 수 → 862 / 작은 수 → 268
44 4, 7, 3 → 큰 수 → 743 / 작은 수 → 347
45 5, 3, 9 → 큰 수 → 953 / 작은 수 → 359
46 6, 7, 3 → 큰 수 → 763 / 작은 수 → 367
47 8, 6, 4 → 큰 수 → 864 / 작은 수 → 468
48 1, 7, 2 → 큰 수 → 721 / 작은 수 → 127

사고력 확장

서술형 풀어보기

구조화 해서 풀어보아요

49 줄넘기를 진수는 231번 했고, 민아는 351번 했고, 민국이는 287번 했습니다. 줄넘기를 많이 한 사람부터 순서대로 쓰세요.

풀이과정

(1) 백의 자리 수가 가장 큰 수는 351 입니다.
(2) 백의 자리가 같은 수는 십의 자리로 비교하면 287 > 231입니다.
(3) 그러므로 민아, 민국, 진수 순서로 줄넘기를 많이 했습니다.

	백	십	일
진수	2	3	1
민아	3	5	1
민국	2	8	7

[50~53] 풀이과정을 쓰고 답을 구하세요.

50 도토리 줍기를 하였습니다. 민수는 131개를 주웠고, 도희는 128개를 주웠고, 지예는 211개를 주웠습니다. 가장 많이 주운 사람은 누구일까요?

풀이 백의 자리가 2인 지예입니다.

답 지예

51 마트에서 초콜릿은 720원, 삶은 계란은 530원, 우유는 560원에 팔고 있습니다. 가장 싼 것부터 비싼 것의 순서로 적으세요.

풀이 530, 560, 720

답 계란, 우유, 초콜릿

52 구슬을 철수는 128개, 대한이는 150개 가지고 있습니다. 누가 구슬을 더 많이 가지고 있나요?

풀이 십의 자리를 비교하면 5가 2보다 더 큽니다.

답 대한

53 다음 중 가장 큰 수는 무엇일까요?
(1) 오백육십칠
(2) 569
(3) 백이 5이고, 십이 7인 수

풀이 (1) 567, (3) 570

답 (3) 570

엄마 Check 칭찬이나 노력할 점을 써 주세요.

맞힌 개수	지도 의견		확인란
개	나의 생각		

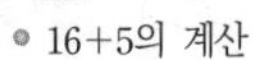

04 일차 일의 자리에서 받아 올림이 있는 (두 자리 수)+(한 자리 수) ① 월 일

• 16+5의 계산

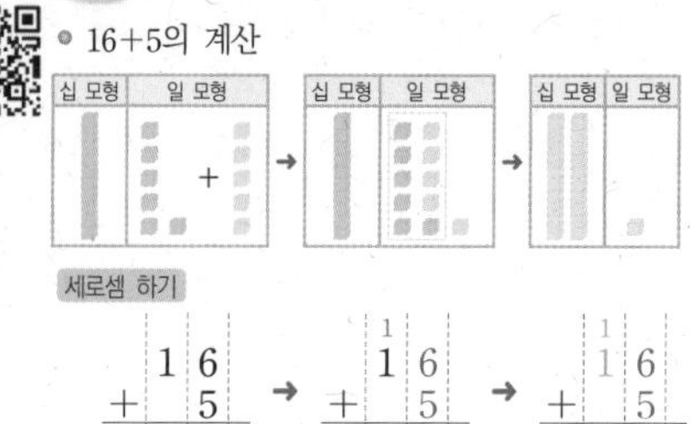

세로셈 하기

$16 + 5$ → $\overset{1}{1}6 + 5 = \square 1$ → $\overset{1}{1}6 + 5 = 21$

핵심 포인트

- 일 모형 10개를 십 모형 1개로 바꿀 수 있습니다.
- 1의 자리 수의 합이 10이거나 10보다 큰 수는 10의 자리에 받아올림 하고 표시를 해둡니다.
- 받아 올림 하고 남은 1은 1의 자리에 씁니다.
- 받아 올림 한 수는 10의 자리 수와 합하여 10의 자리에 내려씁니다.

(01~06) 빈칸을 채우세요.

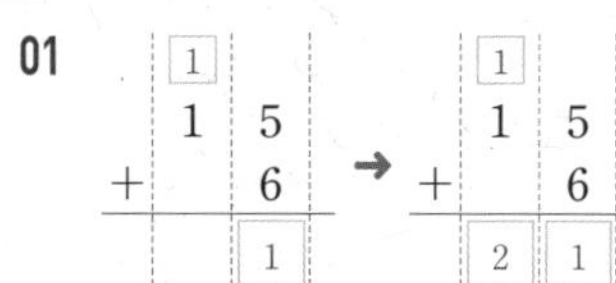

01 (받아올림 1) 15 + 6 → 일의 자리 1 → 21

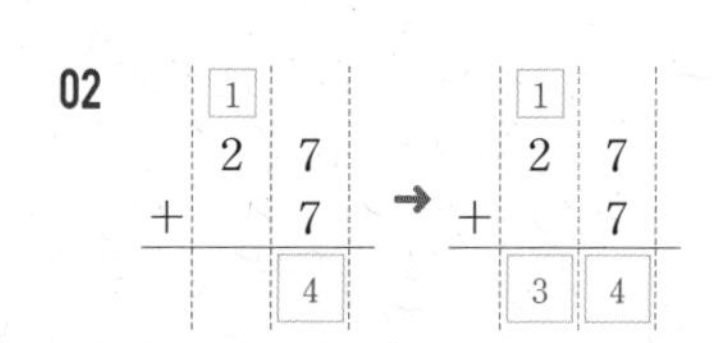

02 (받아올림 1) 27 + 7 → 일의 자리 4 → 34

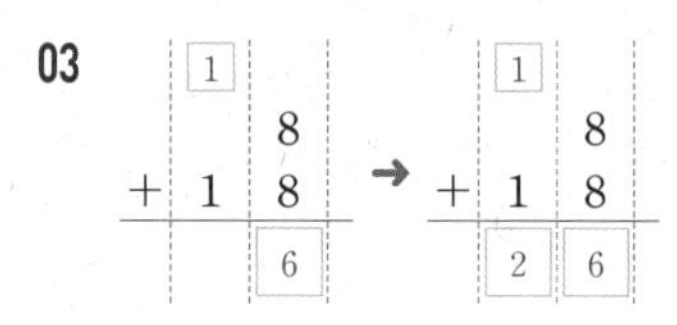

03 (받아올림 1) 8 + 18 → 일의 자리 6 → 26

04 (받아올림 1) 28 + 5 → 일의 자리 3 → 33

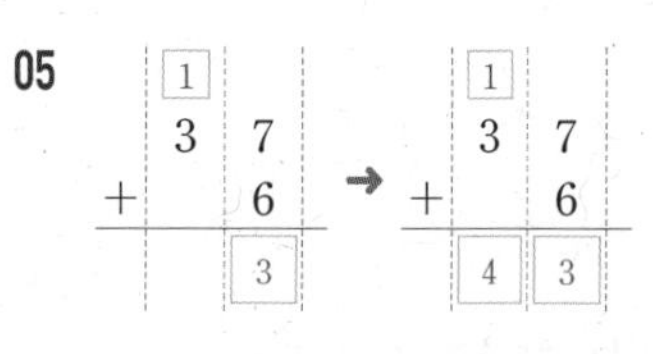

05 (받아올림 1) 37 + 6 → 일의 자리 3 → 43

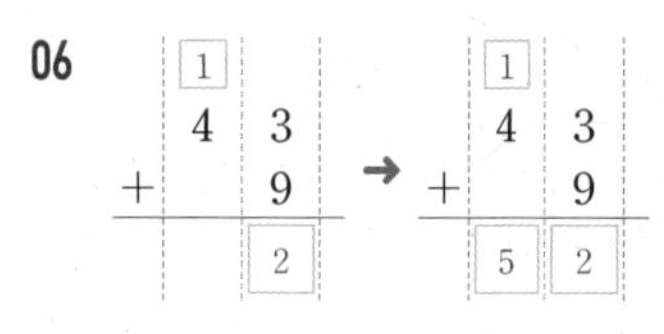

06 (받아올림 1) 43 + 9 → 일의 자리 2 → 52

계산력 강화하기

정확하게 풀어보아요

(07~24) 계산을 하세요.

07. $24 + 9 = 33$

08. $85 + 7 = 92$

09. $37 + 8 = 45$

10. $29 + 1 = 30$

11. $27 + 7 = 34$

12. $49 + 2 = 51$

13. $89 + 4 = 93$

14. $46 + 7 = 53$

15. $66 + 6 = 72$

16. $54 + 9 = 63$

17. $77 + 5 = 82$

18. $34 + 8 = 42$

19. $57 + 8 = 65$

20. $89 + 9 = 98$

21. $48 + 6 = 54$

22. $78 + 6 = 84$

23. $68 + 6 = 74$

24. $73 + 9 = 82$

사고력 확장

구조화 하기

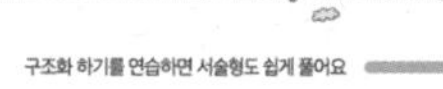

(25~45) 두 수를 더하여 빈칸에 쓰세요.

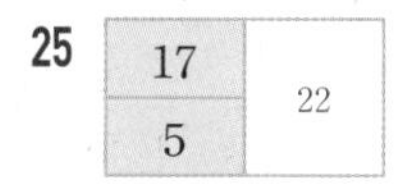
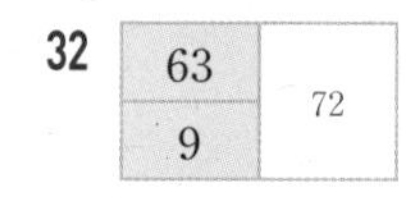
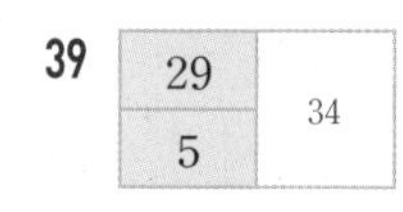
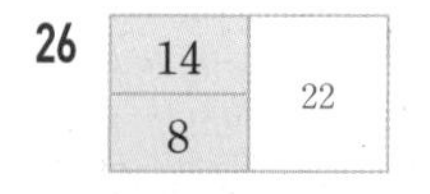
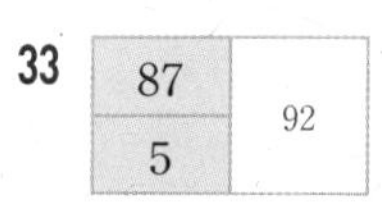
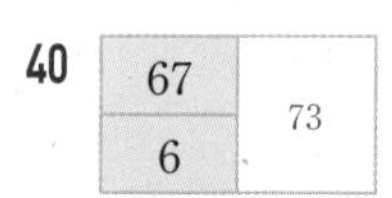
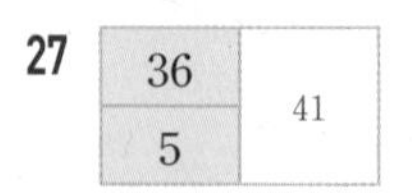
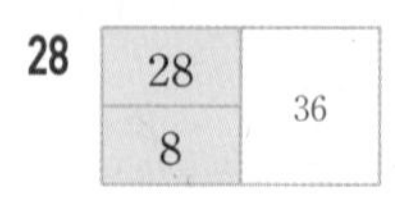
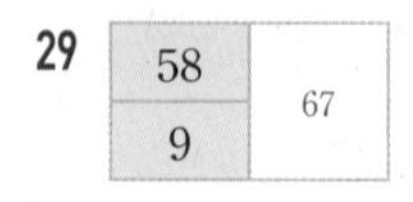

번호	위	아래	합
25	17	5	22
26	14	8	22
27	36	5	41
28	28	8	36
29	58	9	67
30	49	5	54
31	42	8	50
32	63	9	72
33	87	5	92
34	59	9	68
35	76	9	85
36	28	9	37
37	54	7	61
38	78	4	82
39	29	5	34
40	67	6	73
41	88	8	96
42	56	9	65
43	39	7	46
44	35	8	43
45	47	5	52

사고력 확장

서술형 풀어보기

46 나는 9살이고, 엄마는 48살입니다. 나와 엄마의 나이를 더하면 몇 살일까요?

풀이과정

(1) (나의 나이)+(엄마의 나이)는 9 + 48 입니다.

(2) 그러므로 나와 엄마의 나이의 합은 57 살입니다.

48	57
9	

(47~50) 풀이과정을 쓰고 답을 구하세요.

47 상자에 사과가 53개, 귤이 8개 있습니다. 사과와 귤을 더하면 모두 몇 개일까요?

풀이 53+8=61

답 61 개

48 사탕 12개를 가지고 있었는데 엄마가 9개를 더 주셨습니다. 내가 가진 사탕은 모두 몇 개일까요?

풀이 12+9=21

답 21 개

49 색종이가 87장 있었는데 친구가 6[장]을 더 줬습니다. 색종이는 모두 [몇] 장일까요?

풀이 87+6=93

답 93 [장]

50 책을 어제는 25쪽을 읽었고 오늘 6쪽을 읽었습니다. 어제와 오늘 [읽은] 책은 모두 몇 쪽일까요?

풀이 25+6=31

답 31 [쪽]

엄마 Check 칭찬이나 노력할 점을 써 주세요.

맞힌 개수	지도 의견		확인란
개	나의 생각		

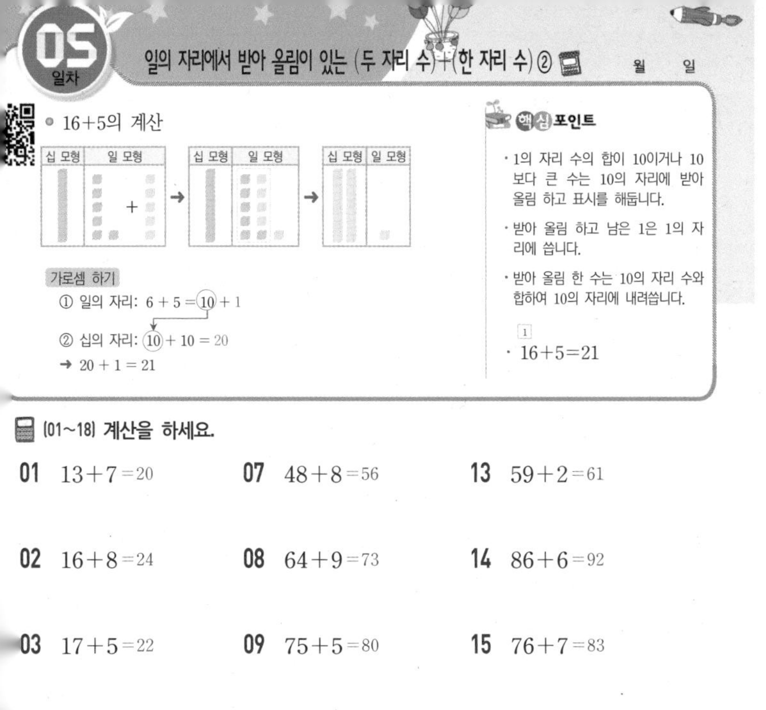

(01~18) 계산을 하세요.

01 13+7=20	07 48+8=56	13 59+2=61
02 16+8=24	08 64+9=73	14 86+6=92
03 17+5=22	09 75+5=80	15 76+7=83
04 24+9=33	10 59+4=63	16 19+5=24
05 26+5=31	11 83+8=91	17 75+9=84
06 27+8=35	12 42+8=50	18 87+8=95

계산력 강화하기

정확하게 풀어보아요

(19~39) 계산을 하세요.

19 9+54=63	26 18+3=21	33 6+28=34
20 26+7=33	27 27+7=34	34 18+5=23
21 39+5=44	28 38+9=47	35 5+48=53
22 16+6=22	29 58+5=63	36 25+7=32
23 23+7=30	30 38+3=41	37 16+7=23
24 46+9=55	31 45+9=54	38 49+7=56
25 74+7=81	32 45+8=53	39 63+9=72

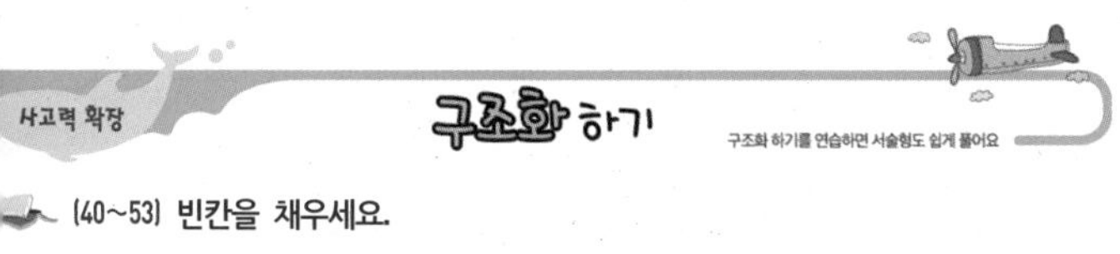

(40~53) 빈칸을 채우세요.

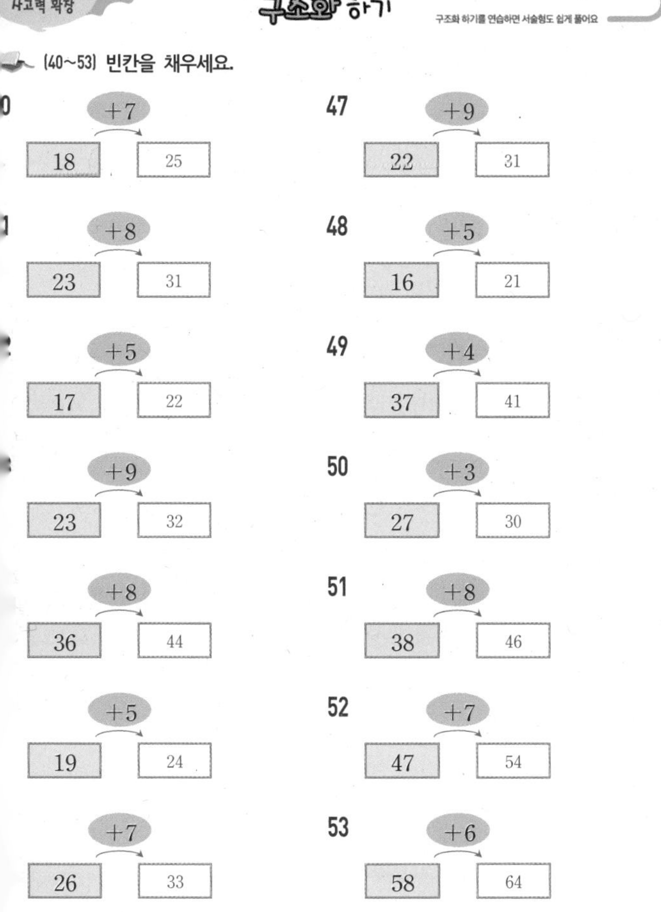

사고력 확장 서술형 풀어보기

구조화 해서 풀어보아요

54 흰색 달걀 19개와 노란색 달걀 8개가 있습니다. 달걀은 모두 몇 개일까요?

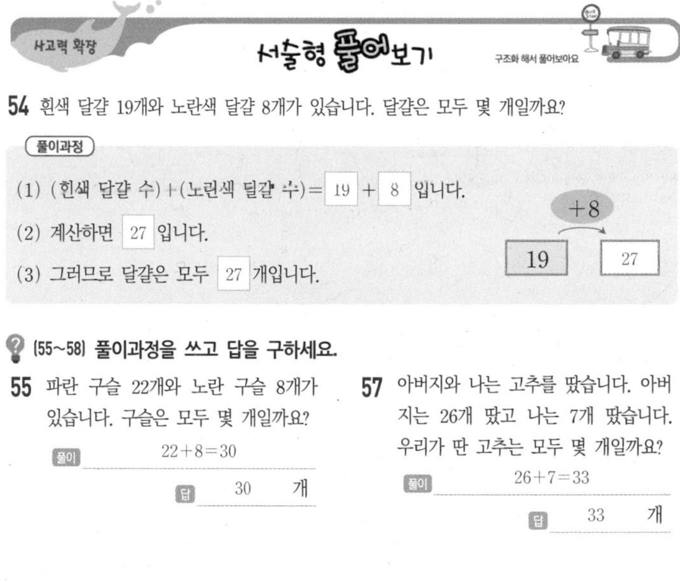

풀이과정
(1) (흰색 달걀 수)+(노란색 달걀 수)= 19 + 8 입니다.
(2) 계산하면 27 입니다.
(3) 그러므로 달걀은 모두 27 개입니다.
19 +8 27

(55~58) 풀이과정을 쓰고 답을 구하세요.

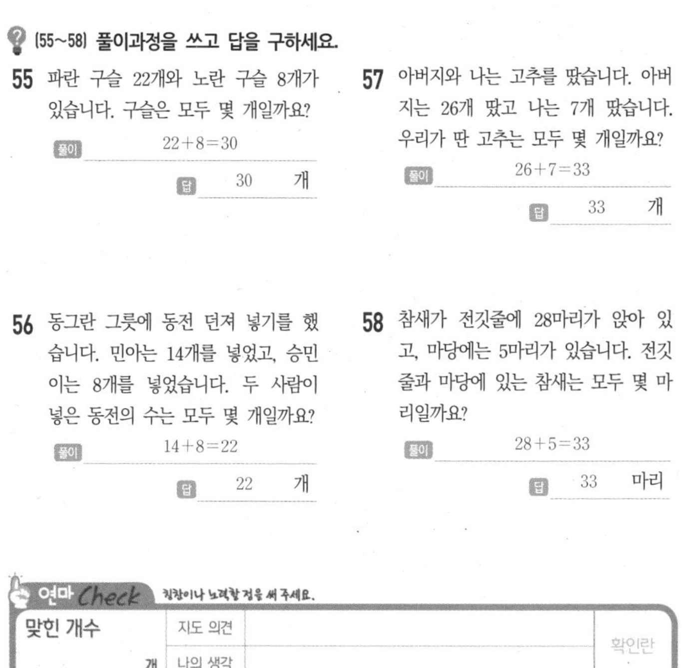

55 파란 구슬 22개와 노란 구슬 8개가 있습니다. 구슬은 모두 몇 개일까요?

풀이 22+8=30

답 30 개

57 아버지와 나는 고추를 땄습니다. 아버지는 26개 땄고 나는 7개 땄습니다. 우리가 딴 고추는 모두 몇 개일까요?

풀이 26+7=33

답 33 개

56 동그란 그릇에 동전 던져 넣기를 했습니다. 민아는 14개를 넣었고, 승민이는 8개를 넣었습니다. 두 사람이 넣은 동전의 수는 모두 몇 개일까요?

풀이 14+8=22

답 22 개

58 참새가 전깃줄에 28마리가 앉아 있고, 마당에는 5마리가 있습니다. 전깃줄과 마당에 있는 참새는 모두 몇 마리일까요?

풀이 28+5=33

답 33 마리

연마 Check 칭찬이나 노력할 점을 써 주세요.

맞힌 개수	지도 의견		확인란
개	나의 생각		

06 일차 일의 자리에서 받아 올림이 있는 (두 자리 수)+(두 자리 수) ① 월 일

• 16+25의 계산

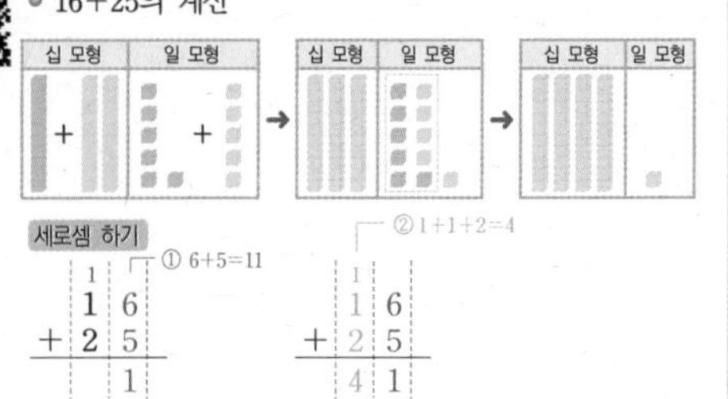

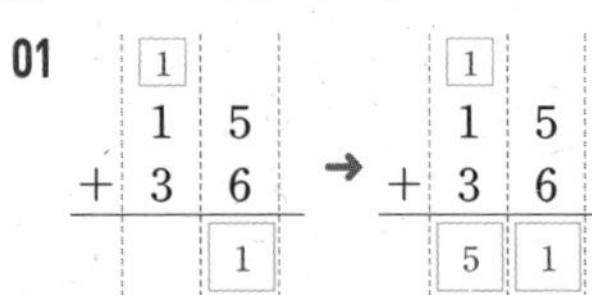

핵심포인트

- 1의 자리 수의 합이 10이거나 10보다 큰 수는 10의 자리에 받아 올림하고 표시를 해둡니다.
- ① 10은 받아 올림하고, 남은 1은 1의 자리에 씁니다.
- ② 받아 올림한 수 1과 10의 자리 수(1+2)를 합하여, 10의 자리에 씁니다. (10+10+20=40)

(01~06) 빈칸을 채우세요.

01 [1] 15 + 36 → [1] → 15 + 36 = [5][1]

02 [1] 26 + 17 → [3] → 26 + 17 = [4][3]

03 [1] 33 + 49 → [2] → 33 + 49 = [8][2]

04 [1] 28 + 25 → [3] → 28 + 25 = [5][3]

05 [1] 37 + 26 → [3] → 37 + 26 = [6][3]

06 [1] 44 + 39 → [3] → 44 + 39 = [8][3]

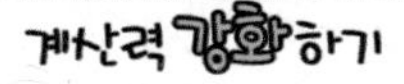

계산력 강화하기

정확하게 풀어보아요

(07~24) 계산을 하세요.

07 49 + 24 = 73

08 15 + 17 = 32

09 13 + 28 = 41

10 39 + 25 = 64

11 25 + 48 = 73

12 58 + 35 = 93

13 27 + 37 = 64

14 16 + 18 = 34

15 26 + 27 = 53

16 18 + 15 = 33

17 31 + 19 = 50

18 16 + 26 = 42

19 25 + 17 = 42

20 38 + 33 = 71

21 46 + 29 = 75

22 59 + 14 = 73

23 39 + 18 = 57

24 55 + 17 = 72

사고력 확장

구조화 하기

구조화 하기를 연습하면 서술형도 쉽게 풀어요

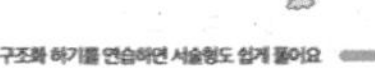

(25~45) 두 수를 더하여 빈칸에 쓰세요.

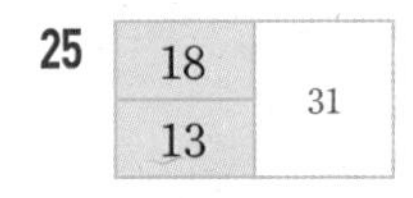

25: 18, 13 → 31

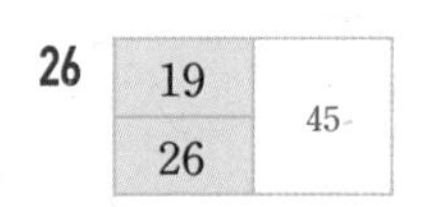

26: 19, 26 → 45

27: 15, 16 → 31

28: 26, 17 → 43

29: 35, 37 → 72

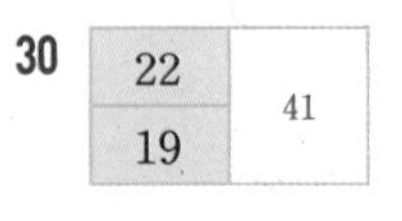

30: 22, 19 → 41

31: 47, 25 → 72

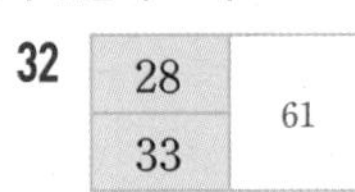

32: 28, 33 → 61

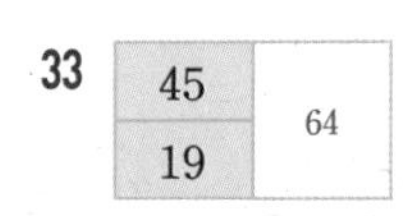

33: 45, 19 → 64

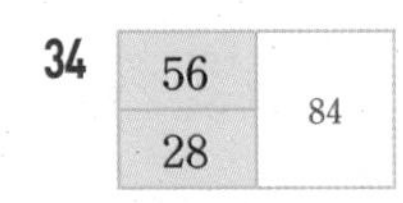

34: 56, 28 → 84

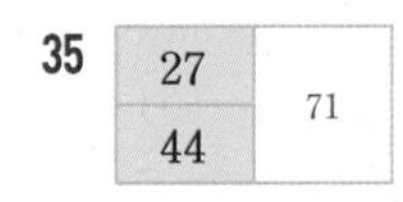

35: 27, 44 → 71

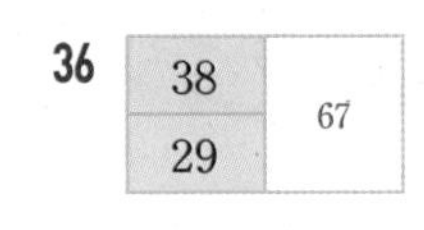

36: 38, 29 → 67

37: 46, 39 → 85

38: 16, 26 → 42

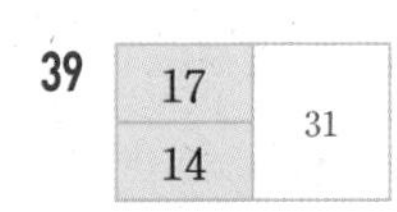

39: 17, 14 → 31

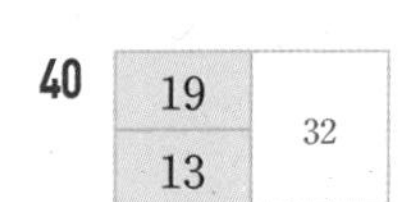

40: 19, 13 → 32

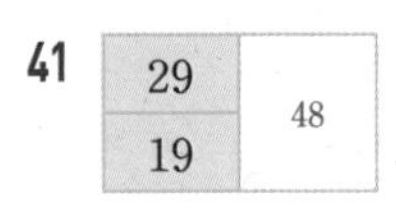

41: 29, 19 → 48

42: 27, 18 → 45

43: 29, 37 → 66

44: 27, 36 → 63

45: 38, 45 → 83

사고력 확장

서술형 풀어보기

구조화 해서 풀어보아요

46 운동장에 남학생 17명과 여학생 15명이 있습니다. 운동장에 있는 학생 수는 모두 몇 명일까요?

풀이과정

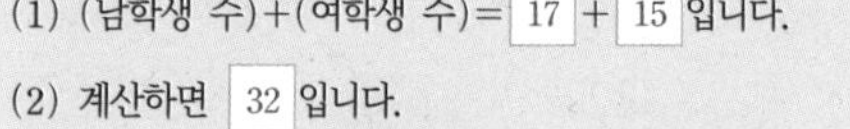

(1) (남학생 수)+(여학생 수)= [17] + [15] 입니다.

(2) 계산하면 [32] 입니다.

(3) 그러므로 운동장에 있는 학생은 [32] 명입니다.

17, 15 → 32

(47~50) 풀이과정을 쓰고 답을 구하세요.

47 식당에서 오늘 물냉면을 27 그릇, 비빔냉면을 25 그릇 팔았습니다. 오늘 판 냉면은 모두 몇 그릇일까요?

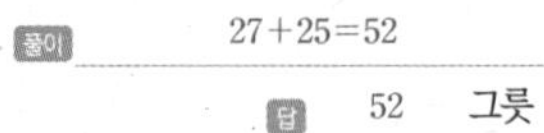

풀이 27+25=52

답 52 그릇

48 어항에 붕어가 17마리 있습니다. 여기에 붕어 24마리를 더 넣었습니다. 어항에 있는 붕어는 모두 몇 마리일까요?

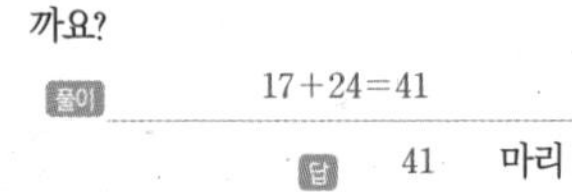

풀이 17+24=41

답 41 마리

49 아버지와 나는 알밤을 주웠습니다. 아버지는 36개 주웠고 나는 19개 주웠습니다. 우리가 주운 알밤은 모두 몇 개일까요?

풀이 36+19=55

답 55

50 병아리가 닭장에 28마리가 있고, 마당에는 18마리가 있습니다. 닭장과 마당에 있는 병아리는 모두 몇 마리일까요?

풀이 28+18=46

답 46 마리

엄마 Check 칭찬이나 노력할 점을 써 주세요.

맞힌 개수	지도 의견		확인
개	나의 생각		

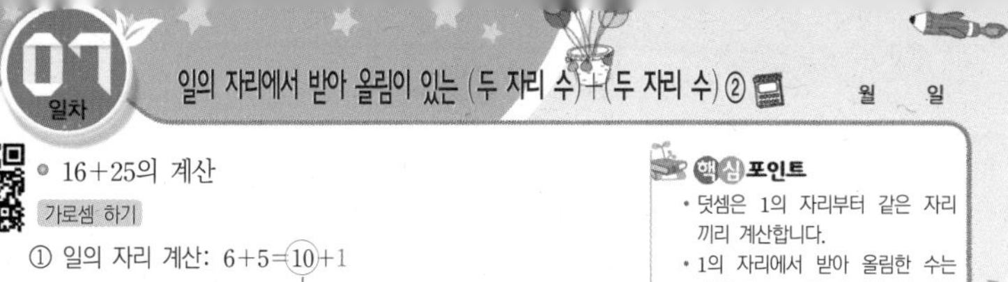

07일차 일의 자리에서 받아 올림이 있는 (두 자리 수)+(두 자리 수) ② 월 일

• 16+25의 계산

가로셈 하기

① 일의 자리 계산: 6+5=(10)+1

② 십의 자리 계산: (10)+10+20=40

→ 40+1=41

핵심 포인트
- 덧셈은 1의 자리부터 같은 자리끼리 계산합니다.
- 1의 자리에서 받아 올림한 수는 잊지 말고 10의 자리에 꼭 더해야 합니다.
- 자릿값을 틀리지 않도록 주의해야 합니다.

(01~06) 계산을 하세요.

01 27+35
① 7+5=[10]+2
② [10]+20+30=[60]
→ [60]+2=[62]

04 16+38
① 6+8=[10]+4
② [10]+[10]+[30]=[50]
→ [50]+[4]=[54]

02 24+47
① 4+7=[10]+1
② [10]+20+40=[70]
→ [70]+1=[71]

05 36+25
① 6+5=[10]+1
② [10]+[30]+[20]=[60]
→ [60]+[1]=[61]

03 42+29
① 2+9=[10]+1
② [10]+40+20=[70]
→ [70]+1=[71]

06 56+17
① 6+7=[10]+3
② [10]+[50]+[10]=[70]
→ [70]+[3]=[73]

계산력 강화하기

정확하게 풀어보아요

(07~27) 계산을 하세요.

07 46+14=60
08 36+17=53
09 28+16=44
10 32+29=61
11 27+18=45
12 35+27=62
13 29+38=67
14 46+29=75
15 49+33=82
16 16+37=53
17 17+17=34
18 25+28=53
19 17+35=52
20 32+19=51
21 15+26=41
22 36+19=55
23 48+19=67
24 26+38=64
25 49+27=76
26 18+36=54
27 29+47=76

사고력 확장 구조화 하기

구조화 하기를 연습하면 서술형도 쉽게 풀어요

(28~41) 빈칸을 채우세요.

28 23 (+18) → 41
29 34 (+27) → 61
30 45 (+38) → 83
31 56 (+26) → 82
32 67 (+25) → 92
33 78 (+18) → 96
34 19 (+15) → 34
35 19 (+23) → 42
36 28 (+24) → 52
37 26 (+27) → 53
38 33 (+28) → 61
39 48 (+16) → 64
40 47 (+18) → 65
41 37 (+19) → 56

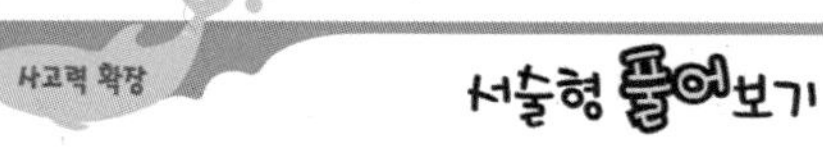

사고력 확장 서술형 풀어보기

구조화 해서 풀어보아요

42 사탕 한 봉지를 사서 13개를 먹고, 27개가 남았습니다. 처음 사탕 봉지에 사탕은 모두 몇 개가 들어있었을까요?

풀이과정

(1) (처음 사탕의 개수)=(먹은 사탕의 개수)+(남은 사탕의 개수)이므로 [13]+[27] 입니다.

(2) 계산하면 [40] 입니다.

(3) 그러므로 처음 사탕은 [40]개가 들어있었습니다.

13 (+27) → 40

(43~46) 풀이과정을 쓰고 답을 구하세요.

43 내 양말은 17켤레이고 어머니 양말은 25켤레입니다. 두 사람의 양말은 모두 몇 켤레일까요?

풀이 17+25=42

답 42 켤레

45 청아는 식목일에 밤나무 26그루와 소나무 37그루를 심었습니다. 모두 몇 그루의 나무를 심었을까요?

풀이 26+37=63

답 63 그루

44 희수는 오전에 줄넘기를 35번 하였고 오후에는 27번을 했습니다. 희수는 오전, 오후 합하여 모두 몇 번의 줄넘기를 했을까요?

풀이 35+27=62

답 62 번

46 민호는 과자를 24개 먹었고 민호 형은 민호보다 5개 더 많이 먹었습니다. 두 사람이 먹은 과자의 수는 모두 몇 개일까요?

풀이 민호 형: 24+5=29
민호+민호 형: 24+29=53

답 53 개

엄마 Check 칭찬이나 노력할 점을 써 주세요.

맞힌 개수	지도 의견		확인란
개	나의 생각		

- 66+52의 계산

세로셈 하기

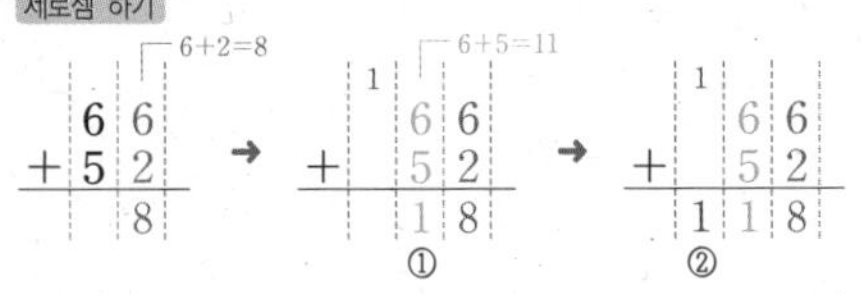

① 십의 자리 수의 합이 10이거나 10보다 큰 수는 100의 자리에 받아 올림하고 표시를 해둡니다. 받아 올림 하고 남은 1은 십의 자리에 씁니다. (60+50=110)

② 십의 자리에서 받아 올림 한 100은 100의 자리에 내려씁니다.

핵심포인트

- 받아 올림한 수는 잊지 말고 꼭 더해야 합니다.
- 자릿값이 틀리지 않도록 주의합니다.

(01~09) 계산을 하세요.

번호	계산	답
01	24+95	119
02	73+76	149
03	83+32	115
04	43+74	117
05	44+93	137
06	63+75	138
07	93+34	127
08	43+64	107
09	82+76	158

계산력 강화하기

정확하게 풀어보아요

(10~27) 계산을 하세요.

번호	계산	답
10	33+82	115
11	45+62	107
12	58+61	119
13	62+63	125
14	67+72	139
15	75+32	107
16	27+91	118
17	33+82	115
18	86+63	149
19	67+72	139
20	45+82	127
21	82+63	145
22	88+81	169
23	62+66	128
24	57+82	139
25	96+73	169
26	72+81	153
27	94+84	178

사고력 확장

구조화 하기

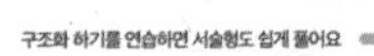

구조화 하기를 연습하면 서술형도 쉽게 풀어요

(28~48) 두 수를 더하여 빈칸에 쓰세요.

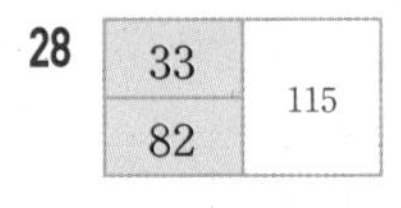

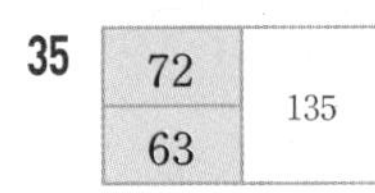

번호	수	수	합
28	33	82	115
29	45	72	117
30	47	62	109
31	21	87	108
32	35	92	127
33	82	93	175
34	56	63	119
35	72	63	135
36	45	82	127
37	56	63	119
38	82	44	126
39	66	72	138
40	72	83	155
41	88	91	179
42	34	92	126
43	36	83	119
44	87	72	159
45	63	66	129
46	54	82	136
47	55	73	128
48	46	93	139

사고력 확장

서술형 풀어보기

구조화 해서 풀어보아요

49 운동장에 고추잠자리 56마리가 있는데 메밀잠자리 62마리가 더 날아왔다면, 운동장 잠자리는 모두 몇 마리일까요?

풀이과정

(1) (고추잠자리 수)+(메밀잠자리 수)= 56 + 62 입니다.

(2) 계산하면 118 입니다.

(3) 그러므로 운동장에는 잠자리가 118 마리있습니다.

+	56	118
	62	

(50~53) 풀이과정을 쓰고 답을 구하세요.

50 붕어빵 아저씨가 어제는 붕어빵을 87개를 팔았고, 오늘은 71개를 팔았습니다. 어제와 오늘 팔린 붕어빵은 모두 몇 개일까요?

풀이 87+71=158

답 158 개

52 아버지와 어머니는 수박을 트럭에 었습니다. 아버지는 67개를, 어머니 61개를 실었습니다. 트럭에 실은 박은 모두 몇 개일까요?

풀이 67+61=128

답 128

51 원숭이들에게 바나나를 오전에 53개 오후에 62개를 주었습니다. 원숭이들에게 준 바나나는 모두 몇 개인가요?

풀이 53+62=115

답 115 개

53 파란색 색종이 75장과 붉은색 색종 는 63장이 있습니다. 색종이는 몇 장일까요?

풀이 75+63=138

답 138

엄마 Check 칭찬이나 노력할 점을 써 주세요.

맞힌 개수	지도 의견		확인
개	나의 생각		

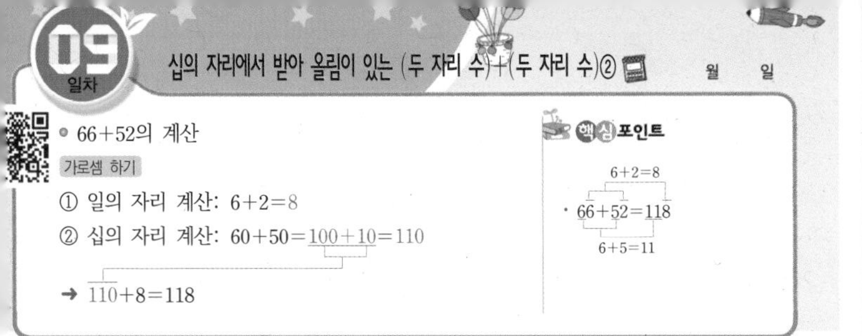

09 일차 십의 자리에서 받아 올림이 있는 (두 자리 수)+(두 자리 수) ② 월 일

● 66+52의 계산

가로셈 하기

① 일의 자리 계산: 6+2=8

② 십의 자리 계산: 60+50=100+10=110

→ 110+8=118

핵심 포인트

6+2=8

66+52=118

6+5=11

[01~06] 계산을 하세요.

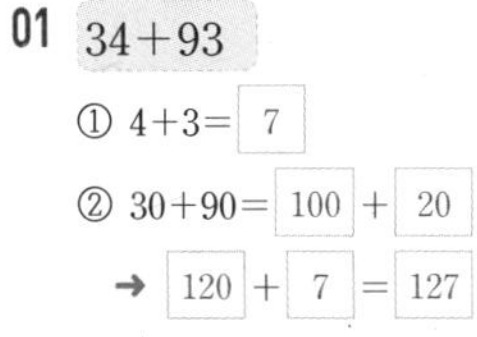

01 34+93

① 4+3= 7

② 30+90= 100 + 20

→ 120 + 7 = 127

02 73+74

① 3+4= 7

② 70+70= 100 + 40

→ 140 + 7 = 147

03 45+91

① 5+1= 6

② 40+90= 100 + 30

→ 130 + 6 = 136

04 33+82

① 3+2= 5

② 30+80= 100 + 10

→ 110 + 5 = 115

05 45+72

① 5+2= 7

② 40+70= 100 + 10

→ 110 + 7 = 117

06 98+61

① 8+1= 9

② 90+60= 100 + 50

→ 150 + 9 = 159

계산력 강화하기

정확하게 풀어보아요

[07~27] 계산을 하세요.

07 27+92=119

08 43+85=128

09 36+81=117

10 46+72=118

11 55+84=139

12 42+66=108

13 88+71=159

14 62+65=127

15 57+81=138

16 54+73=127

17 38+91=129

18 23+82=105

19 86+63=149

20 42+75=117

21 43+86=129

22 53+61=114

23 87+82=169

24 52+66=118

25 87+62=149

26 52+74=126

27 66+82=148

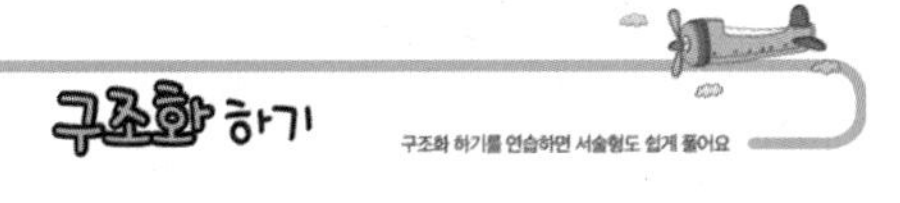

사고력 확장

구조화 하기

구조화 하기를 연습하면 서술형도 쉽게 풀어요

[28~41] 빈칸을 채우세요.

28 +92: 23 → 115

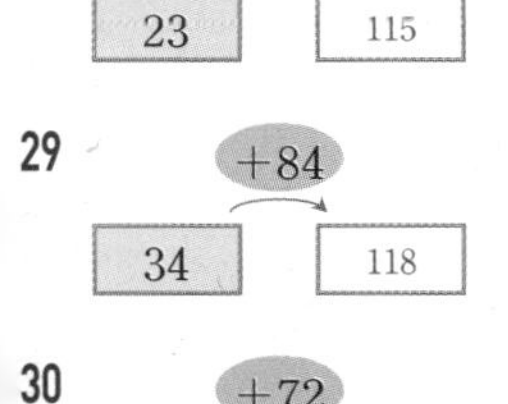

29 +84: 34 → 118

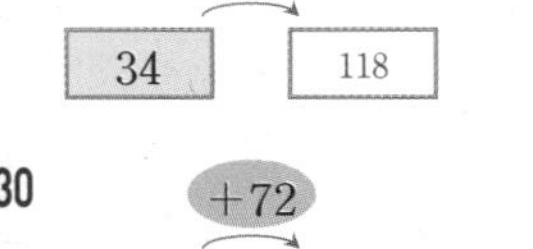

30 +72: 45 → 117

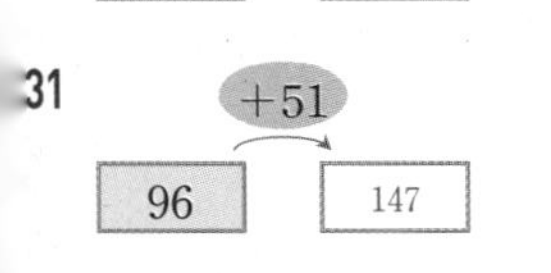

31 +51: 96 → 147

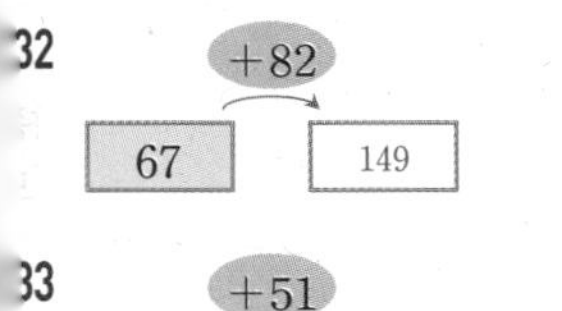

32 +82: 67 → 149

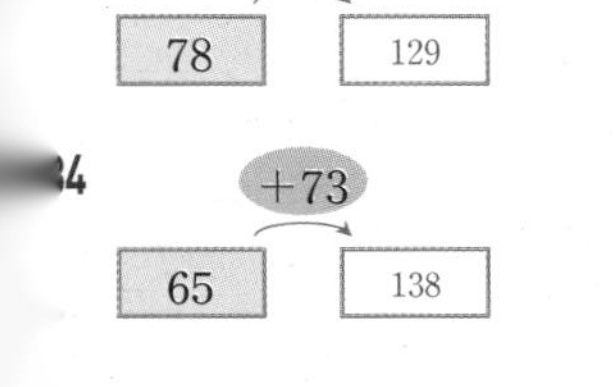

33 +51: 78 → 129

34 +73: 65 → 138

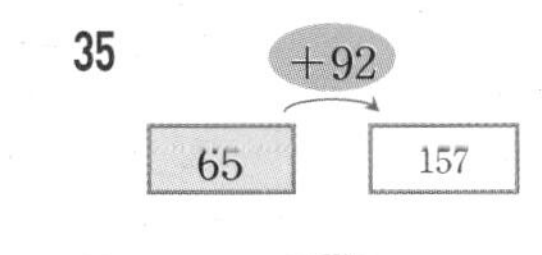

35 +92: 65 → 157

36 +91: 48 → 139

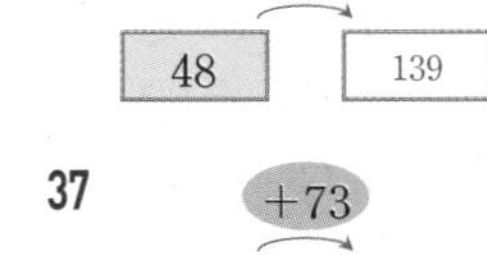

37 +73: 56 → 129

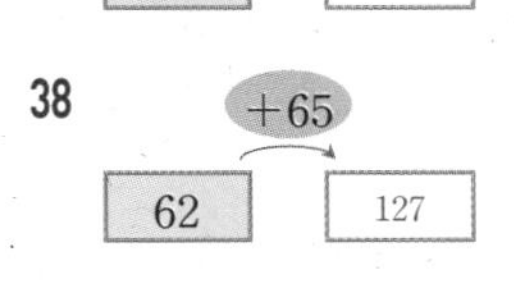

38 +65: 62 → 127

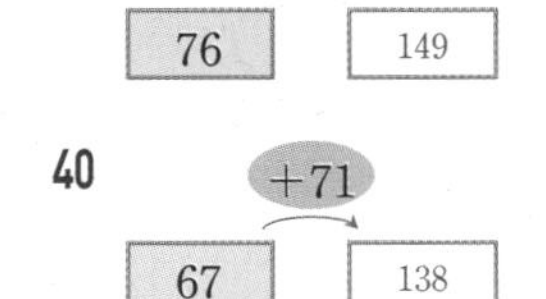

39 +73: 76 → 149

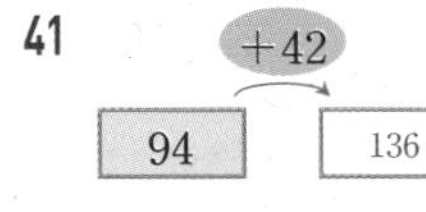

40 +71: 67 → 138

41 +42: 94 → 136

사고력 확장

서술형 풀어보기

구조화 해서 풀어보아요

42 혜수는 훌라후프를 54번 했고, 민희는 혜수보다 11번을 더 많이 했습니다. 두 사람은 훌라후프를 모두 몇 번 했을까요?

풀이과정

(1) 혜수는 훌라후프를 54 번 했습니다.

(2) 민희는 훌라후프를 65 번 했습니다.

(3) 두 사람은 모두 훌라후프를 54 + 65 = 119 번 했습니다.

+65: 54 → 119

[43~46] 풀이과정을 쓰고 답을 구하세요.

43 정민이는 어제 줄넘기를 75번 했습니다. 오늘은 어제보다 30번을 더 하려 합니다. 정민이는 오늘 줄넘기를 몇 번 해야 할까요?

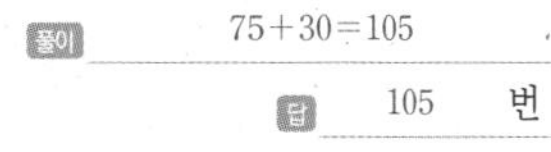

풀이 75+30=105

답 105 번

44 오전에 사과를 57개를 땄고 오후에는 82개를 땄습니다. 모두 몇 개의 사과를 땄을까요?

풀이 57+82=139

답 139 개

45 영호는 딱지를 56장 가지고 있고, 도희는 62장을 가지고 있습니다. 두 사람이 가지고 있는 딱지는 모두 몇 장일까요?

풀이 56+62=118

답 118 장

46 도영이는 칭찬 스티커를 23개 모았고 장미는 82개 모았습니다. 두 사람이 모은 칭찬 스티커는 모두 몇 장일까요?

풀이 23+82=105

답 105 장

엄마 Check 칭찬이나 노력할 점을 써 주세요.

맞힌 개수	지도 의견		확인란
개	나의 생각		

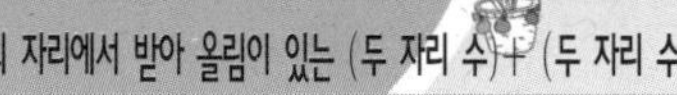

월 일

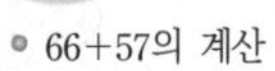

● 66+57의 계산

세로셈 하기

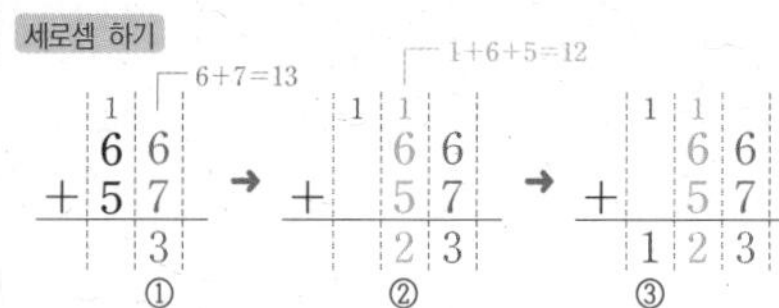

① 일의 자리 수를 더하면 13이므로 3을 일의 자리에 쓰고 10은 받아 올림 합니다.

② 십의 자리 수와 받아 올림 한 수(1+6+5)의 합이 12이므로 받아 올림 하고 남은 2는 십의 자리에 씁니다.

③ 받아 올림한 수는 백의 자리에 내려씁니다.

핵심 포인트

- 받아 올림 한 수는 잊지 말고 꼭 더합니다.
- 자릿값을 틀리지 않습니다.

[01~12] 계산을 하세요.

01 $27+95=122$

02 $76+76=152$

03 $83+38=121$

04 $45+77=122$

05 $54+98=152$

06 $68+75=143$

07 $96+34=130$

08 $46+68=114$

09 $48+82=130$

10 $56+76=132$

11 $68+75=143$

12 $69+63=132$

계산력 강화하기

정확하게 풀어보아요

[13~33] 계산을 하세요.

13 67+79=146

14 75+46=121

15 76+66=142

16 28+96=124

17 38+82=120

18 46+67=113

19 47+77=124

20 45+86=131

21 58+63=121

22 88+85=173

23 67+66=133

24 57+86=143

25 46+77=123

26 44+67=111

27 54+77=131

28 53+89=142

29 68+57=125

30 65+76=141

31 64+88=152

32 63+98=161

33 78+85=163

사고력 확장

구조화 하기

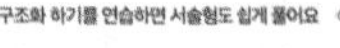

[34~54] 두 수를 더하여 빈칸에 쓰세요.

34 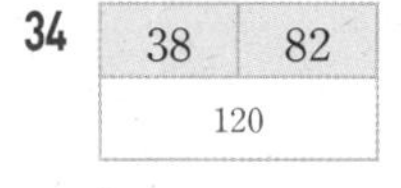

38	82
120	

35 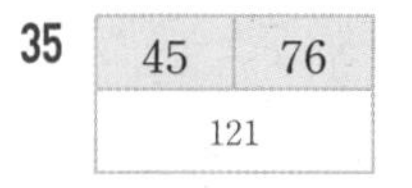

45	76
121	

36 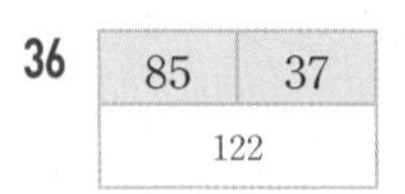

85	37
122	

37 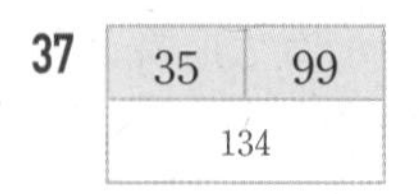

35	99
134	

38 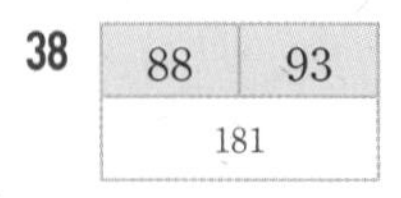

88	93
181	

39 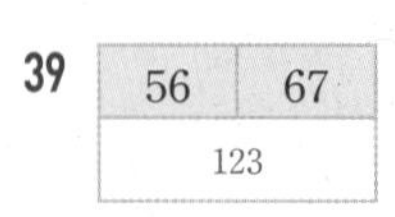

56	67
123	

40 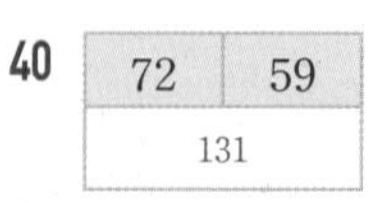

72	59
131	

41 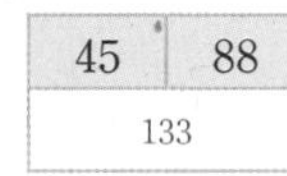 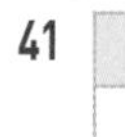

45	88
133	

42 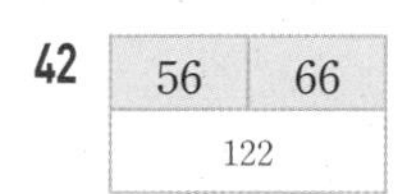

56	66
122	

43 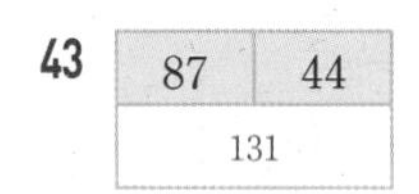

87	44
131	

44 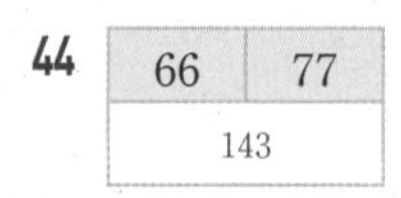

66	77
143	

45 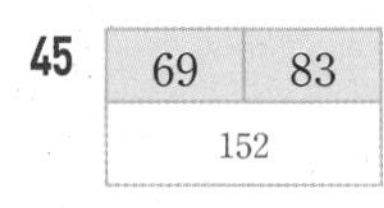

69	83
152	

46 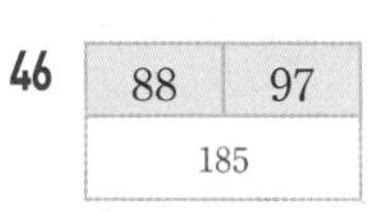

88	97
185	

47

46	95
141	

48 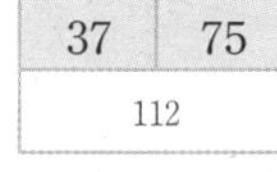

37	75
112	

49 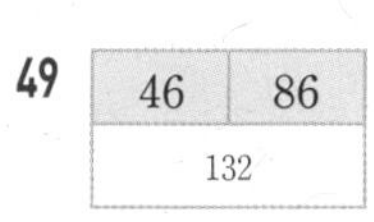

46	86
132	

50 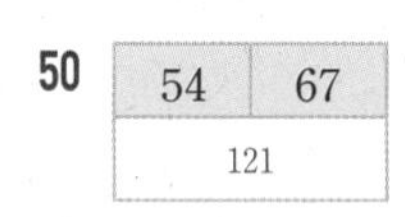

54	67
121	

51 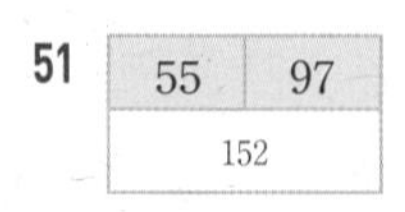

55	97
152	

52 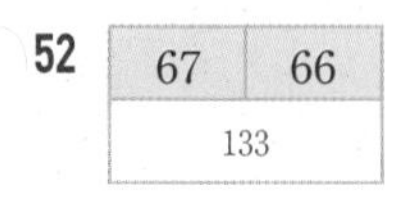

67	66
133	

53

73	88
161	

54

76	77
153	

사고력 확장

서술형 풀어보기

구조화 해서 풀어보아요

55 집에 사과가 58개가 있는데 할아버지가 오늘 76개를 더 사 오셨습니다. 집에 있는 사과는 모두 몇 개일까요?

풀이과정

(1) (집에 있던 사과 개수)+(할아버지가 사 오신 사과 개수) = 58 + 76 입니다.

(2) 계산을 하면 134 입니다.

(3) 그러므로 집에 사과가 134 개 있습니다.

58	76
134	

[56~59] 풀이과정을 쓰고 답을 구하세요.

56 어느 동네에 강아지를 기르는 집이 58가구, 고양이를 기르는 집이 77가구가 있을 때, 이 동네에서 강아지와 고양이를 기르는 집은 모두 몇 가구일까요?

풀이 58+77=135

답 135 가구

57 파란색 바구니에 감자가 75개 있고, 붉은색 바구니에는 고구마가 68개 있습니다. 두 바구니에 있는 감자와 고구마는 모두 몇 개인가요?

풀이 75+68=143

답 143 개

58 2, 5, 7 세 수 중에 두 수를 골라서 5와 더하려고 합니다. 계산 결과가 가장 큰 수를 골라서 쓰고 계산해 보세요.

풀이 숫자가 가장 크려면 7이 십의 자리에 와야 하고, 일의 자리에는 2보다 큰 5가 와야 합니다.

답 75+57=132

59 계산 결과에 맞게 다음 빈칸을 채워 보세요.

$$\begin{array}{r} 7\,\boxed{6} \\ +\,\boxed{7}\,6 \\ \hline 1\,5\,2 \end{array}$$

풀이 □+6을 해서 받아올림하고 일의 자리가 2가 되는 수는 12이므로 □=6, 1+7+□=15이므로 □=7

엄마 Check 칭찬이나 노력할 점을 써 주세요.

맞힌 개수	지도 의견		확인란
개	나의 생각		

11일차 여러 가지 방법으로 덧셈

월 일

- 28+39의 계산

방법 ① 28은 20+8로, 39는 30+9로 나누어 더하기

20+30+8+9=50+8+9=58+9=67

방법 ② 28에 30을 먼저 더한 다음 9를 더하기

28+30+9=58+9=67

방법 ③ 39를 40으로 생각하고 28에 40을 더한 뒤, 1을 빼기

28+40−1=68−1=67

방법 ④ 39를 32와 7로 생각하고 28에 32를 더한 뒤, 7을 더하기

28+32+7=60+7=67

더해서 몇 십을 만듭니다.

핵심 포인트

- 28는 20+8이고, 39는 30+9이므로 큰 수를 먼저 더하고 한 자리 수를 더하면 쉽습니다. (방법 ①)
- 39는 30+9이므로 28+30을 먼저 계산한 후 9를 더합니다. (방법 ②)
- 39=40−1 (방법 ③)
- 39=32+7 (방법 ④)

[01~14] 방법①로 계산을 하세요.

01 20+15=20+10+ 5 = 35

02 20+12=20+10+ 2 = 32

03 30+16=30+10+ 6 = 46

04 30+27=30+20+ 7 = 57

05 40+29=40+20+ 9 = 69

06 50+31=50+30+ 1 = 81

07 60+33=60+30+ 3 = 93

08 25+15 =20+10+ 5 + 5 = 40

09 16+25 =10+20+ 6 + 5 = 41

10 14+23 =10+20+ 4 + 3 = 37

11 17+35 =10+30+ 7 + 5 = 52

12 22+44 =20+40+ 2 + 4 = 66

13 27+15 =20+10+ 7 + 5 = 42

14 26+45 =20+40+ 6 + 5 = 71

계산력 강화하기

정확하게 풀어보아요

[15~36] 방법②로 계산을 하세요.

15 25+16=25+10+ 6 = 41

16 22+12=22+10+ 2 = 34

17 36+16=36+10+ 6 = 52

18 32+27=32+20+ 7 = 59

19 49+29=49+20+ 9 = 78

20 56+31=56+30+ 1 = 87

21 66+33=66+30+ 3 = 99

22 28+26=28+20+ 6 = 54

23 25+15=25+10+ 5 = 40

24 16+25=16+20+ 5 = 41

25 24+33=24+30+ 3 = 57

26 17+35=17+30+ 5 = 52

27 33+37=33+30+ 7 = 70

28 56+61=56+60+ 1 = 117

29 82+45=82+40+ 5 = 127

30 68+47=68+40+ 7 = 115

31 77+45=77+40+ 5 = 122

32 53+69=53+60+ 9 = 122

33 61+59=61+50+ 9 = 120

34 57+67=57+60+ 7 = 124

35 48+79=48+70+ 9 = 127

36 56+55=56+50+ 5 = 111

[37~43] 방법③으로 계산하세요.

37 25+17=25+20− 3 = 45 − 3 = 42

38 35+46=35+50− 4 = 85 − 4 = 81

39 26+17=26+20− 3 = 46 − 3 = 43

40 32+28=32+30− 2 = 62 − 2 = 60

41 26+34=26+40− 6 = 66 − 6 = 60

42 47+26=47+30− 4 = 77 − 4 = 73

43 56+16=56+20− 4 = 76 − 4 = 72

[44~50] 방법④로 계산하세요.

44 33+38=33+37+ 1 = 70 + 1 = 71

45 62+19=62+18+ 1 = 80 + 1 = 81

46 27+65=27+63+ 2 = 90 + 2 = 92

47 46+46=46+44+ 2 = 90 + 2 = 92

48 77+16=77+13+ 3 = 90 + 3 = 93

49 66+25=66+24+ 1 = 90 + 1 = 91

50 48+28=48+22+ 6 = 70 + 6 = 76

서술형 풀어보기

구조화 해서 풀어보아요

51 나는 십 원짜리 동전 4개와 일 원짜리 동전 7개를 가지고 있고, 동생은 십 원짜리 동전 3개와 일 원짜리 동전 5개를 가지고 있습니다. 우리가 가진 돈은 모두 얼마일까요?

풀이과정

(1) 식을 만들면 40+30+7+5= 70 + 12 = 82 입니다.

(2) 그러므로 우리가 가진 돈은 모두 82 원입니다.

40+30	7+5
82	

[52~55] 풀이과정을 쓰고 답을 구하세요.

52 46+27을 여러 가지 방법으로 계산할 때, 27을 24+3으로 생각하여 계산해 보세요.

풀이 46+27=46+24+3=70+3=73

답 73

53 사탕 하나에 37원이고 풍선 하나에 51원입니다. 두 가지를 다 사려면 십 원짜리 동전 몇 개와 일원짜리 동전 몇 개가 필요할까요?

풀이 30+50=80, 7+1=8

답 십원 짜리: 8 개, 일원 짜리: 8 개

54 27+38의 계산에서 38을 40−2로 생각하여 계산하세요.

풀이 27+38=27+40−2=67−2=65

답 65

55 48+53을 여러 가지 방법으로 계산한 것입니다. 빈칸을 채우세요.

48+53=40+ 50 +8+3

= 90 + 11 = 101

엄마 Check 칭찬이나 노력할 점을 써 주세요.

맞힌 개수	지도 의견		확인란
개	나의 생각		

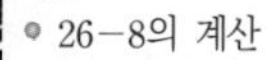

12일차 받아 내림이 있는 (두 자리 수)−(한 자리 수) ① 월 일

● 26−8의 계산

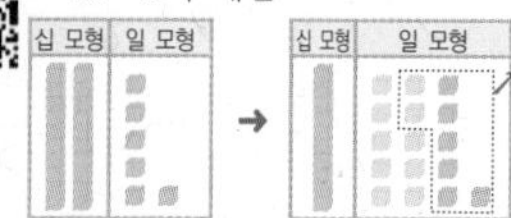

→ 일 모형에서 뺄 수 없으면 십 모형 1개를 일 모형 10개로 바꾸어 계산합니다.

세로셈 하기

	2	6
−		8

→ (1 10) 26 − 8 = 8 → (1 10) 26 − 8 = 18

핵심 포인트

- 1모형 10개를 10모형 1개로 바꿀 수 있습니다.
- 1의 자리 수끼리 뺄셈을 할 수 없으면 10을 받아 내림하여 계산하여 일의 자리에 남은 수를 씁니다. (16−8=8)
- 받아 내림하고 남은 수는 10의 자리에 내려씁니다. (2−1=1)

[01~06] 빈칸을 채우세요.

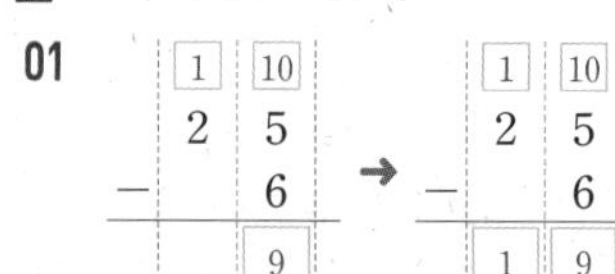

01 (1, 10) 25 − 6 = 9 → (1, 10) 25 − 6 = 19

04 (1, 10) 24 − 8 = 6 → (1, 10) 24 − 8 = 16

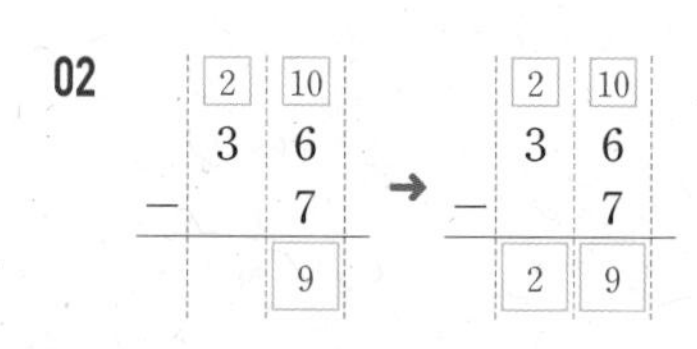

02 (2, 10) 36 − 7 = 9 → (2, 10) 36 − 7 = 29

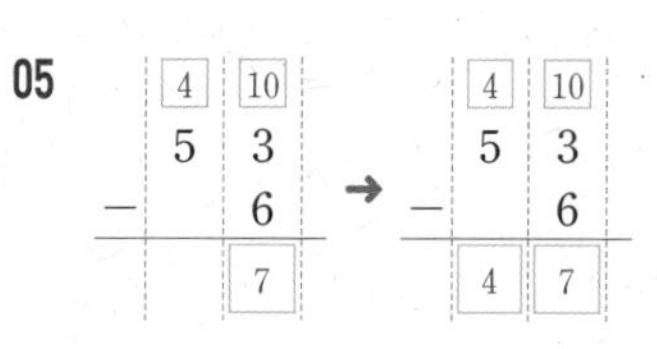

05 (4, 10) 53 − 6 = 7 → (4, 10) 53 − 6 = 47

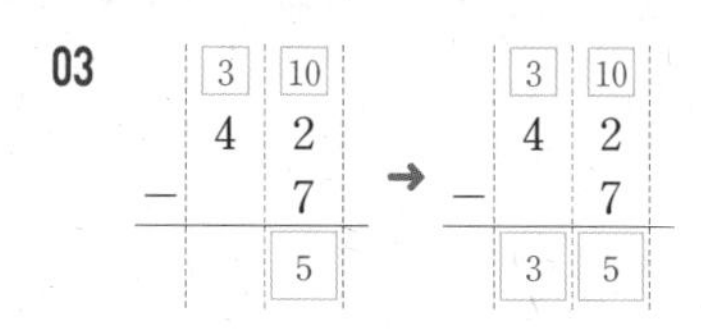

03 (3, 10) 42 − 7 = 5 → (3, 10) 42 − 7 = 35

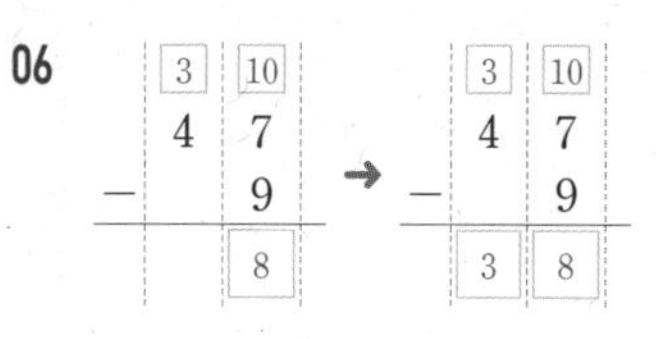

06 (3, 10) 47 − 9 = 8 → (3, 10) 47 − 9 = 38

계산력 강화하기

정확하게 풀어보아요

[07~24] 계산을 하세요.

07 23 − 5 = 18
08 16 − 7 = 9
09 43 − 9 = 34
10 16 − 8 = 8
11 15 − 8 = 7
12 23 − 7 = 16
13 64 − 7 = 57
14 54 − 5 = 49
15 24 − 7 = 17
16 52 − 8 = 44
17 27 − 8 = 19
18 53 − 5 = 48
19 31 − 9 = 22
20 36 − 9 = 27
21 25 − 6 = 19
22 33 − 7 = 26
23 46 − 9 = 37
24 47 − 9 = 38

사고력 확장 구조화 하기

구조화 하기를 연습하면 서술형도 쉽게 풀어요

[25~45] 빈칸을 채우세요.

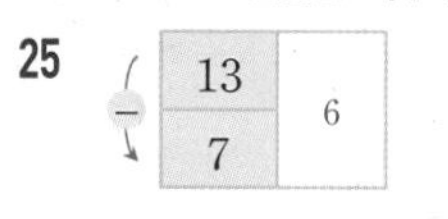

25 13 − 7 = 6

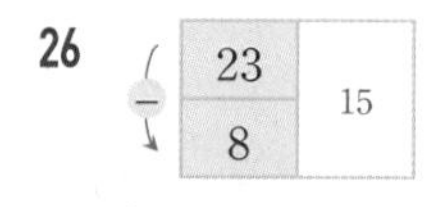

26 23 − 8 = 15

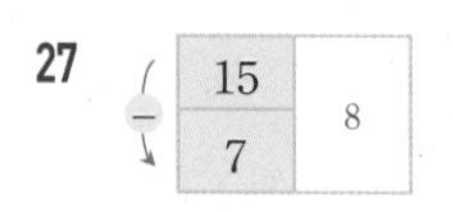

27 15 − 7 = 8
28 23 − 9 = 14
29 36 − 8 = 28
30 25 − 9 = 16
31 26 − 7 = 19
32 22 − 9 = 13
33 12 − 5 = 7
34 33 − 8 = 25
35 23 − 7 = 16
36 33 − 6 = 27
37 42 − 7 = 35
38 55 − 6 = 49
39 75 − 9 = 66
40 51 − 4 = 47
41 28 − 9 = 19
42 47 − 9 = 38
43 35 − 6 = 29
44 83 − 6 = 77
45 42 − 6 = 36

사고력 확장 서술형 풀어보기

구조화 해서 풀어보아요

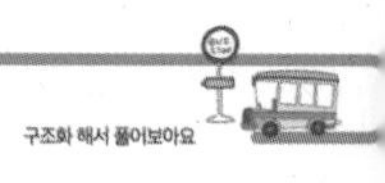

46 삶은 달걀 22개가 있는데 8개를 이웃집에 주었습니다. 남은 달걀은 몇 개일까요?

풀이과정

(1) (남은 달걀 개수)=(처음 달걀 22 개) −(이웃집에 준 달걀 8 개)입니다.

(2) 그러므로 14 개가 남았습니다.

22 − 8 = 14

[47~50] 풀이과정을 쓰고 답을 구하세요.

47 책상 위의 구슬 21개 가운데 5개를 서랍에 넣었습니다. 책상 위에 구슬이 몇 개 남아 있나요?

풀이 21−5=16

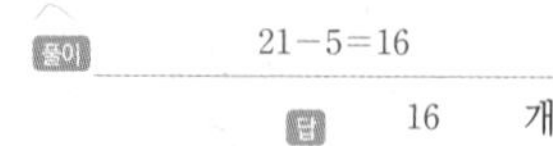

답 16 개

49 영수는 사탕 94개를 가지고 있습니다. 동생에게 9개를 주면 영수에게는 몇 개의 사탕이 남을까요?

풀이 94−9=85

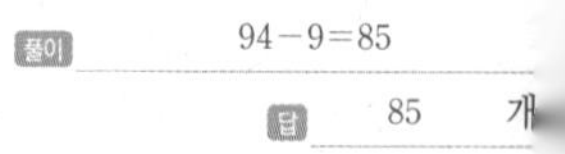

답 85 개

48 민아가 오늘 읽기로 한 책은 22쪽인데 지금까지 6쪽을 읽었습니다. 민아가 오늘 읽어야 할 책은 몇 쪽 남았을까요?

풀이 22−6=16

답 16 쪽

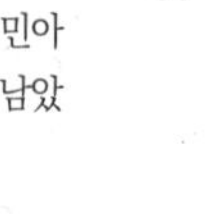

50 참새가 전깃줄에 46마리가 앉아 있다가 8마리가 날아갔습니다. 전깃줄에 남아 있는 참새는 몇 마리일까요?

풀이 46−8=38

답 38 마리

엄마 Check 칭찬이나 노력할 점을 써 주세요.

맞힌 개수	지도 의견		확인란
개	나의 생각		

받아 내림이 있는 (두 자리 수)−(한 자리 수) ②

월 일

- 37−8의 계산 가로셈 하기

방법 ①

① 일의 자리 계산: 10+7−8=9

② 십의 자리 계산: 30−10=20

→ 20+9=29

방법 ②

② ①
2 10
3 7 − 8=29

① 10+7−8=9

② 20(30이 일의 자리로 10을 받아 내림 한 후 20이 됨)

- 1의 자릿수끼리 뺄셈을 할 수 없으면 10을 받아 내림하여 계산하여 일의 자리에 남은 수를 씁니다.
- 받아 내림하고 남은 수와 10의 자리 수를 계산하여 10의 자리에 씁니다.

[01~14] 계산을 하세요.

01 (1 10) 2 3 − 8 = 15

02 (1 10) 2 4 − 7 = 17

03 (2 10) 3 6 − 9 = 27

04 (4 10) 5 2 − 6 = 46

05 (3 10) 4 2 − 4 = 38

06 (2 10) 3 4 − 7 = 27

07 (1 10) 2 2 − 5 = 17

08 (1 10) 2 3 − 9 = 14

09 (2 10) 3 3 − 7 = 26

10 (4 10) 5 6 − 8 = 48

11 (1 10) 2 4 − 6 = 18

12 (2 10) 3 3 − 8 = 25

13 (3 10) 4 2 − 7 = 35

14 (4 10) 5 4 − 6 = 48

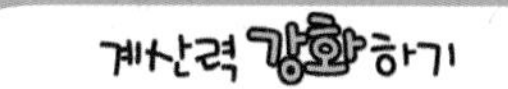

계산력 강화하기

정확하게 풀어보아요

[15~35] 계산을 하세요.

15 25−8=17

16 35−7=28

17 25−9=16

18 31−5=26

19 15−8=7

20 34−6=28

21 33−7=26

22 21−9=12

23 14−7=7

24 23−5=18

25 27−9=18

26 35−8=27

27 32−5=27

28 45−7=38

29 67−8=59

30 34−8=26

31 83−8=75

32 44−9=35

33 47−9=38

34 63−5=58

35 51−5=46

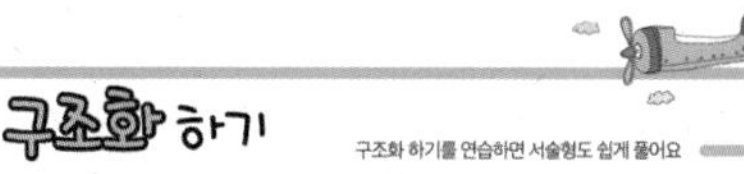

사고력 확장

구조화 하기

구조화 하기를 연습하면 서술형도 쉽게 풀어요

[36~49] 빈칸을 채우세요.

36 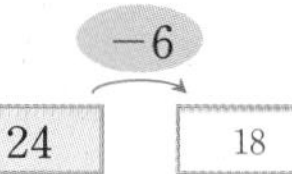 24 −6 → 18

37 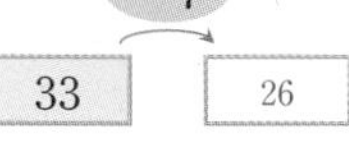 33 −7 → 26

38 35 −8 → 27

39 22 −5 → 17

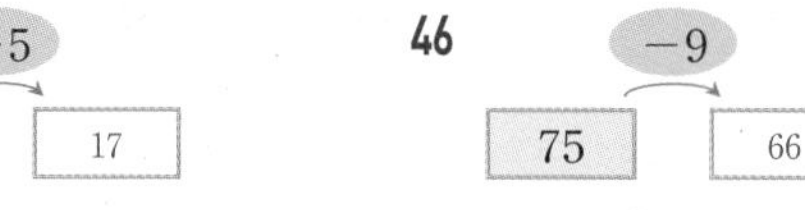

40 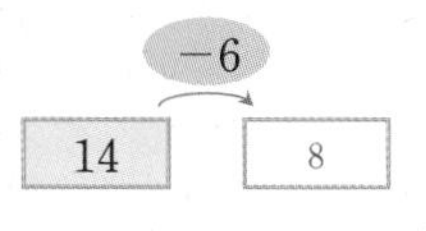 14 −6 → 8

41 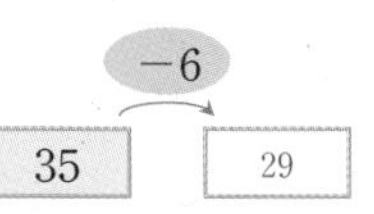 35 −6 → 29

42 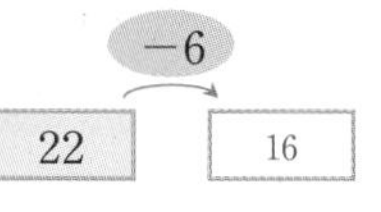 22 −6 → 16

43 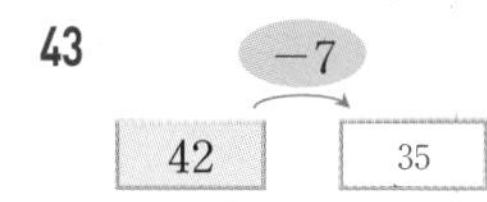 42 −7 → 35

44 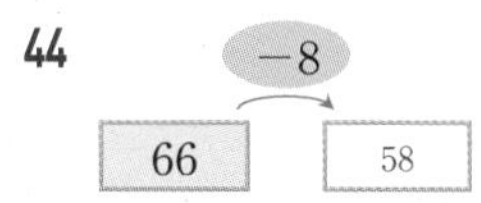 66 −8 → 58

45 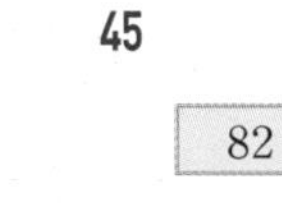 82 −6 → 76

46 75 −9 → 66

47 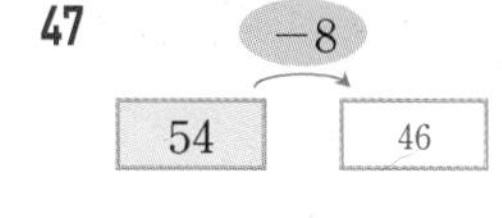 54 −8 → 46

48 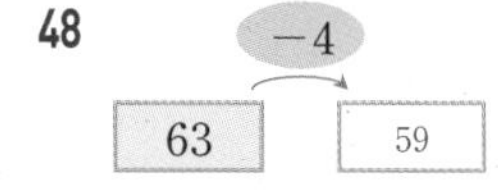 63 −4 → 59

49 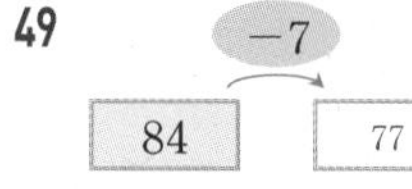 84 −7 → 77

사고력 확장

서술형 풀어보기

구조화 해서 풀어보아요

50 병아리가 24마리 있습니다. 그 중에 8마리는 얼룩무늬입니다. 얼룩무늬가 아닌 병아리는 몇 마리일까요?

풀이과정

(1) (전체 병아리 수)−(얼룩무늬 병아리 수)= 24 − 8 입니다.

(2) 계산하면 16 입니다.

(3) 그러므로 얼룩무늬가 아닌 병아리는 16 마리입니다.

[51~54] 풀이과정을 쓰고 답을 구하세요.

51 현우는 동화책 42쪽 가운데 7쪽을 읽었습니다. 읽지 못한 것은 몇 쪽일까요?

풀이 42−7=35

답 35 쪽

52 음료수 56병이 있습니다. 친구들이 7병을 마셨습니다. 음료수는 몇 병이 남을까요?

풀이 56−7=49

답 49 병

53 32명의 달리기 선수 가운데 5명이 달리기를 마쳤습니다. 아직 달리기를 하지 않은 선수는 몇 명일까요?

풀이 32−5=27

답 27 명

54 33장의 종이 가운데 6장을 사용했습니다. 종이는 몇 장이 남았을까요?

풀이 33−6=27

답 27 장

엄마 Check 칭찬이나 노력할 점을 써 주세요.

맞힌 개수	지도 의견		확인란
개	나의 생각		

14 일차 받아 내림이 있는 (몇십)−(몇십 몇) ① 월 일

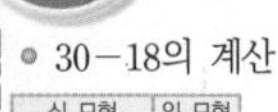

• 30−18의 계산

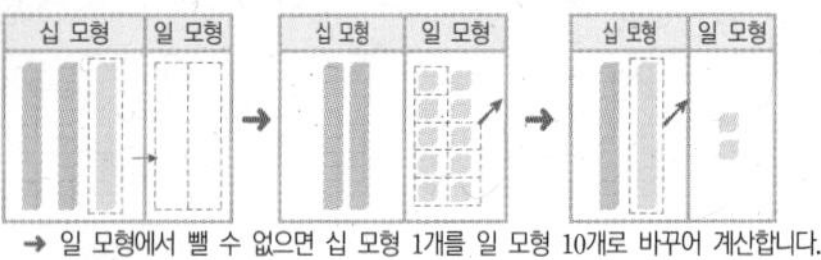
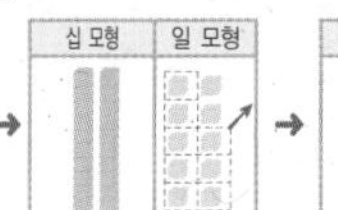

→ 일 모형에서 뺄 수 없으면 십 모형 1개를 일 모형 10개로 바꾸어 계산합니다.

세로셈 하기

$$\begin{array}{r} \scriptstyle 2\ 10 \\ 3\,0 \\ -\,1\,8 \\ \hline \end{array} \rightarrow \begin{array}{r} \scriptstyle 2\ 10 \\ 3\,0 \\ -\,1\,8 \\ \hline 2 \end{array} \rightarrow \begin{array}{r} \scriptstyle 2\ 10 \\ 3\,0 \\ -\,1\,8 \\ \hline 1\,2 \end{array}$$

핵심 포인트

- 1의 자릿수끼리 뺄셈을 할 수 없으면 10을 받아 내림하여 계산하여 일의 자리에 남은 수를 씁니다. (10−8=2)
- 받아 내림한 원래의 수는 반드시 1을 뺀 수로 고쳐 두세요.
- 받아 내림하고 남은 수와 아래의 수를 계산하여 10의 자리에 내려 씁니다. (2−1=1)

(01~06) 빈칸을 채우세요.

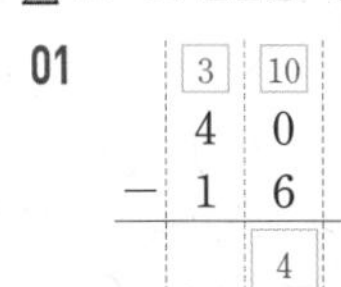
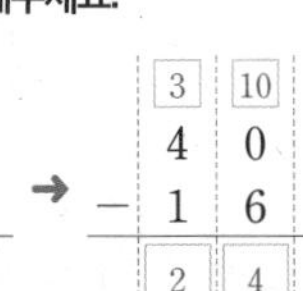
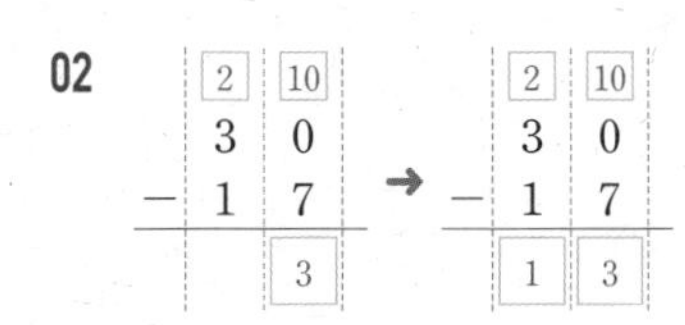
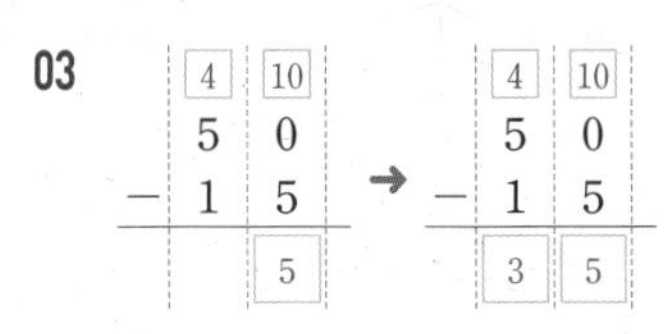
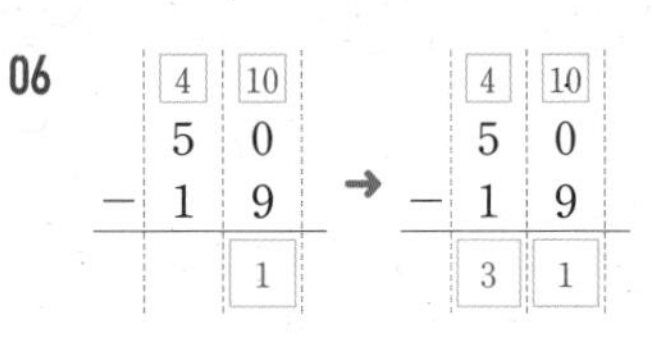

번호	받아 내림	식	일의 자리	답
01	3, 10	40 − 16	4	24
02	2, 10	30 − 17	3	13
03	4, 10	50 − 15	5	35
04	2, 10	30 − 13	7	17
05	3, 10	40 − 26	4	14
06	4, 10	50 − 19	1	31

계산력 강화하기

정확하게 풀어보아요

(07~24) 계산을 하세요.

번호	식	답	번호	식	답	번호	식	답
07	30 − 15	15	13	60 − 29	31	19	70 − 29	41
08	30 − 17	13	14	50 − 35	15	20	60 − 27	33
09	40 − 19	21	15	40 − 29	11	21	70 − 36	34
10	50 − 17	33	16	40 − 15	25	22	80 − 47	33
11	50 − 26	24	17	50 − 18	32	23	90 − 29	61
12	30 − 18	12	18	60 − 14	46	24	80 − 17	63

사고력 확장

구조화 하기

구조화 하기를 연습하면 서술형도 쉽게 풀어요

(25~45) 빈칸을 채우세요.

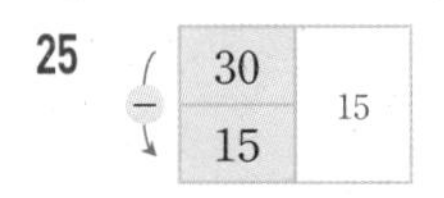
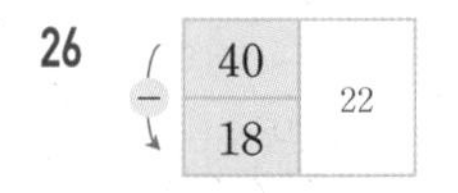
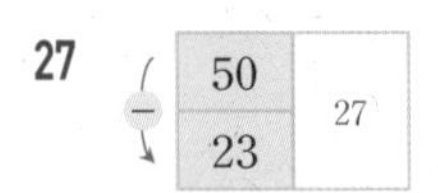
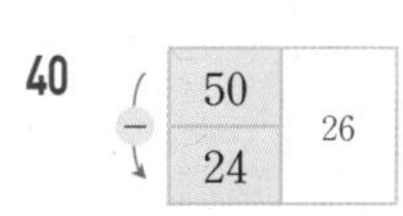

번호	위	아래	답	번호	위	아래	답	번호	위	아래	답
25	30	15	15	32	70	33	37	39	40	15	25
26	40	18	22	33	60	32	28	40	50	24	26
27	50	23	27	34	50	18	32	41	80	44	36
28	60	26	34	35	50	25	25	42	40	21	19
29	30	11	19	36	60	28	32	43	90	66	24
30	70	24	46	37	50	27	23	44	80	57	23
31	80	27	53	38	60	36	24	45	90	24	66

사고력 확장

서술형 풀어보기

구조화 해서 풀어보아요

46 70개의 바나나 가운데 35개를 원숭이에게 주었습니다. 남은 바나나는 몇 개일까요?

풀이과정

(1) (처음 바나나의 개수)−(원숭이에게 준 바나나의 개수)= 70 − 35 입니다.

(2) 계산하면 35 입니다.

(3) 그러므로 바나나는 35 개가 남았습니다.

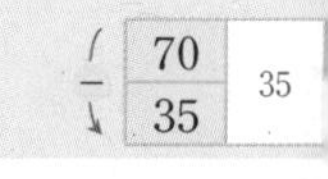

(47~50) 풀이과정을 쓰고 답을 구하세요.

47 학급 문고에 책이 50권 있습니다. 이 가운데 15권을 친구들이 빌려 갔습니다. 학급 문고에 책은 몇 권이 남아 있을까요?

풀이 50−15=35

답 35 권

49 60일에 끝낼 일을 친구들이 도와주어 25일 만에 마쳤습니다. 예정보다 며칠을 빨리 일을 끝낸 건가요?

풀이 60−25=35

답 35 일

48 사탕 50개 가운데 13개를 동생이 먹었습니다. 사탕은 몇 개가 남아 있을까요?

풀이 50−13=37

답 37 개

50 고구마가 40개 있었는데 우리 가족이 17개를 먹었습니다. 남은 고구마는 몇 개일까요?

풀이 40−17=23

답 23

엄마 Check 칭찬이나 노력할 점을 써 주세요.

맞힌 개수	지도 의견		확인
개	나의 생각		

- 40−28의 계산

가로셈 하기

① 일의 자리 계산: 10−8=2

② 십의 자리 계산: 30(=40−10)−20=10

→ 10+2=12

① 1의 자릿수끼리 뺄셈을 할 수 없으면 10을 받아 내림하여 계산하여 일의 자리에 남은 수를 씁니다.
② 받아 내림하고 남은 수와 10의 자리의 수를 계산하여 씁니다. (3−2=1)

핵심 포인트

- 받아 내림한 수의 십의 자리는 반드시 1을 뺀 수로 고칩니다.

3 10
40−28 ⌐10−8 └30−20
→ 12

(01~06) 빈칸을 채우세요.

01 50−23
① 10−3= 7
② 40 −20= 20
→ 20 + 7 = 27

02 30−12
① 10−2= 8
② 20 −10= 10
→ 10 + 8 = 18

03 60−36
① 10−6= 4
② 50 −30= 20
→ 20 + 4 = 24

04 90−18
① 10−8= 2
② 80 −10= 70
→ 70 + 2 = 72

05 90−48
① 10−8= 2
② 80 −40= 40
→ 40 + 2 = 42

06 80−49
① 10−9= 1
② 70 −40= 30
→ 30 + 1 = 31

계산력 강화하기

정확하게 풀어보아요

(07~27) 계산을 하세요.

07 30−15=15
08 40−17=23
09 50−18=32
10 60−12=48
11 70−23=47
12 50−34=16
13 40−29=11
14 90−26=64
15 50−29=21
16 40−16=24
17 50−18=32
18 60−19=41
19 40−11=29
20 60−29=31
21 70−33=37
22 50−24=26
23 90−23=67
24 80−45=35
25 80−11=69
26 70−22=48
27 60−17=43

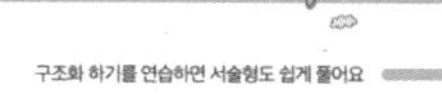

사고력 확장 **구조화 하기**

구조화 하기를 연습하면 서술형도 쉽게 풀어요

(28~41) 빈칸을 채우세요.

28 40 −18 → 22
29 50 −23 → 27
30 40 −28 → 12
31 60 −23 → 37
32 30 −12 → 18
33 50 −35 → 15
34 40 −21 → 19
35 30 −17 → 13
36 50 −33 → 17
37 90 −53 → 37
38 60 −39 → 21
39 70 −25 → 45
40 80 −58 → 22
41 70 −32 → 38

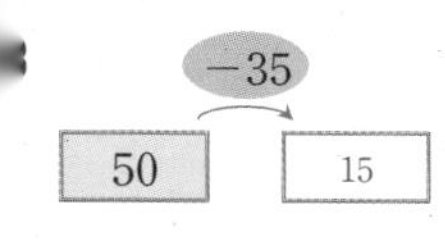

사고력 확장 **서술형 풀어보기**

구조화 해서 풀어보아요

42 딸기 50개를 동생과 나누려고 합니다. 동생 몫으로 22개를 주기로 했을 때, 내 몫은 몇 개가 될까요?

풀이과정
(1) 딸기 50 개 있습니다.
(2) 동생 몫으로 22 개를 주기로 했습니다.
(3) 나의 몫은 50 − 22 = 28 개입니다.

50 −22 → 28

(43~46) 풀이과정을 쓰고 답을 구하세요.

43 바구니에 붉은색 사탕과 흰색 사탕 60개가 섞여 있습니다. 붉은색 사탕이 22개이면 흰색 사탕은 몇 개일까요?
풀이 60−22=38
답 38 개

44 90걸음을 걷기로 하고 33걸음을 걸었다면 앞으로 몇 걸음을 더 걸어야 할까요?
풀이 90−33=57
답 57 걸음

45 버스에 40명이 탈 수 있습니다. 현재 23명이 타고 있다면 몇 명이 더 탈 수 있나요?
풀이 40−23=17
답 17 명

46 어머니는 40살이고 형은 13살입니다. 어머니와 형의 나이 차이는 몇 살일까요?
풀이 40−13=27
답 27 살

연마 Check 칭찬이나 노력할 점을 써 주세요.

맞힌 개수	지도 의견		확인란
개	나의 생각		

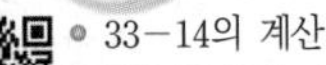

● 33−14의 계산

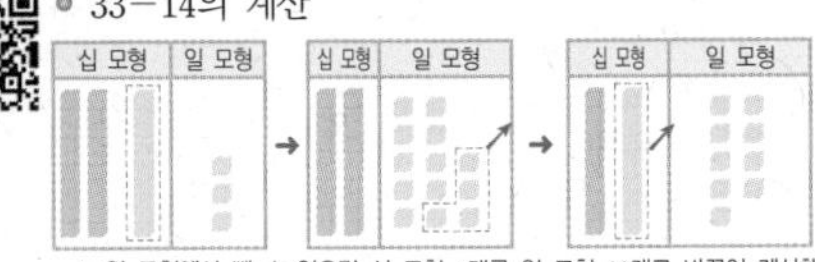

→ 일 모형에서 뺄 수 없으면 십 모형 1개를 일 모형 10개로 바꾸어 계산해요.

세로셈 하기

2 10 / 33 − 14 =	→	2 10 / 33 − 14 = 9	→	2 10 / 33 − 14 = 19

핵심 포인트

- 1의 자리 수끼리 뺄셈을 할 수 없으면 10을 받아 내림하여 계산하여 일의 자리에 남은 수를 씁니다. (13−4=9)
- 받아 내림한 수의 10의 자리는 반드시 1을 뺀 수로 고칩니다.
- 받아 내림하고 남은 수와 아래의 수를 계산하여 10의 자리에 내려 씁니다. (2−1=1)

(01~06) 빈칸을 채우세요.

01 (3, 10) 47 − 19 = 8 → 47 − 19 = 28

02 (2, 10) 35 − 17 = 8 → 35 − 17 = 18

03 (4, 10) 52 − 15 = 7 → 52 − 15 = 37

04 (3, 10) 45 − 18 = 7 → 45 − 18 = 27

05 (4, 10) 54 − 26 = 8 → 54 − 26 = 28

06 (5, 10) 62 − 19 = 3 → 62 − 19 = 43

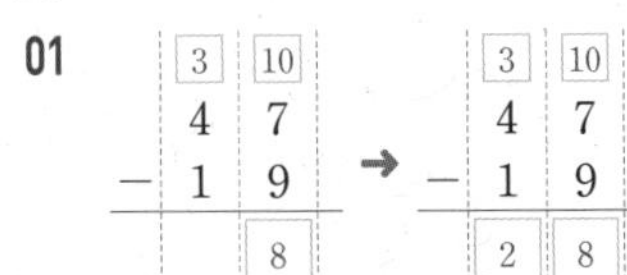

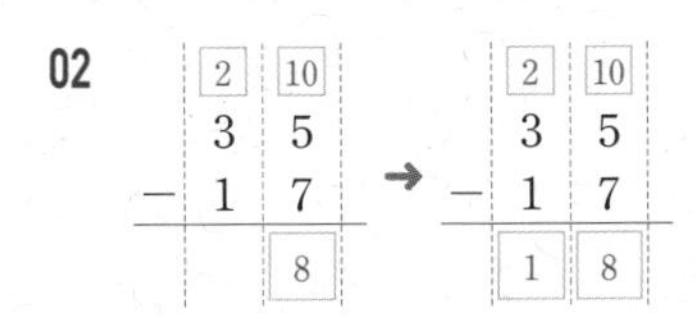

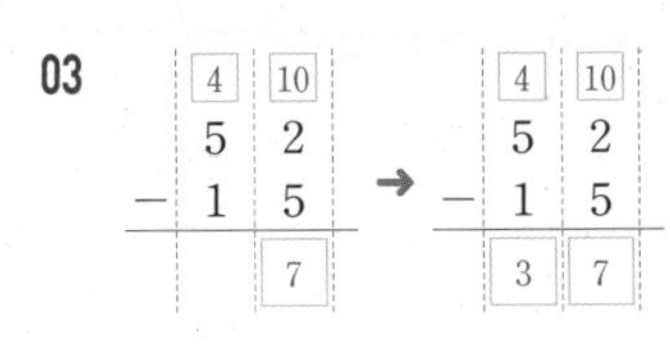

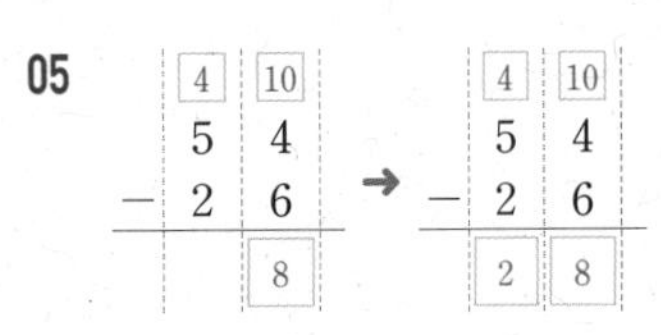

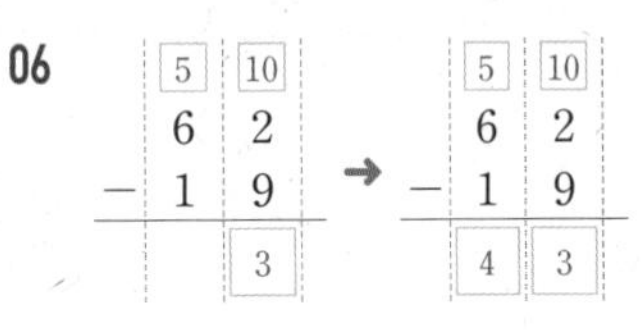

계산력 강화하기

정확하게 풀어보아요

(07~24) 두 수를 뺄셈하여 빈칸에 쓰세요.

07 54 − 28 = 26

08 36 − 17 = 19

09 65 − 29 = 36

10 53 − 35 = 18

11 62 − 19 = 43

12 32 − 14 = 18

13 43 − 18 = 25

14 37 − 19 = 18

15 41 − 13 = 28

16 63 − 34 = 29

17 43 − 16 = 27

18 74 − 38 = 36

19 72 − 46 = 26

20 86 − 38 = 48

21 76 − 57 = 19

22 77 − 48 = 29

23 93 − 29 = 64

24 86 − 57 = 29

사고력 확장

구조화 하기

구조화 하기를 연습하면 서술형도 쉽게 풀어요

(25~45) 두 수를 뺄셈하여 빈칸에 쓰세요.

번호	위	아래 왼쪽	아래 오른쪽
25	35	17	18
26	43	18	25
27	52	23	29
28	64	26	38
29	76	17	59
30	73	24	49
31	51	24	27
32	76	38	38
33	65	37	28
34	97	29	68
35	51	15	36
36	60	28	32
37	63	44	19
38	64	37	27
39	55	27	28
40	36	18	18
41	44	27	17
42	65	19	46
43	67	28	39
44	87	29	58
45	95	28	67

사고력 확장

서술형 풀어보기

구조화 해서 풀어보아요

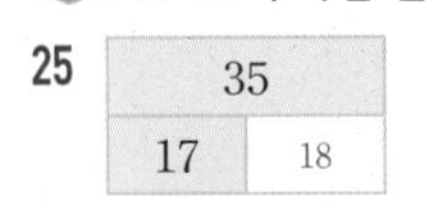

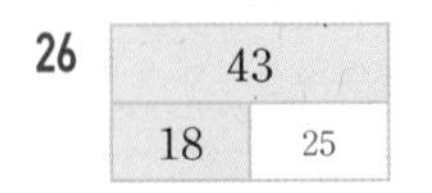

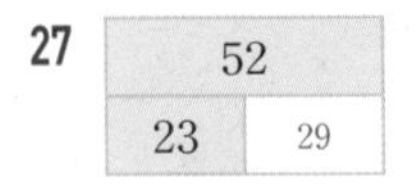

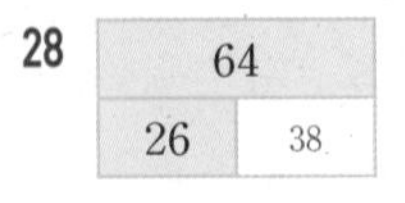

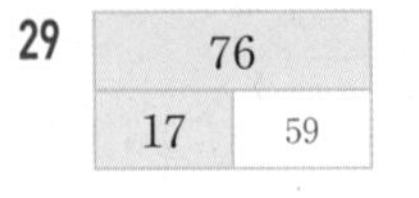

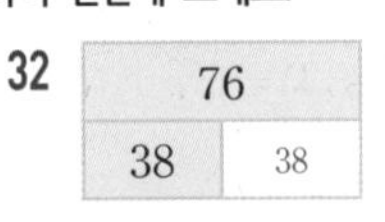

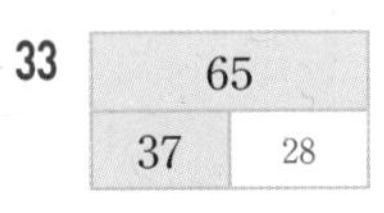

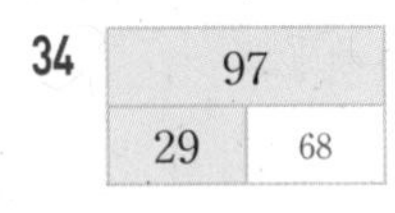

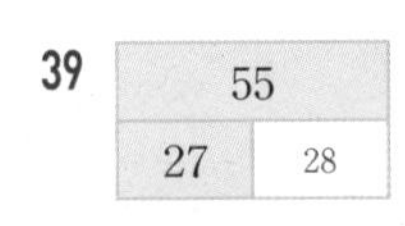

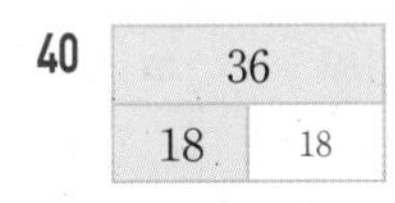

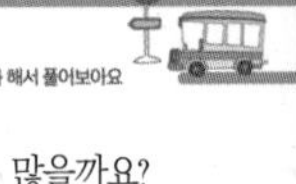

46 아버지는 43살, 삼촌은 27살입니다. 아버지는 삼촌보다 몇 살 더 많을까요?

풀이과정

(1) 아버지의 나이는 43 살입니다.

(2) 삼촌의 나이는 27 살입니다.

(3) 아버지는 삼촌보다 43 − 27 = 16 살 더 많습니다.

43	
27	16

(47~50) 풀이과정을 쓰고 답을 구하세요.

47 운동장에 모인 학생 63명 가운데 축구만 좋아하는 학생이 37명이고 나머지는 야구만 좋아한다고 합니다. 야구만 좋아하는 학생은 몇 명일까요?

풀이 63−37=26

답 26 명

48 유리 컵이 53개가 있습니다. 이 중에서 15개를 강아지가 깨트렸습니다. 유리 컵은 몇 개가 남아 있을까요?

풀이 53−15=38

답 38 개

49 우리 학교는 3학년이 92명, 2학년이 67명입니다. 3학년이 2학년보다 몇 명 더 많은가요?

풀이 92−67=25

답 25 명

50 아몬드 34개 가운데 16개를 먹었으면, 남은 아몬드는 모두 몇 개일까요?

풀이 34−16=18

답 18

엄마 Check 칭찬이나 노력할 점을 써 주세요.

맞힌 개수	지도 의견		확인란
개	나의 생각		

받아 내림이 있는 (두 자리 수)−(두 자리 수) ② 월 일

● 62−28의 계산

가로셈 하기

① 일의 자리 계산: 10+2−8=4

② 십의 자리 계산: 60−10−20=30

→ 30+4=34

① 1의 자릿수끼리 뺄셈을 할 수 없으면 10을 받아 내림하여 계산하여 일의 자리에 남은 수를 씁니다. (12−8=4)

② 받아 내림하고 남은 수와 아래의 수를 계산하여 10의 자리에 내려씁니다. (5−2=3)

핵심 포인트

- 받아 내림한 십의 자리 수는 반드시 10을 뺀 수로 고칩니다.
- 자릿값을 틀리지 않도록 주의합니다.

(01~06) 빈칸을 채우세요.

01 45−26
① 15 −6= 9
② 30 −20= 10
→ 10 + 9 = 19

02 63−35
① 13 −5= 8
② 50 −30= 20
→ 20 + 8 = 28

03 43−27
① 13 −7= 6
② 30 −20= 10
→ 10 + 6 = 16

04 51−23
① 11 −3= 8
② 40 −20= 20
→ 20 + 8 = 28

05 32−13
① 12 −3= 9
② 20 −10= 10
→ 10 + 9 = 19

06 82−59
① 12 −9= 3
② 70 −50= 20
→ 20 + 3 = 23

계산력 강화하기

정확하게 풀어보아요

(07~27) 계산을 하세요.

07 35−19=16
08 43−26=17
09 32−19=13
10 92−65=27
11 63−25=38
12 62−46=16
13 72−36=36
14 93−49=44
15 77−38=39
16 42−16=26
17 51−39=12
18 58−29=29
19 42−18=24
20 63−35=28
21 75−59=16
22 64−38=26
23 93−59=34
24 86−28=58
25 46−28=18
26 73−58=15
27 86−17=69

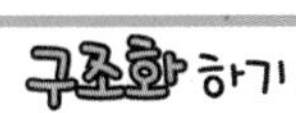

사고력 확장 구조화 하기

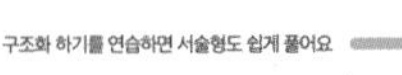

구조화 하기를 연습하면 서술형도 쉽게 풀어요

(28~41) 빈칸을 채우세요.

28 −23: 42 → 19

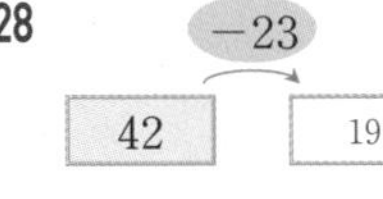

29 −33: 51 → 18

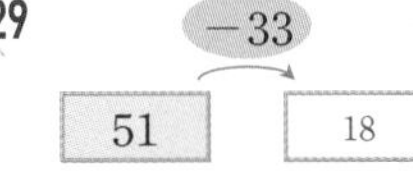

30 −18: 36 → 18

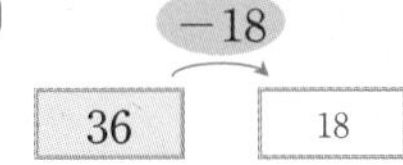

31 −26: 53 → 27

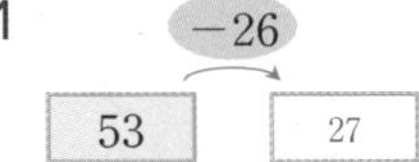

32 −35: 63 → 28

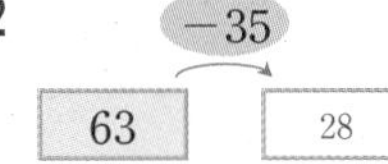

33 −39: 66 → 27

34 −28: 62 → 34

35 −58: 82 → 24

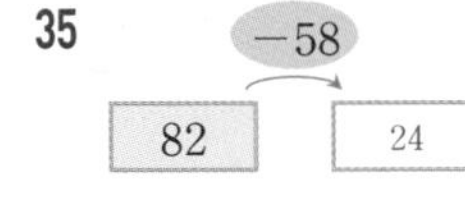

36 −27: 75 → 48

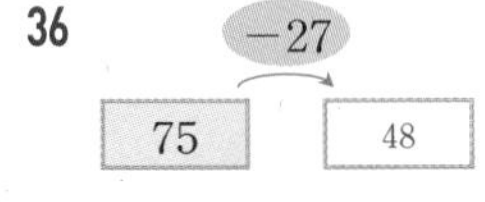

37 −27: 42 → 15

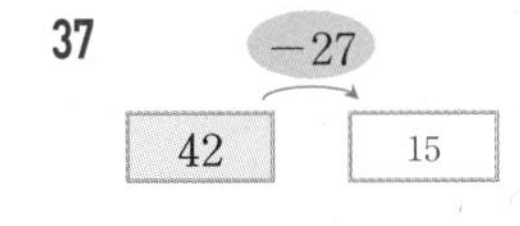

38 −17: 35 → 18

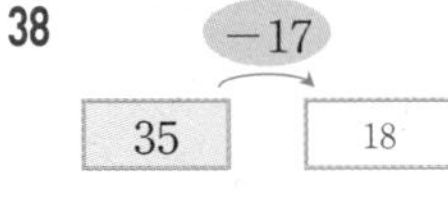

39 −37: 55 → 18

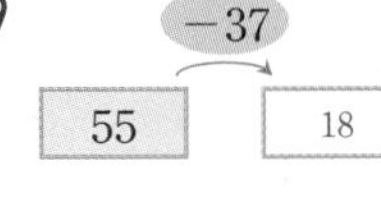

40 −39: 75 → 36

41 −56: 93 → 37

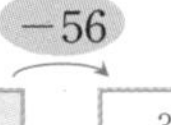

사고력 확장 서술형 풀어보기

구조화 해서 풀어보아요

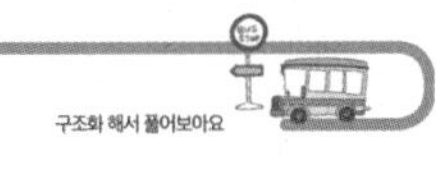

42 거북이는 62살이고, 코끼리는 16살입니다. 코끼리가 거북이의 현재 나이만큼 되려면 몇 년을 더 살아야 할까요?

풀이과정

(1) 거북이의 나이는 62 살입니다.
(2) 코끼리의 나이는 16 살입니다.
(3) 그러므로 62 − 16 = 46 년을 더 살아야 합니다.

−16: 62 → 46

(43~46) 풀이과정을 쓰고 답을 구하세요.

43 원숭이에게 사과 53개를 아침과 점심에 나누어 주려고 합니다. 아침에 27개를 주었다면 점심에는 몇 개를 줄 수 있을까요?

풀이 53−27=26

답 26 개

44 주차장에 자동차를 52대까지 댈 수 있습니다. 빈자리가 17개가 있다면 현재 주차장에는 차가 몇 대가 있을까요?

풀이 52−17=35

답 35 대

45 우리 반은 모두 32명입니다. 남학생이 17명이면 여학생은 몇 명일까요?

풀이 32−17=15

답 15 명

46 지난달에는 칭찬 스티커를 36장 받았고, 이번 달은 오늘까지 19장 받았습니다. 지난달 만큼 받으려면 몇 장을 더 모아야 할까요?

풀이 36−19=17

답 17 장

엄마 Check 칭찬이나 노력할 점을 써 주세요.

맞힌 개수	지도 의견		확인란
개	나의 생각		

18일차 여러 가지 방법으로 뺄셈

월 일

• 62−36의 계산

방법① 62에 30을 빼고 6을 더 빼기
62−30−6=32−6=26

방법② 62에서 32를 빼고 4를 더 빼기
62−32−4=30−4=26

방법③ 62를 60과 2로 갈라 60에서 36을 빼고 2를 더하기
60−36+2=24+2=26

방법④ 36을 40으로 생각하고 62에서 40을 뺀 뒤, 4를 더하기
62−40+4=22+4=26

[01~14] 방법①로 계산하세요.

01 30−15=30−10− 5 = 15

02 50−22=50−20− 2 = 28

03 30−16=30−10− 6 = 14

04 50−27=50−20− 7 = 23

05 40−29=40−20− 9 = 11

06 50−31=50−30− 1 = 19

07 60−33=60−30− 3 = 27

08 42−15=42−10− 5 = 27

09 35−25=35−20− 5 = 10

10 56−23=56−20− 3 = 33

11 72−35=72−30− 5 = 37

12 88−44=88−40− 4 = 44

13 64−15=64−10− 5 = 49

14 83−45=83−40− 5 = 38

계산력 강화하기

정확하게 풀어보아요

[15~36] 방법②로 계산하세요.

15 42−15=42−12− 3 = 27

16 51−12=51−11− 1 = 39

17 43−16=43−13− 3 = 27

18 65−27=65−25− 2 = 38

19 47−29=47−27− 2 = 18

20 50−31=50−30− 1 = 19

21 61−33=61−31− 2 = 28

22 44−17=44−14− 3 = 27

23 52−25=52−22− 3 = 27

24 83−26=83−23− 3 = 57

25 61−25=61−21− 4 = 36

26 62−38=62−32− 6 = 24

27 53−37=53−33− 4 = 16

28 56−27=56−26− 1 = 29

29 82−45=82−42− 3 = 37

30 68−49=68−48− 1 = 19

31 75−47=75−45− 2 = 28

32 83−69=83−63− 6 = 14

33 76−17=76−16− 1 = 59

34 94−37=94−34− 3 = 57

35 88−39=88−38− 1 = 49

36 81−55=81−51− 4 = 26

계산력 강화하기

정확하게 풀어보아요

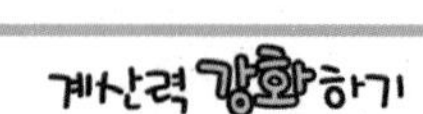

[37~43] 방법③으로 계산하세요.

37 35−17=30−17+ 5 = 18

38 74−45=70−45+ 4 = 29

39 56−17=50−17+ 6 = 39

40 62−28=60−28+ 2 = 34

41 52−34=50−34+ 2 = 18

42 41−26=40−26+ 1 = 15

43 36−19=30−19+ 6 = 17

[44~50] 방법④로 계산하세요.

44 63−38=63−40+ 2 = 25

45 62−18=62−20+ 2 = 44

46 93−65=93−70+ 5 = 28

47 96−67=96−70+ 3 = 29

48 84−68=84−70+ 2 = 16

49 73−26=73−30+ 4 = 47

50 95−18=95−20+ 2 = 77

사고력 확장

서술형 풀어보기

구조화 해서 풀어보아요

51 54를 50+4로 생각하고 54−28을 계산하려 합니다. 빈칸에 알맞은 수를 쓰세요.

풀이과정

(1) 54= 50 + 4

(2) 54−28=50−28+ 4 = 22 + 4 = 26

[52~55] 다음 물음에 답하세요.

52 27을 20+7로 생각하고 45−27을 계산하려 합니다. 빈칸에 알맞은 수를 쓰세요.

➜ 45−27=45− 20 −7
= 25 −7= 18

53 45−28을 계산할 때, 28을 30으로 생각하여 계산하려 합니다. 빈칸에 알맞은 수를 쓰세요.

➜ 45−28=45−30+ 2
= 15 + 2 = 17

54 62−26을 여러 가지 방법으로 계산한 것입니다. 빈칸에 알맞은 수를 써넣으세요.

➜ 62−26=62−22− 4
= 40 − 4 = 36

55 53−17을 여러 가지 방법으로 계산한 것입니다. 빈칸에 알맞은 수를 써넣으세요.

➜ 53−17=50−17+ 3
= 33 + 3 = 36

엄마 Check 칭찬이나 노력할 점을 써 주세요.

맞힌 개수	지도 의견		확인란
개	나의 생각		

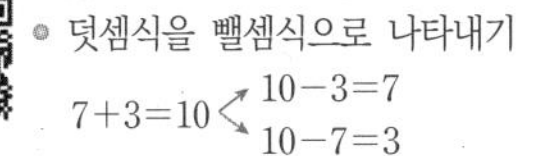

덧셈과 뺄셈의 관계

월 일

- 덧셈식을 뺄셈식으로 나타내기

7+3=10 < 10−3=7 / 10−7=3

→ 덧셈식 7+3=10을 뺄셈식 10−3=7과 10−7=3으로 나타낼 수 있다.

- 뺄셈식을 덧셈식으로 나타내기

10−7=3 < 3+7=10 / 7+3=10

→ 뺄셈식 10−7=3을 덧셈식 3+7=10과 7+3=10으로 나타낼 수 있다.

핵심 포인트

- 덧셈식을 뺄셈식으로: ▲+■=● < ●−▲=■ / ●−■=▲
- 뺄셈식을 덧셈식으로: ●−■=▲ < ▲+■=● / ■+▲=●

(01~10) 덧셈식을 뺄셈식으로 나타내세요.

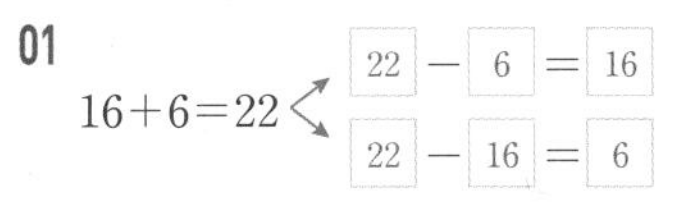

01 16+6=22 < 22−6=16 / 22−16=6

02 12+5=17 < 17−5=12 / 17−12=5

03 26+5=31 < 31−5=26 / 31−26=5

04 16+4=20 < 20−4=16 / 20−16=4

05 7+6=13 < 13−6=7 / 13−7=6

06 8+6=14 < 14−6=8 / 14−8=6

07 6+9=15 < 15−9=6 / 15−6=9

08 36+6=42 < 42−6=36 / 42−36=6

09 13+6=19 < 19−6=13 / 19−13=6

10 12+6=18 < 18−6=12 / 18−12=6

계산력 강화하기

정확하게 풀어보아요

(11~24) 뺄셈식을 덧셈식으로 나타내세요.

11 12−7=5 < 7+5=12 / 5+7=12

12 11−6=5 < 6+5=11 / 5+6=11

13 13−4=9 < 4+9=13 / 9+4=13

14 23−7=16 < 7+16=23 / 16+7=23

15 25−9=16 < 9+16=25 / 16+9=25

16 23−5=18 < 5+18=23 / 18+5=23

17 32−7=25 < 7+25=32 / 25+7=32

18 28−19=9 < 19+9=28 / 9+19=28

19 16−7=9 < 7+9=16 / 9+7=16

20 45−23=22 < 23+22=45 / 22+23=45

21 28−16=12 < 16+12=28 / 12+16=28

22 16−11=5 < 11+5=16 / 5+11=16

23 32−15=17 < 15+17=32 / 17+15=32

24 27−13=14 < 13+14=27 / 14+13=27

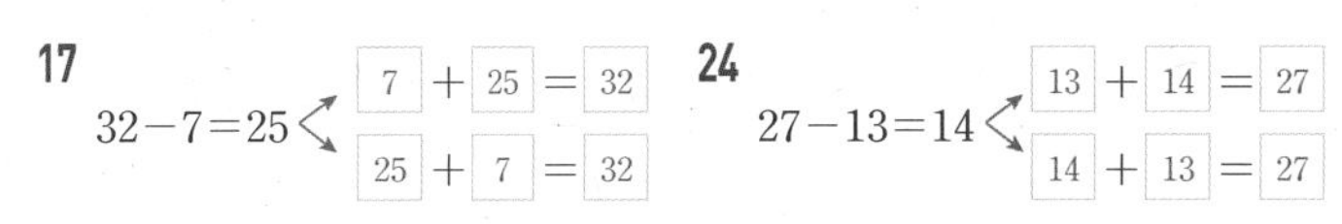

계산력 강화하기

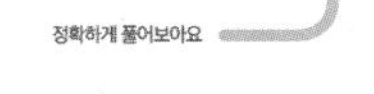

(25~31) 뺄셈식으로 나타내세요.

25 [38]+15=53 < 53−15=38 / 53−38=15

26 [35]+16=51 < 51−16=35 / 51−35=16

27 [28]+12=40 < 40−12=28 / 40−28=12

28 [58]+17=75 < 75−17=58 / 75−58=17

29 [63]+7=70 < 70−7=63 / 70−63=7

30 [28]+13=41 < 41−13=28 / 41−28=13

31 [42]+15=57 < 57−15=42 / 57−42=15

(32~38) 덧셈식으로 나타내세요.

32 [62]−32=30 < 30+32=62 / 32+30=62

33 [25]−15=10 < 10+15=25 / 15+10=25

34 [32]−12=20 < 20+12=32 / 12+20=32

35 [43]−21=22 < 22+21=43 / 21+22=43

36 [18]−7=11 < 11+7=18 / 7+11=18

37 [58]−15=43 < 43+15=58 / 15+43=58

38 [32]−15=17 < 17+15=32 / 15+17=32

사고력 확장

서술형 풀어보기

구조화 해서 풀어보아요

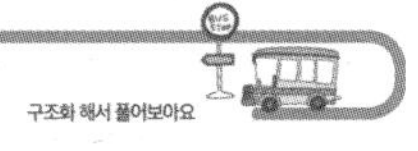

39 민우는 곶감 16개 중에서 7개를 먹었습니다. 빈칸을 채우세요.

풀이과정

(1) 민우가 먹고 남은 곶감이 몇 개인지 뺄셈식으로 쓰면 16−[7]=[9]입니다.

(2) 민우가 먹기 전에 곶감은 모두 몇 개였는지 덧셈식으로 나타내면 [7]+9=[16], 또는 [9]+[7]=[16]입니다.

(40~43) 풀이과정을 쓰고 답을 구하세요.

40 덧셈식을 뺄셈식으로 고친 식입니다. 빈칸을 채우세요.

26+17=[43]

→ [43]−26=[17]

→ [43]−[17]=26

41 식탁에 고구마 17개와 감자 18개가 있습니다. 다음 물음에 답하세요.

(1) 고구마와 감자의 개수는 모두 몇 개인지 식으로 나타내세요.

답 17+18=35

(2) (1)에서 만든 덧셈식을 뺄셈식으로 나타내세요.

답 35−17=18 또는 35−18=17

42 다영이는 사탕을 53개 가지고 있었는데 그중에서 28개를 먹었습니다.

(1) 남은 사탕은 몇 개인지 식으로 나타내세요.

답 53−28=25

(2) (1)에서 만든 뺄셈식을 덧셈식으로 나타내세요.

답 28+25=53 또는 25+28=53

43 초콜릿 상자를 뜯어, 초콜릿을 동생이 14개, 내가 13개를 먹으니 상자가 비었습니다. 물음에 답하세요.

(1) 처음 상자의 초콜릿은 모두 몇 개였는지 식으로 나타내세요.

답 14+13=27

(2) (1)에서 만든 덧셈식을 뺄셈식으로 나타내세요.

답 27−13=14 또는 27−14=13

연마 Check 칭찬이나 노력할 점을 써 주세요.

맞힌 개수	지도 의견		확인란
개	나의 생각		

20일차 덧셈식에서 □의 값 구하기

월 일

- 귤이 7개 있었는데 오늘 아버지가 더 사 오셔서 20개가 되었습니다. 오늘 아버지가 사 오신 귤은 몇 개일까요?

① 덧셈식으로 나타내기 → 7+□=20

② □의 값 구하기(뺄셈식으로 바꾸어 구하기) → 20−7=□

핵심포인트
- 처음 귤의 수: 7개
- 더 사 온 귤의 수: □개
- 식으로 나타내면 7+□=20
- □의 값을 구하면 20−7=□, 그러므로 □=13

(01~15) 빈칸을 채우세요.

01 13+[8]=21　06 23+[10]=33　11 16+[5]=21

02 15+[7]=22　07 18+[8]=26　12 32+[4]=36

03 18+[5]=23　08 21+[3]=24　13 40+[3]=43

04 18+[10]=28　09 19+[5]=24　14 27+[7]=34

05 16+[7]=23　10 33+[3]=36　15 51+[8]=59

계산력 강화하기

정확하게 풀어보아요

(16~42) 빈칸을 채우세요.

16 [8]+33=41　25 [26]+15=41　34 [47]+19=66

17 [12]+15=27　26 [16]+16=32　35 [57]+16=73

18 [5]+36=41　27 [27]+14=41　36 [44]+35=79

19 [53]+10=63　28 [42]+19=61　37 [41]+54=95

20 [23]+7=30　29 [33]+28=61　38 [76]+8=84

21 [22]+13=35　30 [25]+18=43　39 [62]+27=89

22 [13]+30=43　31 [43]+38=81　40 [52]+39=91

23 [8]+16=24　32 [30]+14=44　41 [51]+35=86

24 [32]+25=57　33 [64]+27=91　42 [58]+39=97

사고력 확장 구조화 하기

구조화 하기를 연습하면 서술형도 쉽게 풀어요

(43~56) 빈칸을 채우세요.

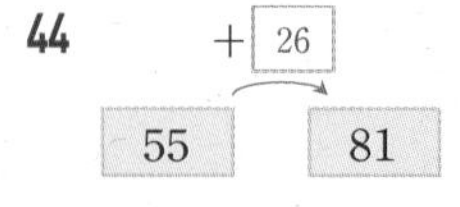

43 +[27]: 34 → 61　50 +[16]: 67 → 83

44 +[26]: 55 → 81　51 +[17]: 79 → 96

45 +[38]: 48 → 86　52 +[16]: 76 → 92

46 +[39]: 32 → 71　53 +[39]: 46 → 85

47 +[27]: 36 → 63　54 +[17]: 74 → 91

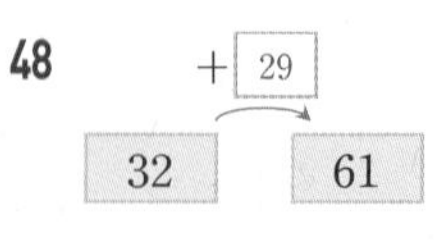

48 +[29]: 32 → 61　55 +[28]: 67 → 95

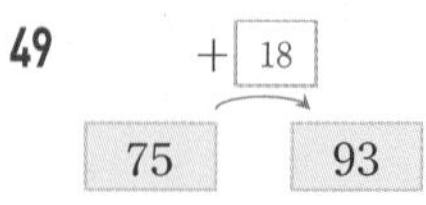

49 +[18]: 75 → 93　56 +[38]: 54 → 92

사고력 확장 서술형 풀어보기

구조화 해서 풀어보아요

57 책상 위에 구슬이 13개가 있었는데 가방에서 더 꺼내었더니 모두 32개가 되었습니 가방에서 꺼낸 구슬은 몇 개일까요?

풀이과정

(1) (책상 위의 구슬 개수)+(가방에서 꺼낸 구슬 개수) =(전체 구슬 개수)이므로 13+□=[32]입니다.

(2) □의 값을 구하기 위해 계산하면 □=[32]−[13]입니다.

(3) 그러므로 가방에서 꺼낸 구슬 개수는 [19]개입니다.

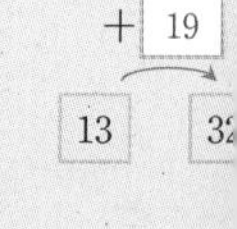

+[19]: 13 → 32

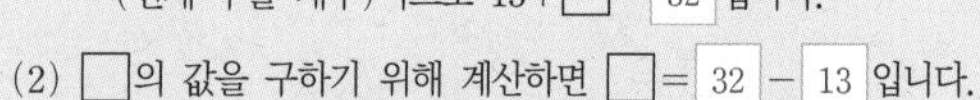

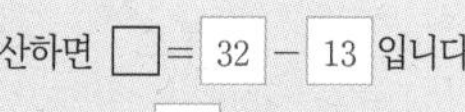

(58~61) 풀이과정을 쓰고 답을 구하세요.

58 귤이 12개가 있었는데 친구가 더 주어서 30개가 되었습니다. 친구가 몇 개를 주었을까요?

풀이 12+□=30, □=30−12, □=18

답 18 개

60 32권의 동화책 중에 18권을 읽 니다. 아직 읽지 않은 동화책은 권일까요?

풀이 18+□=32, □=32−18, □=

답 14

59 주차장에 자동차를 15대가 있었는데 1시간이 지나고 나서 보니 42대가 되었습니다. 자동차가 몇 대가 늘어났나요?

풀이 15+□=42, □=42−15, □=27

답 27 대

61 사과가 45개가 있었습니다. 하 지난 후 세어보니 29개로 줄었 다. 하루 동안 사과는 몇 개가 을까요?

풀이 29+□=45, □=45−29, □=

답 16

엄마 Check 칭찬이나 노력할 점을 써 주세요.

맞힌 개수	지도 의견		확인
개	나의 생각		

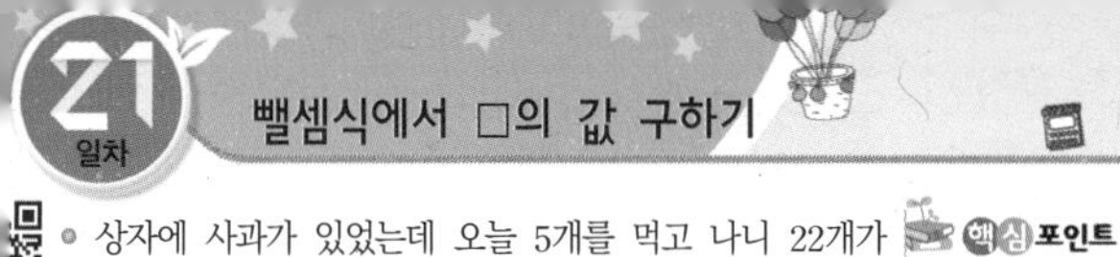

월 일

- 상자에 사과가 있었는데 오늘 5개를 먹고 나니 22개가 되었습니다. 상자에 사과는 몇 개 있었을까요?

(1) 뺄셈식으로 나타내기: □−5=22

(2) □의 값 구하기: 덧셈식으로 바꾸어 구하기

□−5=22 ➜ □=22+5, □=27

핵심 포인트

- 뺄셈을 덧셈으로 바꾸어 □의 값을 구합니다.
- 처음 사과 수: □개
- 먹은 사과 수: 5개
- 남은 사과 수: 22개
- 식으로 나타내면 □−5=22, □=22+5, 그러므로 □=27

(01~18) 빈칸을 채우세요.

01 23−[12]=11	07 26−[15]=11	13 16−[5]=11
02 35−[13]=22	08 24−[12]=12	14 27−[7]=20
03 48−[25]=23	09 24−[5]=19	15 32−[4]=28
04 58−[30]=28	10 36−[13]=23	16 53−[16]=37
05 56−[18]=38	11 40−[24]=16	17 42−[15]=27
06 33−[17]=16	12 51−[8]=43	18 61−[15]=46

계산력 강화하기

정확하게 풀어보아요

(19~45) 빈칸을 채우세요.

19 44−[28]=16	28 [26]−16=10	37 [96]−8=88
20 33−[16]=17	29 [32]−11=21	38 [57]−16=41
21 53−[21]=32	30 [33]−12=21	39 [74]−35=39
22 29−[7]=22	31 [32]−5=27	40 [81]−54=27
23 58−[15]=43	32 [48]−16=32	41 [47]−19=28
24 30−[15]=15	33 [31]−15=16	42 [62]−27=35
25 66−[18]=48	34 [55]−17=38	43 [30]−14=16
26 52−[32]=20	35 [51]−22=29	44 [51]−35=16
27 25−[21]=4	36 [44]−18=26	45 [68]−39=29

사고력 확장

구조화 하기를 연습하면 서술형도 쉽게 풀어요

(46~59) 빈칸을 채우세요.

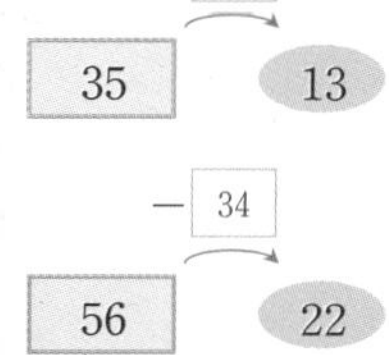

53 −17: [65] → 48

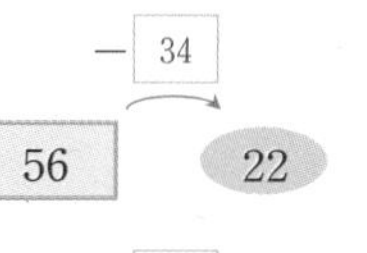

54
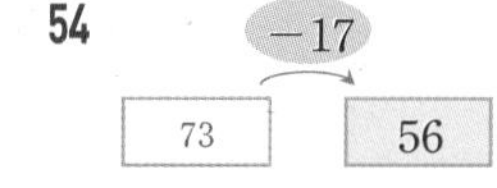

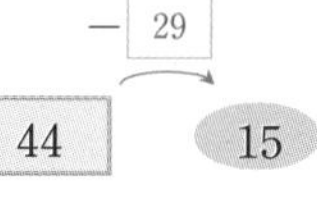

55
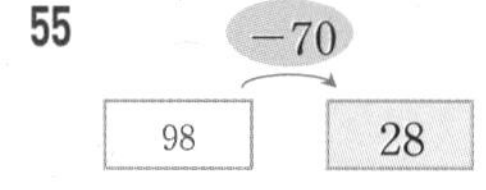

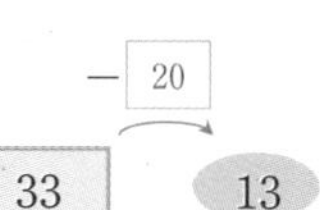

56
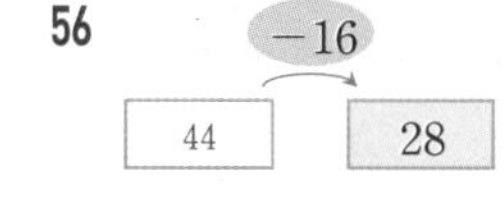

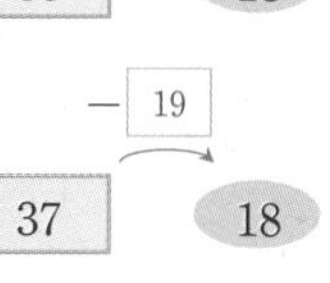

57
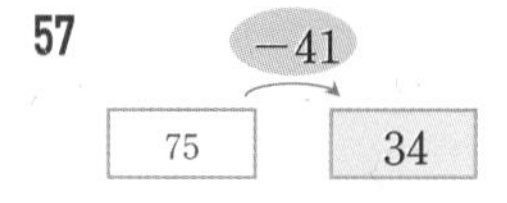

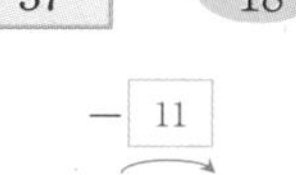

58
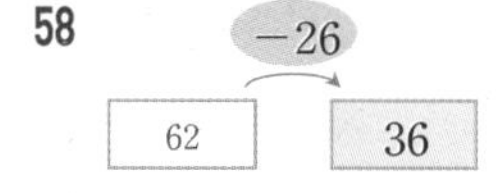

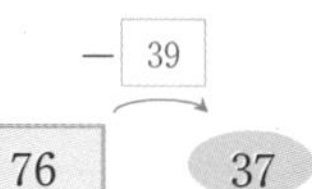

59
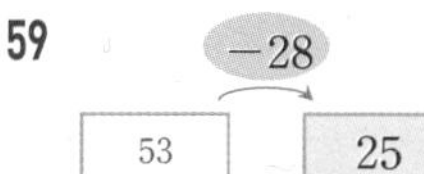

사고력 확장

서술형 풀어보기

구조화 해서 풀어보아요

60 사탕 봉지를 뜯어 사탕 11개를 먹고 나니 19개가 남았습니다. 처음 사탕은 몇 개가 있었을까요?

풀이과정

(1) (처음 사탕 개수)−(먹은 사탕 개수)=(남은 사탕 개수)이므로 □−11=19입니다.

(2) □의 값을 구하기 위해 계산을 하면 □=[19]+[11]입니다.

(3) 그러므로 처음 사탕은 [30]개 있었습니다.

−11: [30] → 19

(61~64) 풀이과정을 쓰고 답을 구하세요.

61 크레파스 통에서 필요한 색 12개를 책상 위에 꺼내 놓았더니 통 안에는 크레파스가 23개 남았습니다. 처음 크레파스 상자에는 몇 개가 들어있었을까요?

풀이 □−12=23, □=23+12, □=35

답 35 개

63 배에서 19명이 내리고 나니 68명이 남았습니다. 배에 몇 명이 타고 있었을까요?

풀이 □−19=68, □=68+19, □=87

답 87 명

62 쿠키 상자를 뜯어, 쿠키를 11개를 먹고 나니 상자에 쿠키가 15개 남았습니다. 처음 쿠키 상자에는 쿠키가 몇 개 들어있었을까요?

풀이 □−11=15, □=15+11, □=26

답 26 개

64 책꽂이에서 책을 7권을 빼서 친구에게 빌려주고 나니 책꽂이에는 책이 21권 남았습니다. 처음 책꽂이에 책은 몇 권 있었을까요?

풀이 □−7=21, □=21+7, □=28

답 28 권

엄마 Check 칭찬이나 노력할 점을 써 주세요.

맞힌 개수	지도 의견		확인란
개	나의 생각		

세 수의 덧셈 ①

월 일

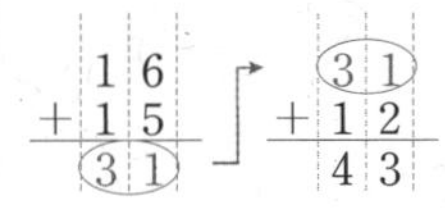

- 16+15+12의 계산

$$\begin{array}{r} 16 \\ +15 \\ \hline 31 \end{array} \rightarrow \begin{array}{r} 31 \\ +12 \\ \hline 43 \end{array}$$

→ 먼저 두 수를 더하고(16+15), 두 수를 더한 결과(31)에 나머지 수(12)를 더합니다.

핵심 포인트

- 세 수의 덧셈은 더하는 순서를 바꾸어도 계산 결과가 같습니다.
- 16+15+12=31+12=43
- 16+12+15=28+15=43

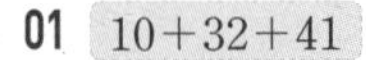

(01~08) 빈칸을 채우세요.

01 10+32+41

$$\begin{array}{r} 10 \\ +32 \\ \hline 42 \end{array} \rightarrow \begin{array}{r} 42 \\ +41 \\ \hline 83 \end{array}$$

05 20+10+51

$$\begin{array}{r} 20 \\ +10 \\ \hline 30 \end{array} \rightarrow \begin{array}{r} 30 \\ +51 \\ \hline 81 \end{array}$$

02 30+12+10

$$\begin{array}{r} 30 \\ +12 \\ \hline 42 \end{array} \rightarrow \begin{array}{r} 42 \\ +10 \\ \hline 52 \end{array}$$

06 20+30+15

$$\begin{array}{r} 20 \\ +30 \\ \hline 50 \end{array} \rightarrow \begin{array}{r} 50 \\ +15 \\ \hline 65 \end{array}$$

03 20+15+23

$$\begin{array}{r} 20 \\ +15 \\ \hline 35 \end{array} \rightarrow \begin{array}{r} 35 \\ +23 \\ \hline 58 \end{array}$$

07 20+11+18

$$\begin{array}{r} 20 \\ +11 \\ \hline 31 \end{array} \rightarrow \begin{array}{r} 31 \\ +18 \\ \hline 49 \end{array}$$

04 10+23+15

$$\begin{array}{r} 10 \\ +23 \\ \hline 33 \end{array} \rightarrow \begin{array}{r} 33 \\ +15 \\ \hline 48 \end{array}$$

08 30+15+12

$$\begin{array}{r} 30 \\ +15 \\ \hline 45 \end{array} \rightarrow \begin{array}{r} 45 \\ +12 \\ \hline 57 \end{array}$$

계산력 강화하기

정확하게 풀어보아요

(09~26) 계산을 하세요.

09 23+5+27
=50+5=55

15 22+18+33
=40+33=73

21 22+9+13
=22+22=44

10 27+7+33
=27+40=67

16 16+34+28
=50+28=78

22 31+8+27
=39+27=66

11 17+7+18
=24+18=42

17 39+18+28
=39+46=85

23 29+31+33
=60+33=93

12 12+9+18
=30+9=39

18 42+16+25
=42+41=83

24 18+7+33
=18+40=58

13 16+5+32
=21+32=53

19 19+42+15
=34+42=76

25 22+28+31
=50+31=81

14 14+8+16
=30+8=38

20 31+27+25
=31+52=83

26 10+32+18
=10+50=60

Point 체크
두 자리 수 덧셈이 능숙해졌다면, 세 수의 덧셈을 더해서 몇십이 되는 두 수를 먼저 계산해도 됨을 알[려]

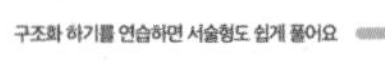

사고력 확장 **구조화 하기**

구조화 하기를 연습하면 서술형도 쉽게 풀어요

(27~44) 빈칸을 채우세요.

27
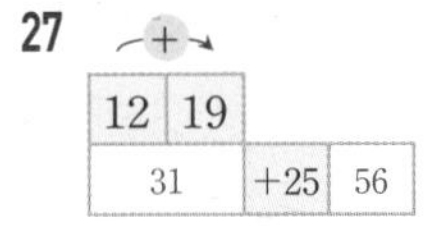

33
+
16 27
43 +12 55

39
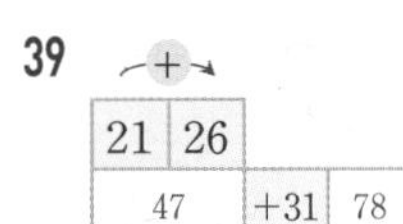

28
+
15 28
43 +16 59

34
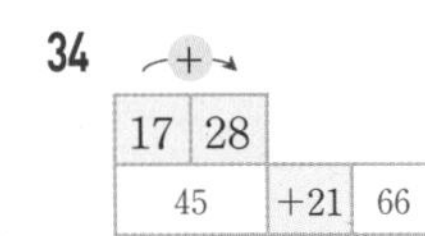

40
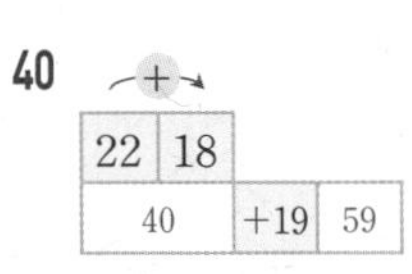

29
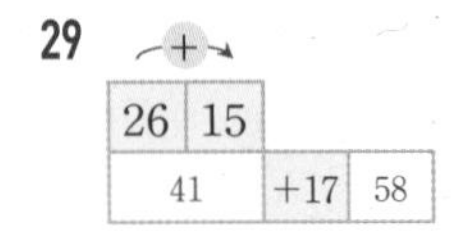

35
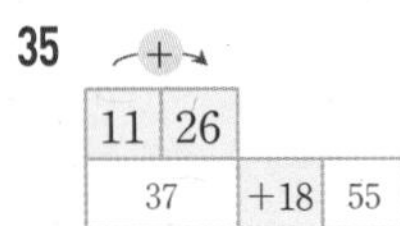

41
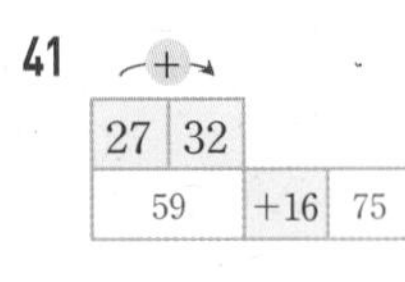

30
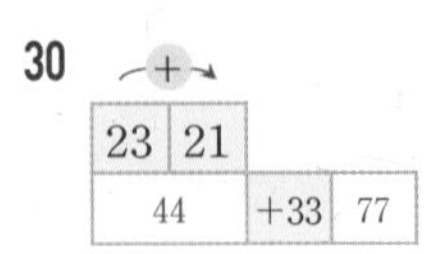

36
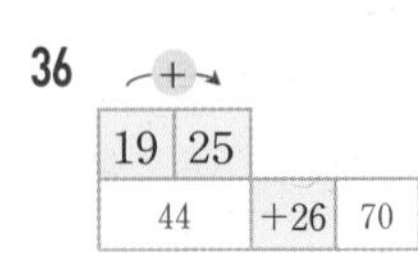

42
+
14 33
47 +27 74

31
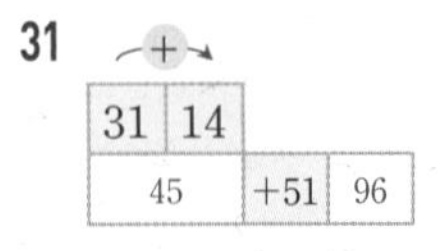

37
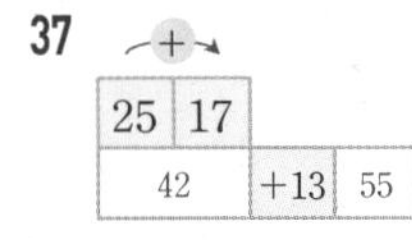

43
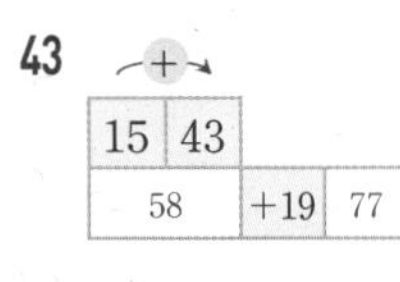

32
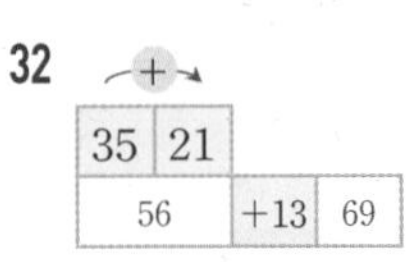

38
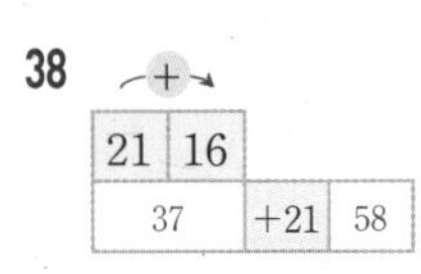

44
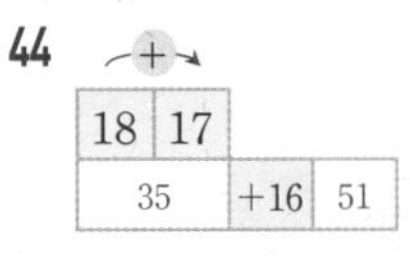

사고력 확장 **서술형 풀어보기**

구조화 해서 풀어보아요

45 우영이는 구슬을 12개 가지고 있었는데 오늘 17개를 더 샀고 또 형으로부터 23개[를] 얻었습니다. 우영이의 구슬은 모두 몇 개일까요?

풀이과정

(1) 식을 만들면 12 + 17 + 23 입니다.
(2) 순서대로 계산하면 29 +23= 52 입니다.
(3) 그러므로 우영이의 구슬은 모두 52 개입니다.

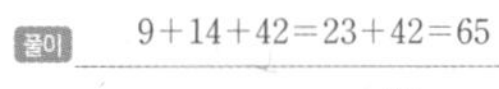

(46~49) 풀이과정을 쓰고 답을 구하세요.

46 명준이는 9살이고 형은 14살, 엄마는 42살입니다. 세 사람의 나이를 모두 더하면 몇살일까요?

풀이 9+14+42=23+42=65

답 65 살

48 신발장에 아버지 신발이 7켤레, 어[머]니 신발이 15켤레, 내 신발이 6켤[레] 있습니다. 신발장의 신발은 모두 [몇] 켤레일까요?

풀이 7+15+6=22+6=28

답 28 켤[레]

47 상자에 사과 12개, 배 8개, 감 21개가 있습니다. 상자에 있는 과일은 모두 몇 개일까요?

풀이 12+8+21=20+21=41

답 41 개

49 다음은 세 사람이 읽은 책의 쪽[수입]니다.

• 민수: 23쪽 • 영미: 32쪽 • 지민: 1[8쪽]

세 사람이 읽은 책은 모두 몇 쪽일[까요?]

풀이 23+32+18=23+50=73

답 73

엄마 Check 칭찬이나 노력할 점을 써 주세요.

맞힌 개수	지도 의견		확인
개	나의 생각		

세 수의 덧셈 ②

월 일

세 수의 덧셈을 할 때는 먼저 두 수를 더하고 나머지 수를 더합니다.

- 27+32+11의 계산

27+32+11 → ① 27+32=59

② 59+11=70

핵심 포인트

- 세 수의 덧셈은 계산이 쉬운 두 수를 먼저 더하고, 나머지를 더해도 결과는 같습니다.
예를 들어 17+24+13의 덧셈에서 17+13을 먼저 계산하면 몇십이 되기 때문에 계산이 좀 더 쉬워집니다.
→ 17+13+24=30+24=54

(01~10) 빈칸을 채우세요.

01 10+32+41
= 42 +41= 83

02 20+10+51
= 30 +51= 81

03 10+7+32
= 17 +32= 49

04 20+15+23
= 35 +23= 58

05 20+15+28
= 35 +28= 63

06 20+30+40
= 50 +40= 90

07 20+11+18
= 31 +18= 49

08 30+15+18
= 45 +18= 63

09 30+12+10
= 40 +12= 52

10 10+32+18
= 10 +50= 60

계산력 강화하기

정확하게 풀어보아요

(11~28) 계산을 하세요.

11 16+5+32
=21+32=53

12 17+7+18
=24+18=42

13 27+7+33
=60+7=67

14 12+9+18
=30+9=39

15 23+5+27
=50+5=55

16 14+8+16
=30+8=38

17 22+18+33
=40+33=73

18 16+34+28
=50+28=78

19 39+18+28
=39+46=85

20 42+16+25
=42+41=83

21 19+42+15
=34+42=76

22 31+27+25
=31+52=83

23 18+7+33
=18+40=58

24 16+7+34
=50+7=57

25 31+8+27
=58+8=66

26 22+28+31
=50+31=81

27 29+31+33
=60+33=93

28 28+33+32
=60+33=93

사고력 확장

구조화 하기

구조화 하기를 연습하면 서술형도 쉽게 풀어요

(29~42) 빈칸을 채우세요.

29
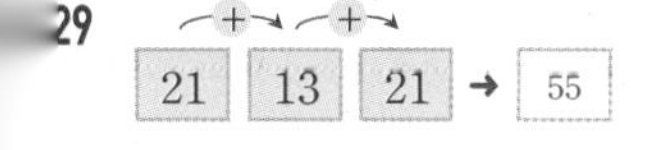

30
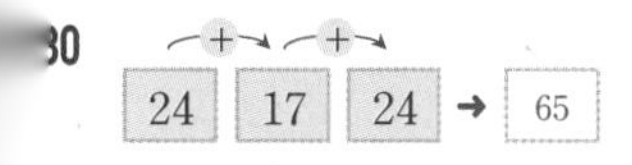

31
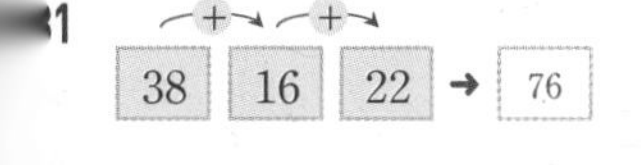

32
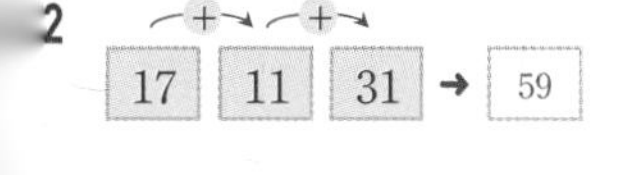

33
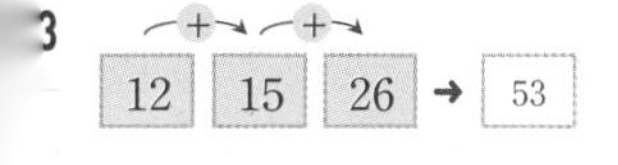

34
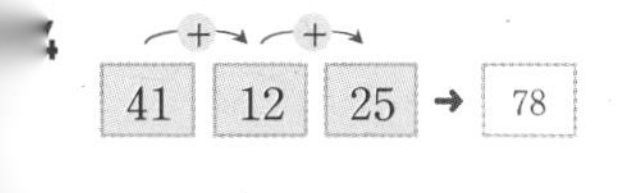

35
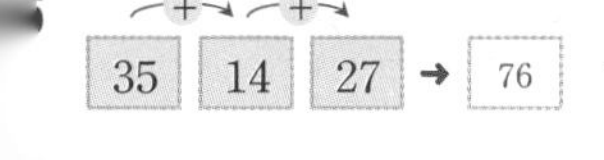

36
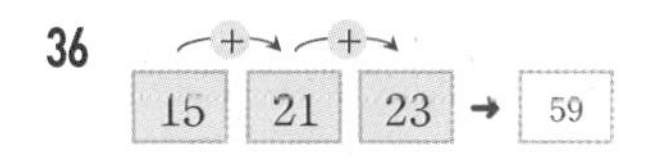

37
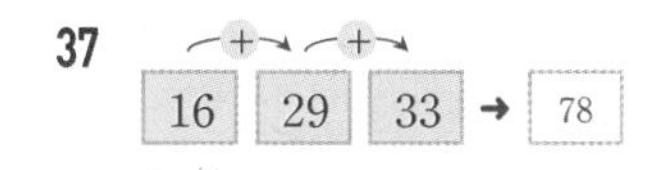

38
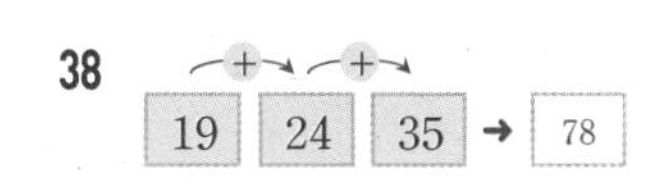

39
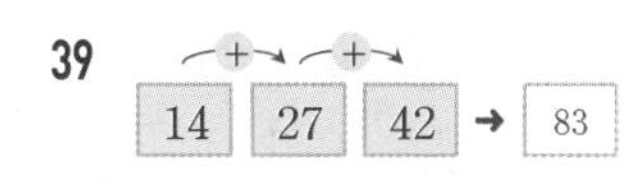

40
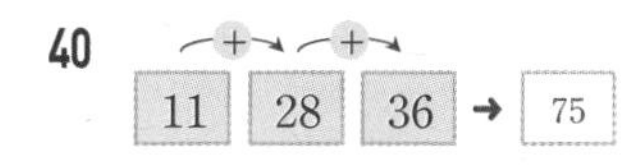

41
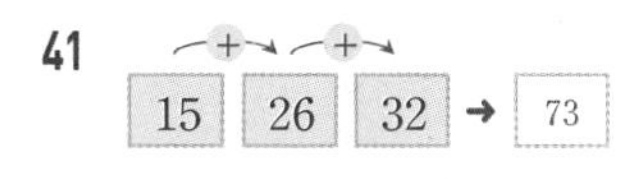

42
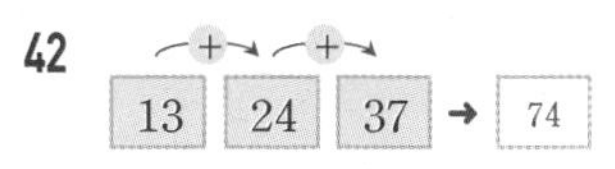

사고력 확장

서술형 풀어보기

구조화 해서 풀어보아요

43 동전통에는 동전 22개가 있습니다. 그런데 오늘 아버지께서 15개를 넣어주셨고, 어머니도 13개를 넣어주셨습니다. 동전통에는 모두 몇 개의 동전이 있을까요?

풀이과정

(1) 식을 만들면 22 + 15 + 13 입니다.

(2) 그러므로 모두 50 개의 동전이 있습니다.

22 15 13 → 50

(44~47) 풀이과정을 쓰고 답을 구하세요.

44 장미꽃 8송이, 국화 12송이, 수선화 11송이를 샀습니다. 모두 몇 송이의 꽃을 샀을까요?

풀이 8+12+11=20+11=31

답 31 송이

45 연못에 붕어 17마리, 잉어 15마리, 피라미 12마리가 있습니다. 연못에 물고기는 모두 몇 마리가 있을까요?

풀이 17+15+12=32+12=44

답 44 마리

46 광주리에 고구마 11개, 감자 21개, 옥수수 15개가 있습니다. 모두 합하면 몇 개일까요?

풀이 11+21+15=32+15=47

답 47 개

47 선아 아버지는 41살, 어머니는 39살, 선아는 9살입니다. 세 사람의 나이를 합하면 모두 몇 살입니까?

풀이 41+39+9=80+9

답 89 살

엄마 Check 칭찬이나 노력할 점을 써 주세요.

맞힌 개수	지도 의견		확인란
개	나의 생각		

세 수의 덧셈 ③

월 일

세 수의 덧셈을 할 때는 먼저 두 수를 더하고 나머지 수를 더합니다.

- 13+18+22의 계산

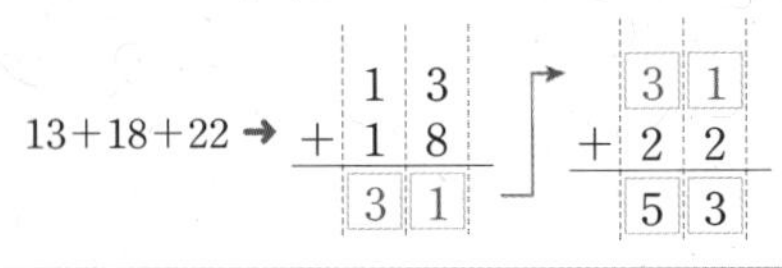

핵심 포인트

- 세 수의 덧셈식은 순서대로 계산해도 되지만, 계산하기 편리한 숫자가 나오는 순서로 계산해도 됩니다.
  (예) 13+18+22
  =13+40=53

(01~12) 계산을 하세요.

01 21+28+31=80
05 32+32+12=76
09 23+16+38=77
02 28+17+41=86
06 33+17+18=68
10 22+31+19=72
03 22+15+12=49
07 38+18+21=77
11 11+54+19=84
04 18+14+33=65
08 19+11+36=66
12 22+31+17=70

계산력 강화하기

정확하게 풀어보아요

(13~30) 계산을 하세요.

13 26+12+17=55
19 23+18+31=72
25 18+13+24=55
14 27+17+23=67
20 26+16+22=64
26 33+12+15=60
15 35+22+18=75
21 28+19+27=74
27 31+11+26=68
16 33+18+19=70
22 27+16+23=66
28 24+28+28=80
17 37+16+24=77
23 25+22+15=62
29 38+12+16=66
18 14+15+22=51
24 34+27+25=86
30 39+31+21=91

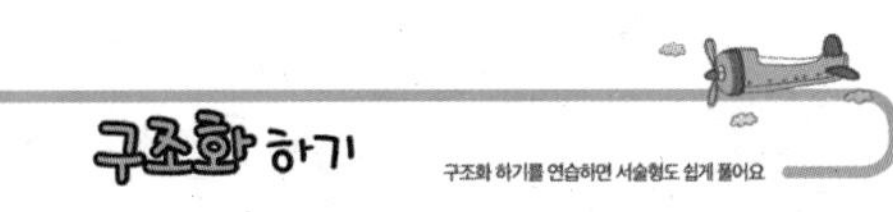

(31~48) 세 수를 더하여 빈칸에 쓰세요.

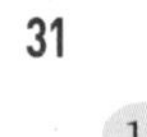

31
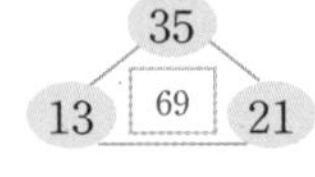

37
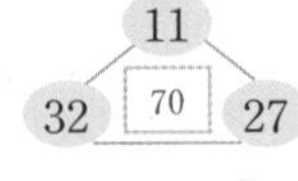

43
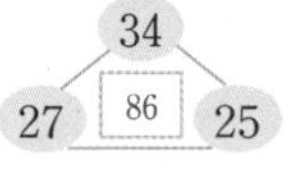

32
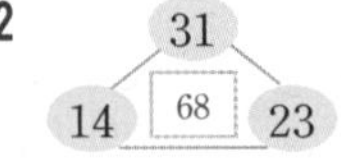

38
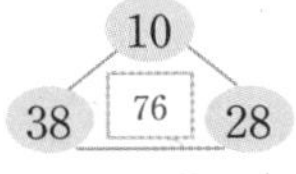

44
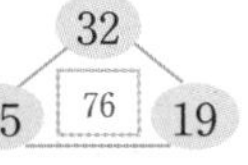

33
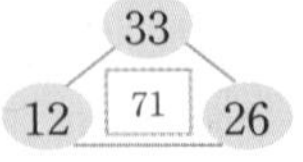

39
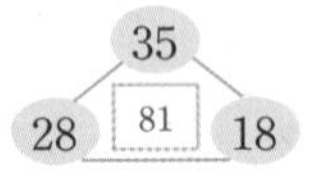

45
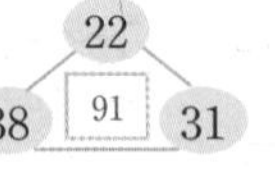

34
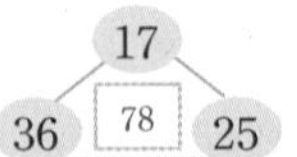

40
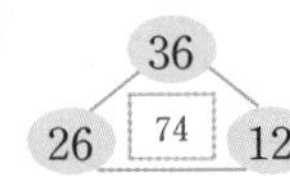

46
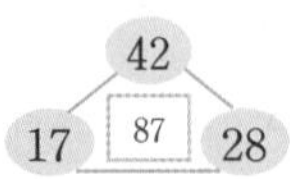

35
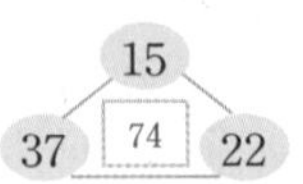

41
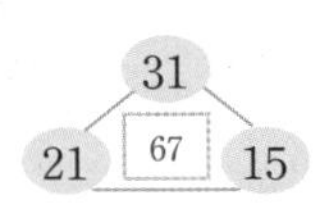

47
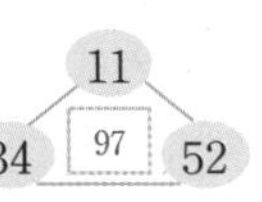

36
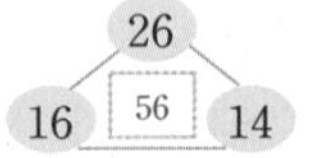

42
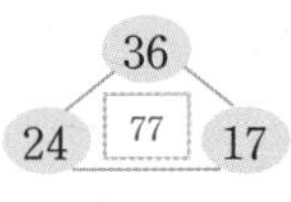

48
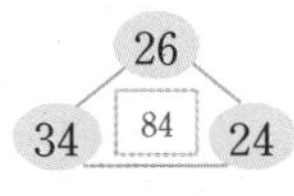

사고력 확장

구조화 해서 풀어보아요

49 노트가 서랍에 11권, 가방에 7권이 있었습니다. 그런데 어머니께서 22권을 더 주셨습니다. 노트는 모두 몇 권일까요?

풀이과정

(1) 식을 만들면 11 + 7 + 22 입니다.

(2) 계산하면 40 입니다.

11
7 40 22

(50~53) 풀이과정을 쓰고 답을 구하세요.

50 바구니에 자두 15개와 복숭아 22개, 사과 23개가 담겨 있습니다. 바구니의 과일은 모두 몇 개일까요?

풀이 15+22+23=15+45=60

답 60 개

52 사탕을 친구에게 17개, 동생에게 15개를 주고 32개가 남았습니다. 처음 사탕은 모두 몇 개였나요?

풀이 17+15+32=32+32=64

답 64 개

51 영화관에서 오늘 아침에 15개, 점심에 18개, 저녁에 22개의 팝콘을 팔았습니다. 오늘 판 팝콘은 모두 몇 개일까요?

풀이 15+18+22=15+40=55

답 55 개

53 빨간 구슬 17개, 노란 구슬 15개, 파란 구슬 25개를 한 바구니에 넣었습니다. 바구니에 넣은 구슬은 모두 몇 개일까요?

풀이 17+15+25=32+25=57

답 57 개

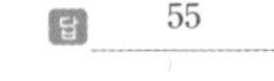

칭찬이나 노력할 점을 써 주세요.

맞힌 개수	지도 의견		확인란
개	나의 생각		

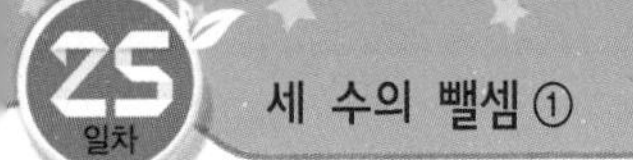
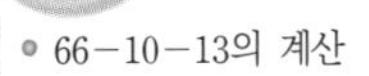

● 66−10−13의 계산

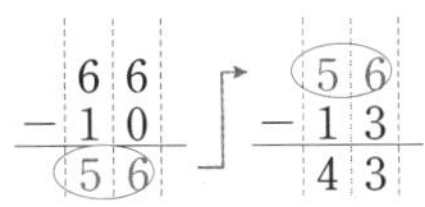

→ 세 수의 뺄셈은 순서대로 계산합니다.

핵심 포인트
- 세 수의 뺄셈은 앞에서부터 순서대로 계산해야 합니다.

(01~06) 빈칸을 채우세요.

01 75−20−13

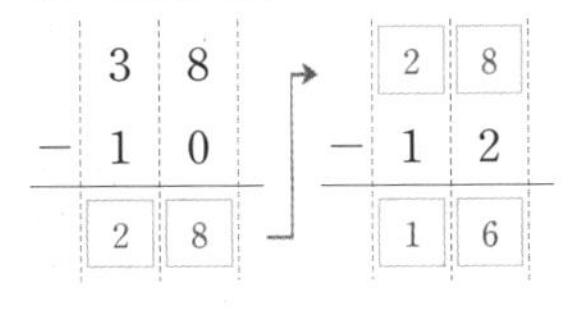

04 70−25−22

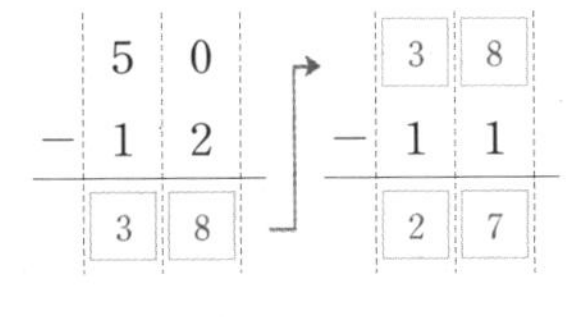

02 38−10−12

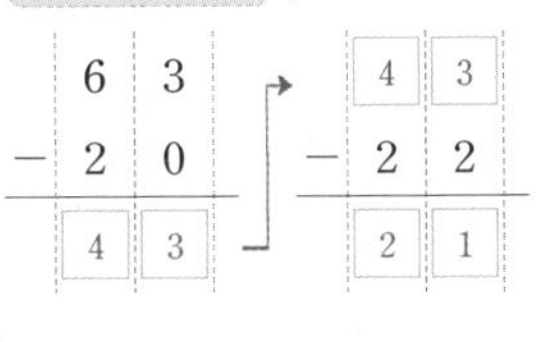

05 50−12−11

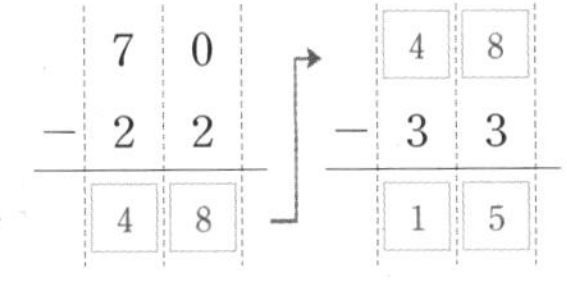

03 63−20−22

63 − 20 = 43 → 43 − 22 = 21

06 70−22−33

70 − 22 = 48 → 48 − 33 = 15

계산력 강화하기

정확하게 풀어보아요

(07~24) 계산을 하세요.

07 99−55−22=22
08 66−22−13=31
09 59−31−14=14
10 72−32−27=13
11 63−22−24=17
12 55−12−24=19
13 82−28−32=22
14 77−28−32=17
15 53−22−21=10
16 92−42−32=18
17 77−23−21=33
18 65−23−18=24
19 82−21−53=8
20 43−12−18=13
21 59−22−37=0
22 82−53−18=11
23 54−21−19=14
24 75−10−32=33

사고력 확장 구조화 하기

구조화 하기를 연습하면 서술형도 쉽게 풀어요

(25~39) 빈칸을 채우세요.

25 53−18−17

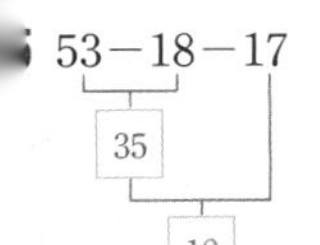

26 55−11−23

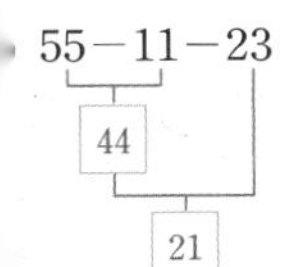

27 62−13−22

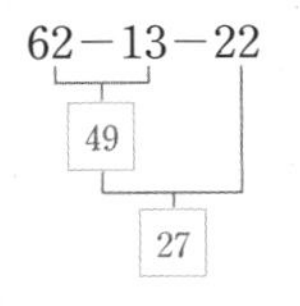

28 67−16−31

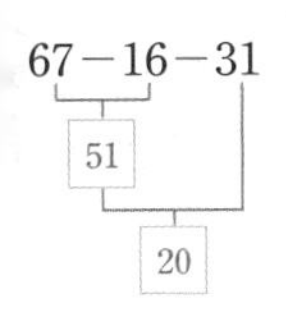

29 52−17−26

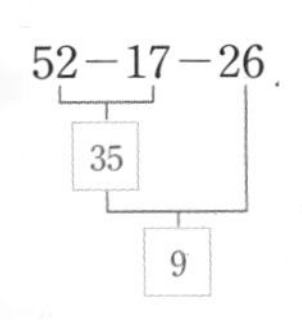

30 63−21−25 → 42 → 17

31 68−16−27 → 52 → 25

32 47−21−15

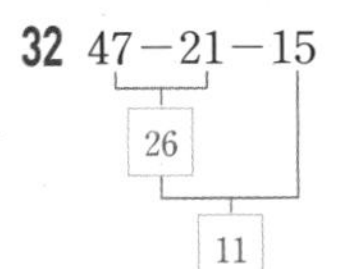

33 49−29−12

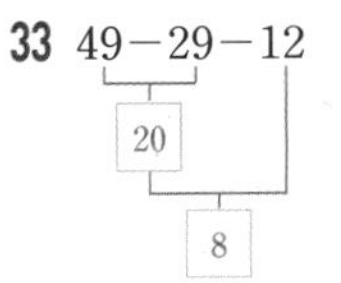

34 46−22−11

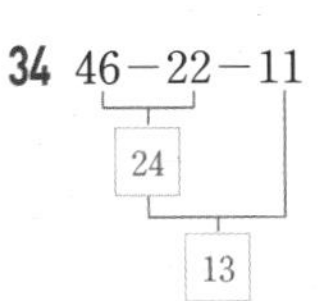

35 48−28−18

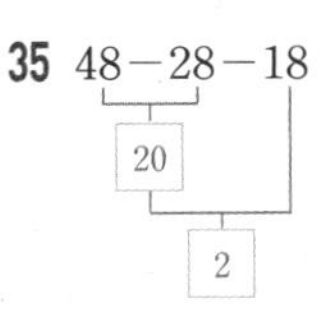

36 71−31−24

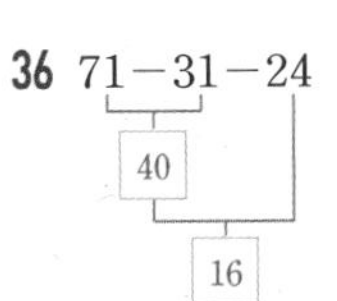

37 75−33−25

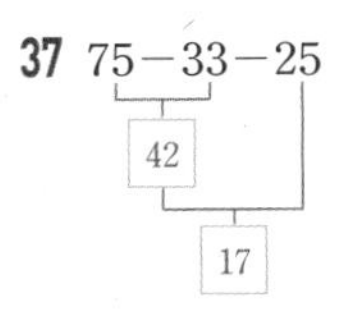

38 66−36−13

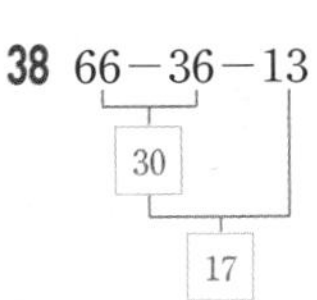

39 72−16−21

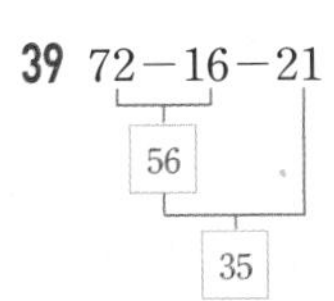

사고력 확장 서술형 풀어보기

구조화 해서 풀어보아요

40 버스에 30명이 타고 있었는데, 다음 정거장에서 12명이 내렸고 그다음 정거장에서 13명 내렸습니다. 버스에는 몇 명이 남아 있을까요?

풀이과정

(1) 식을 만들면 30 − 12 − 13 입니다.
(2) 앞의 두 수를 먼저 빼고 결과에 다음 수를 뺍니다.
(30 − 12)−13 → 18 −13= 5
(3) 그러므로 버스에는 5 명이 남습니다.

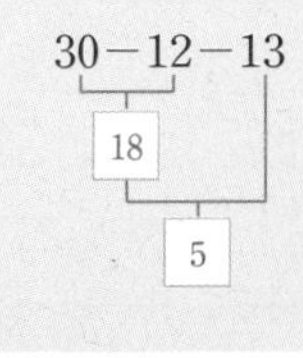

(41~44) 풀이과정을 쓰고 답을 구하세요.

41 바구니에 사과가 30개 있습니다. 동생이 7개를 가져가고 내가 10개를 가져갔습니다. 바구니에는 몇 개의 사과가 남았을까요?

풀이 30−7−10=23−10=13

답 13 개

43 은수는 52쪽짜리 동화책을 읽고 있습니다. 어제는 13쪽을 읽었고 오늘은 15쪽을 읽었습니다. 다 읽으려면 몇 쪽을 더 읽어야 할까요?

풀이 52−13−15=39−15=24

답 24 쪽

42 45개의 밤을 삶아 12개를 먹고, 11개는 옆집에 주었습니다. 남은 삶은 밤은 몇 개일까요?

풀이 45−12−11=33−11=22

답 22 개

44 귤 66개 가운데 21개는 까서 먹고, 19개는 갈아서 먹었습니다. 먹고 남은 귤은 몇 개일까요?

풀이 66−21−19=45−19=26

답 26 개

연마 Check 칭찬이나 노력할 점을 써 주세요.

맞힌 개수	지도 의견		확인란
개	나의 생각		

세 수의 뺄셈 ②

월 일

- 55−12−18의 계산

55−12−18 → ① 55−12=43

② 43−18=25

핵심 포인트

- 세 수의 뺄셈은 앞에서부터 순서대로 계산해야 합니다.

(01~12) 계산을 하세요.

01 62−18−12
= 44 −12= 32

05 63−19−33
= 44 −33= 11

09 82−36−37
= 46 −37= 9

02 48−16−21
= 32 −21= 11

06 72−25−21
= 47 −21= 26

10 55−32−16
= 23 −16= 7

03 39−17−13
= 22 −13= 9

07 52−23−16
= 29 −16= 13

11 67−13−28
= 54 −28= 26

04 59−22−21
= 37 −21= 16

08 71−28−32
= 43 −32= 11

12 49−15−17
= 34 −17= 17

계산력 강화하기

정확하게 풀어보아요

(13~36) 계산을 하세요.

13 89−55−22=12

21 83−28−29=26

29 73−21−33=19

14 76−22−13=41

22 72−28−27=17

30 91−42−22=27

15 69−31−14=24

23 59−22−18=19

31 57−22−17=18

16 63−32−27=4

24 48−12−18=18

32 79−53−18=8

17 82−22−24=36

25 75−23−27=25

33 82−33−21=28

18 56−12−24=20

26 67−23−21=23

34 83−17−15=51

19 66−21−24=21

27 78−19−16=43

35 89−23−47=19

20 67−11−19=37

28 77−21−23=33

36 97−27−33=37

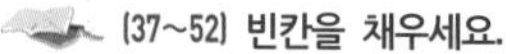

구조화 하기

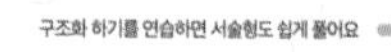

구조화 하기를 연습하면 서술형도 쉽게 풀어요

(37~52) 빈칸을 채우세요.

37 35 −11 −12 → 12

38 45 −17 −16 → 12

39 41 −13 −14 → 14

40 44 −16 −18 → 10

41 56 −22 −18 → 16

42 57 −28 −11 → 18

43 53 −23 −14 → 16

44 51 −12 −27 → 12

45 76 −27 −31 → 18

46 63 −28 −24 → 11

47 66 −32 −26 → 8

48 87 −22 −16 → 49

49 99 −17 −21 → 61

50 78 −27 −16 → 35

51 82 −25 −19 → 38

52 93 −33 −26 → 34

사고력 확장

서술형 풀어보기

구조화 해서 풀어보아요

53 금붕어가 56마리 있었는데 어제 17마리를 팔았고, 오늘 22마리를 팔았습니다. 팔고 남은 금붕어는 몇 마리일까요?

풀이과정

(1) (처음 금붕어 수)−(어제 팔린 금붕어 수)−(오늘 팔린 금붕어 수)
= 56 − 17 − 22 입니다.

(2) 계산하면 17 입니다.

(3) 그러므로 팔고 남은 금붕어 수는 17 마리입니다.

56 −17 −22 → 17

(54~57) 풀이과정을 쓰고 답을 구하세요.

54 선생님이 꽃씨 42개 가운데 12개를 희수에게, 13개를 호섭이에게 나누어 주셨습니다. 선생님께는 몇 개의 꽃씨가 남았을까요?

풀이 42−12−13=30−13=17

답 17 개

56 명호는 82쪽짜리 위인전을 읽고 있습니다. 어제는 21쪽을 읽었고 오늘은 18쪽을 읽었습니다. 다 읽으려면 몇 쪽을 더 읽어야 할까요?

풀이 82−21−18=61−18=43

답 43 쪽

55 감자 75개를 삶아 세 반이 나누어 먹었습니다. 1반은 22개를 먹고, 2반은 23개를 먹었습니다. 3반은 감자를 몇 개 먹었을까요?

풀이 75−22−23=53−23=30

답 30 개

57 어머니가 방울토마토 63개를 사오셨습니다. 이 가운데 21개는 옆집에 주고, 18개는 나와 동생이 먹었습니다. 방울토마토는 몇 개가 남았을까요?

풀이 63−21−18=42−18=24

답 24 개

엄마 Check 칭찬이나 노력할 점을 써 주세요.

맞힌 개수	지도 의견		확인란
개	나의 생각		

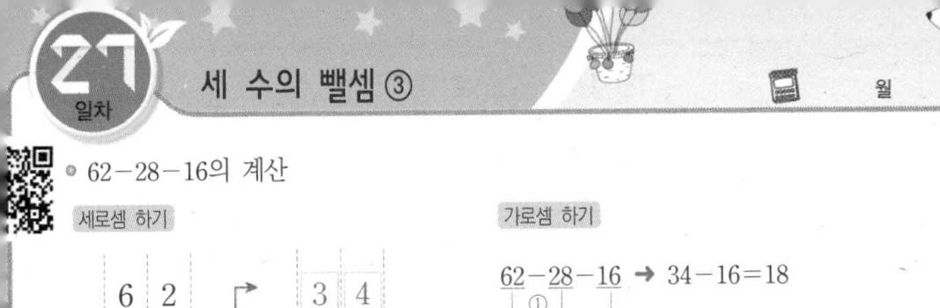

27 일차 세 수의 뺄셈 ③ 월 일

- 62−28−16의 계산

세로셈 하기

	6	2
−	2	8
	3	4

	3	4
−	1	6
	1	8

가로셈 하기

62−28−16 → 34−16=18 (① 62−28, ② −16)

(01~12) 계산을 하세요.

01 56−16−12=28　05 71−27−21=23　09 58−19−33=6

02 52−15−21=16　06 53−21−16=16　10 86−36−32=18

03 43−18−13=12　07 62−15−16=31　11 93−28−26=39

04 61−13−21=27　08 76−28−37=11　12 96−19−33=44

계산력 강화하기

정확하게 풀어보아요

(13~36) 계산을 하세요.

13 88−43−21=24　21 85−36−31=18　29 73−28−29=16

14 66−26−15=25　22 68−28−16=24　30 58−17−18=23

15 79−31−17=31　23 72−25−35=12　31 77−22−32=23

16 65−22−25=18　24 78−52−16=10　32 78−19−13=46

17 91−23−24=44　25 59−16−22=21　33 76−26−16=34

18 62−17−24=21　26 67−23−28=16　34 98−19−17=62

19 79−33−27=19　27 66−17−16=33　35 92−43−26=23

20 81−48−27=6　28 83−29−31=23　36 91−26−31=34

사고력 확장

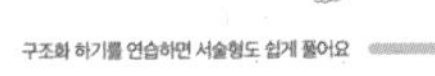

구조화 하기

구조화 하기를 연습하면 서술형도 쉽게 풀어요

(37~48) 위의 수를 가르려고 합니다. 빈칸을 채우세요.

37

56		
12	24	20

38

49		
21	18	10

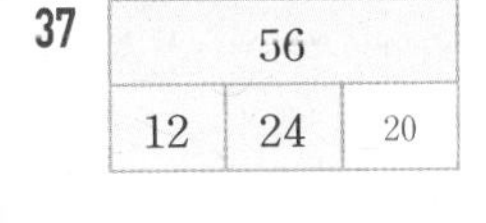

39

45		
13	16	16

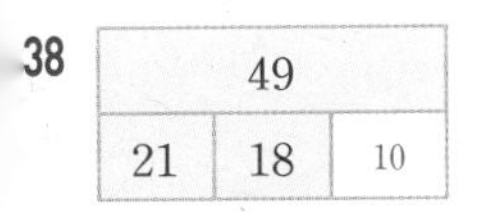

40

55		
22	18	15

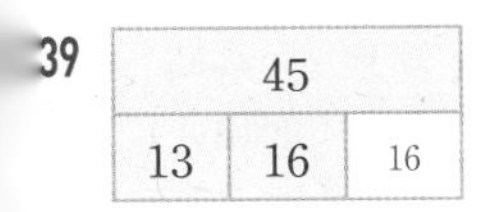

41

62		
24	22	16

42

63		
32	24	7

43

72		
43	26	3

44

75		
36	27	12

45

76		
28	25	23

46

83		
37	35	11

47

82		
46	17	19

48

91		
58	26	7

사고력 확장

서술형 풀어보기

구조화 해서 풀어보아요

49 카드가 56장 있는데, 친구 두 명에게 18장씩 주면 몇 장이 남을까요?

풀이과정

(1) 식을 만들면 56 − 18 − 18 입니다.

(2) 그러므로 카드는 20 장이 남습니다.

56		
18	18	20

(50~53) 풀이과정을 쓰고 답을 구하세요.

50 사탕 52개가 있는데 누나에게 18개, 동생에게 17개를 주면 몇 개가 남을까요?

풀이 52−18−17

답 17 개

52 나는 60분 중에서 21분 동안 수학 공부를 하고 17분 동안 동화책을 읽었습니다. 남은 시간은 몇 분일까요?

풀이 60−21−17

답 22 분

51 사과 62개를 원숭이에게 13개 주고, 코끼리에게 31개 주고, 나머지를 토끼에게 주었습니다. 토끼는 사과를 몇 개 받았을까요?

풀이 62−13−31

답 18 개

53 친구 세 명이 줄넘기를 합하여 90번 하기로 하였는데 한 명은 25번, 또 한 명은 42번을 하였습니다. 마지막 한 명은 몇 번을 해야 할까요?

풀이 90−25−42

답 23 번

엄마 Check 칭찬이나 노력할 점을 써 주세요.

맞힌 개수	지도 의견		확인란
개	나의 생각		

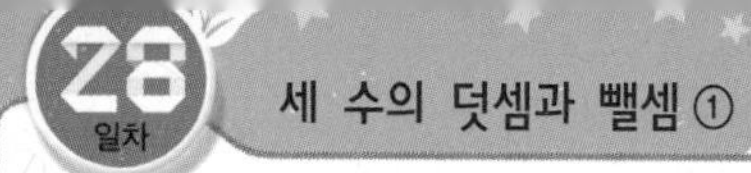

세 수의 덧셈과 뺄셈 ①

월 일

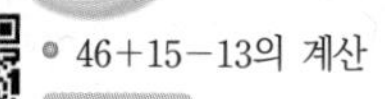

• 46+15−13의 계산

세로셈 하기

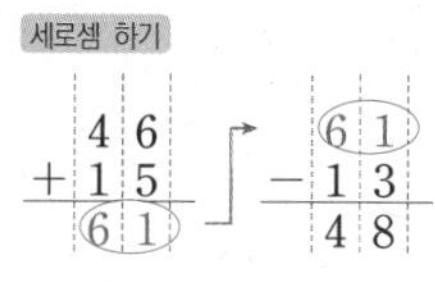

핵심 포인트

• 덧셈과 뺄셈이 섞여 있는 계산은 순서대로 계산합니다.

[01~06] 계산을 하세요.

01 25+20−13

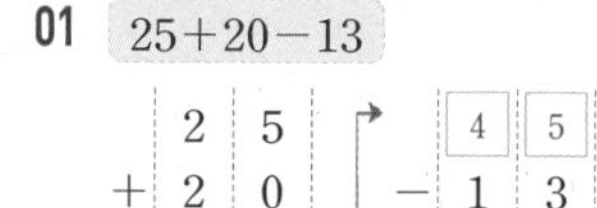

04 28+25−22

28 + 25 = 53, 53 − 22 = 31

02 36+10−22

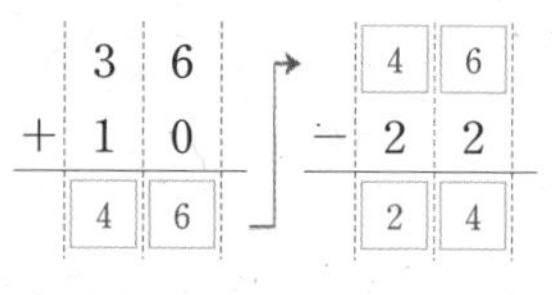

05 16+12−11

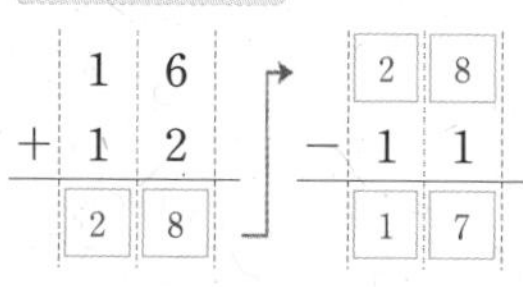

03 24+30−12

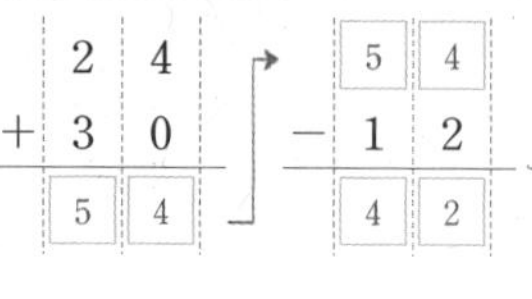

06 45+22−33

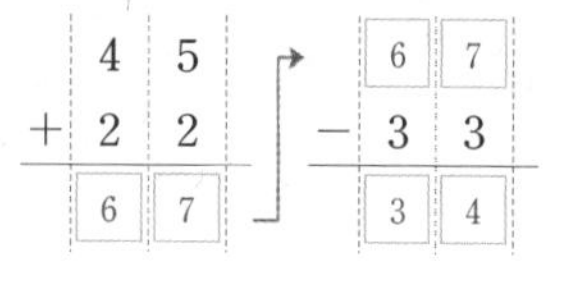

계산력 강화하기

정확하게 풀어보아요

[07~27] 계산을 하세요.

07 32+21−23
=53−23=30

14 62+36−31
=98−31=67

21 45+29−55
=74−55=19

08 63+12−14
=75−14=61

15 55+29−32
=84−32=52

22 28+27−19
=55−19=36

09 48+31−15
=79−15=64

16 33+16−23
=49−23=26

23 36+16−36
=52−36=16

10 13+42−43
=55−43=12

17 46+28−37
=74−37=37

24 46+16−15
=62−15=47

11 52+33−25
=85−25=60

18 18+32−11
=50−11=39

25 42+21−17
=63−17=46

12 63+15−25
=78−25=53

19 56+23−21
=79−21=58

26 75+19−19
=94−19=75

13 29+17−23
=46−23=23

20 42+19−38
=61−38=23

27 75+24−28
=99−28=71

사고력 확장

구조화 하기

구조화 하기를 연습하면 서술형도 쉽게 풀어요

[28~45] 빈칸을 채우세요.

28
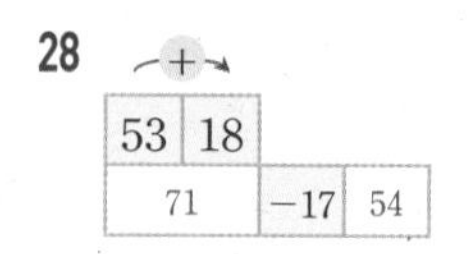

29
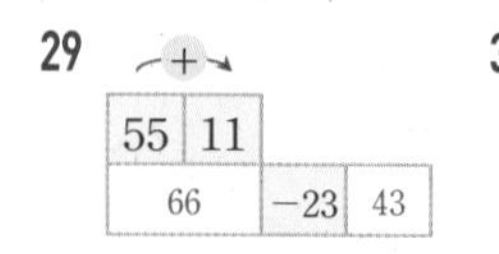

30 62 13 / 75 −22 53

31 67 16 / 83 −31 52

32 52 17 / 69 −26 43

33 36 17 / 53 −19 34

34 31 21 / 52 −25 27

35
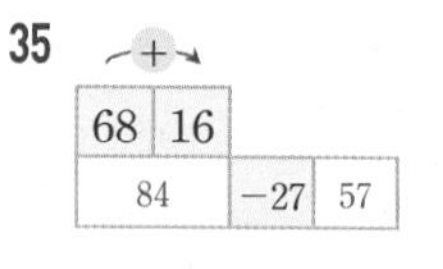

36
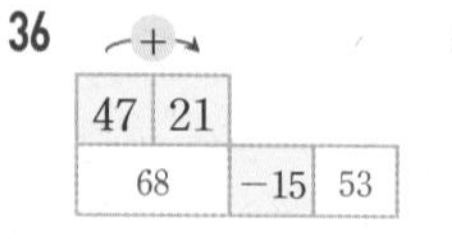

37
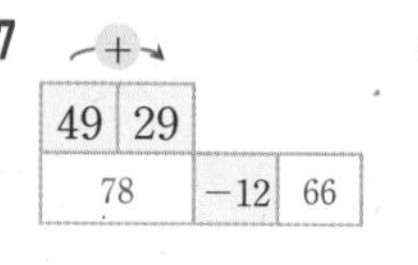

38
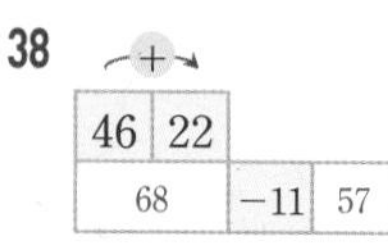

39
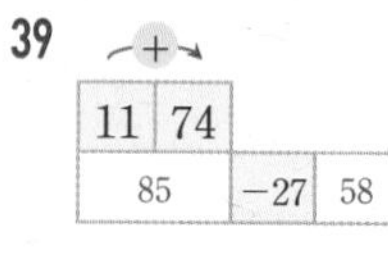

40
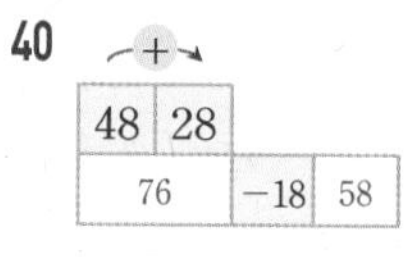

41
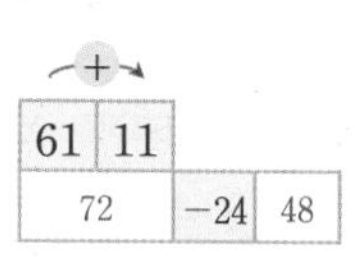

42
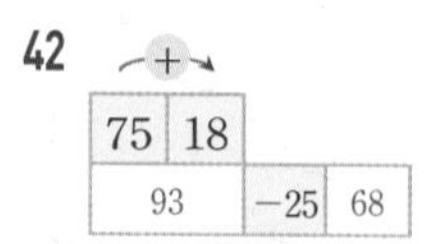

43
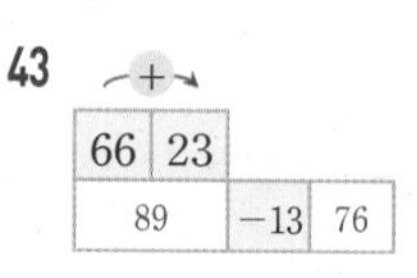

44
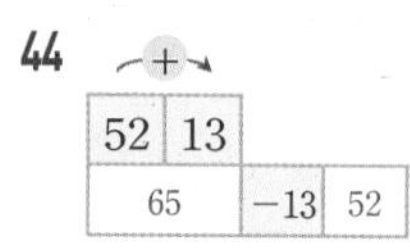

45
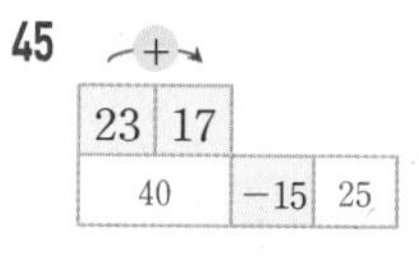

서술형 풀어보기

구조화 해서 풀어보아요

46 버스에 23명이 타고 있었는데 다음 정거장에서 11명이 타고 12명이 내렸습니다. 버스에는 몇 명이 타고 있을까요?

풀이과정

(1) (처음 버스에 타고 있던 사람 수)+(새로 탄 사람 수)−(내린 사람 수)= 23 + 11 − 12 입니다.

(2) 그러므로 버스에는 22 명이 타고 있습니다.

23 11 / 34 −12 22

[47~50] 풀이과정을 쓰고 답을 구하세요.

47 어느 목장의 울타리에 양이 35마리 있습니다. 12마리가 풀을 먹고 돌아오고 16마리가 풀을 먹으러 나갔습니다. 울타리에는 몇 마리의 양이 남아 있을까요?

풀이 35+12−16

답 31 마리

48 얼룩말 22마리가 강물 속에서 강을 건너고 있는데, 이어서 13마리가 강으로 더 들어갔고 18마리는 강을 완전히 건넜습니다. 물속에서 강을 건너고 있는 얼룩말은 몇 마리일까요?

풀이 22+13−18

답 17 마리

49 젓가락 통에 23쌍의 젓가락이 있었는데, 여기에 새것으로 15쌍 더 넣으면서 낡은 것 8쌍 꺼내었습니다. 젓가락 통에 남은 젓가락은 몇 쌍일까요?

풀이 23+15−8

답 30 쌍

50 어항에 붕어 23마리가 있었는데 오늘 여기에 7마리를 더 넣고, 11마리를 꺼내었습니다. 어항 속에 붕어는 몇 마리가 남아 있을까요?

풀이 23+7−11

답 19 마리

엄마 Check 칭찬이나 노력할 점을 써 주세요.

맞힌 개수	지도 의견		확인란
개	나의 생각		

세 수의 덧셈과 뺄셈 ②

월 일

- 52−22+23의 계산
  → 순서대로 계산합니다.

가로셈 하기

52−22+23 → ① 52−22=30
② 30+23=53

핵심포인트
- 덧셈과 뺄셈의 혼합계산식은 순서대로 계산합니다.

(01~12) 계산을 하세요.

01 27−15+13=25
02 45−12+11=44
03 23−14+15=24
04 26−17+26=35
05 36−25+16=27
06 32−18+24=38
07 33−16+32=49
08 33−17+25=41
09 28−10+12=30
10 51−12+15=54
11 48−39+22=31
12 62−51+18=29

계산력 강화하기

정확하게 풀어보아요

(13~37) 계산을 하세요.

13 33−21+11
=12+11=23

14 64−32+14
=32+14=46

15 47−31+19
=16+19=35

16 79−24+26
=55+26=81

17 55−33+23
=22+23=45

18 62−15+26
=47+26=73

19 83−59+10
=24+10=34

20 87−69+12
=18+12=30

21 56−36+29
=20+29=49

22 62−29+32
=33+32=65

23 42−16+26
=26+26=52

24 33−28+32
=5+32=37

25 65−19+19
=46+19=65

26 46−23+28
=23+28=51

28 97−83+27
=14+27=41

29 96−87+33
=9+33=42

30 33−29+42
=4+42=46

31 43−27+19
=16+19=35

32 28−16+36
=12+36=48

33 72−16+19
=56+19=75

34 49−21+26
=28+26=54

35 34−17+16
=17+16=33

36 33−12+18
=21+18=39

37 48−17+23
=31+23=54

체크 Point
25번의 −19+19와 같이 같은 수를 더하고 빼면 그 결과는 0입니다. 그러므로 65−19+19=65+0=65입니다.

구조화 하기

구조화 하기를 연습하면 서술형도 쉽게 풀어요

(38~51) 빈칸을 채우세요.

38
25	−11	
14	+12	26

39
46	−22	
24	+11	35

40
41	−26	
15	+30	45

41
35	−16	
19	+27	46

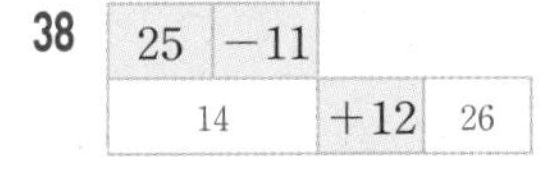

42
57	−22	
35	+19	54

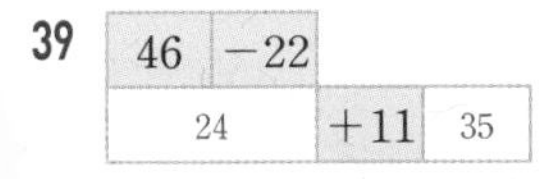

43
49	−28	
21	+13	34

44
62	−23	
39	+25	64

45
46	−22	
24	+23	47

46
51	−17	
34	+21	55

47
53	−32	
21	+32	53

48
71	−28	
43	+24	67

49
62	−33	
29	+41	70

50
65	−27	
38	+16	54

51
77	−25	
52	+19	71

사고력 확장

서술형 풀어보기

구조화 해서 풀어보아요

52 43개의 구슬이 있었는데 오늘 친구들과 구슬치기를 하여 오전에 12개를 잃고 오후에는 21개를 땄습니다. 남은 구슬은 몇 개일까요?

풀이과정
(1) (처음 구슬 개수)−(잃은 구슬 개수)
=(딴 구슬 개수)= 43 − 12 + 21 입니다.
(2) 그러므로 남은 구슬은 52 개입니다.

43	−12	
31	+21	52

(53~56) 풀이과정을 쓰고 답을 구하세요.

53 바구니에 사과가 23개 있는데 썩은 사과 12개를 빼내고 새로 15개를 넣었습니다. 바구니에는 사과가 몇 개 있을까요?
풀이 23−12+15
답 26 개

54 진호네 집에 병아리가 63마리가 있었는데 12마리가 팔려 나가고 22마리가 새로 태어났습니다. 진호네 병아리는 몇 마리 남았을까요?
풀이 63−12+22
답 73 마리

55 교실에 아이들이 25명 있습니다. 이 중에서 12명이 나가고 16명이 새로 들어왔습니다. 교실에 아이들이 몇 명 있을까요?
풀이 25−12+16
답 29 명

56 정원에 나무가 23그루 있었는데 5그루가 죽어서 뽑아내고 13그루를 더 심었습니다. 정원에는 모두 몇 그루의 나무가 있나요?
풀이 23−5+13
답 31 그루

엄마 Check 칭찬이나 노력할 점을 써 주세요.

맞힌 개수	지도 의견		확인란
개	나의 생각		

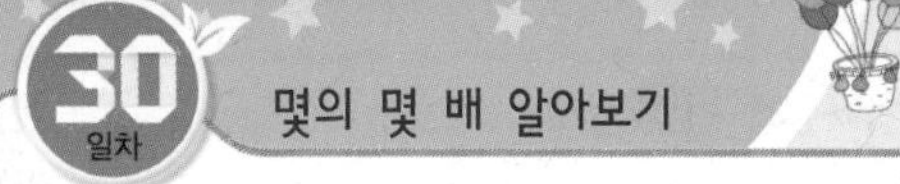

30일차 몇의 몇 배 알아보기

월 일

- △씩 ▢ 묶음은 △의 ▢배

2	2	2	2	2	2	2

(1) 2씩 7묶음은 14입니다.
(2) 2씩 7묶음은 2의 7배입니다.
(3) 2의 7배는 14입니다.

핵심 포인트

- 2+2+2+2+2+2+2=14 (2가 7묶음)

(01~05) 수박이 3개, 오렌지가 15개 있습니다. 빈칸을 채우세요.

01 오렌지는 3씩 [5] 묶음입니다.

02 3씩 5묶음은 [15] 입니다.

03 오렌지의 수는 수박의 수의 [5] 배입니다.

04 3의 [5] 배는 15입니다.

05 3의 5배는 [3] + [3] + [3] + [3] + [3] 입니다.

(06~10) 말이 4마리, 토끼가 20마리 있습니다. 빈칸을 채우세요.

06 토끼는 4씩 [5] 묶음입니다.

07 4씩 5묶음은 [20] 입니다.

08 토끼의 수는 말수의 [5] 배입니다.

09 4의 [5] 배는 20입니다.

10 4의 5배는 [4] + [4] + [4] + [4] + [4] 입니다.

계산력 강화하기

정확하게 풀어보아요

(11~20) 빈칸을 채우세요.

11
→ 2씩 [4] 묶음은 8입니다.
→ 8은 2의 [4] 배입니다.

12
→ 3씩 [3] 묶음은 9입니다.
→ 9는 3의 [3] 배입니다.

13
→ 4씩 [5] 묶음은 20입니다.
→ 20은 4의 [5] 배입니다.

14
→ 2씩 [7] 묶음은 14입니다.
→ 14는 2의 [7] 배입니다.

15
→ 6씩 [2] 묶음은 12입니다.
→ 12는 6의 [2] 배입니다.

16
→ 8씩 [4] 묶음은 32입니다.
→ 8의 [4] 배는 32입니다.

17
→ 5씩 [3] 묶음은 15입니다.
→ 5의 [3] 배는 15입니다.

18
→ 2씩 [8] 묶음은 16입니다.
→ 2의 [8] 배는 16입니다.

19
→ 9씩 [6] 묶음은 54입니다.
→ 9의 [6] 배는 54입니다.

20
→ 4씩 [3] 묶음은 12입니다.
→ 4의 [3] 배는 12입니다.

계산력 강화하기

정확하게 풀어보아요

(21~30) 빈칸을 채우세요.

21
→ 7씩 [6] 묶음은 42입니다.
→ 42는 7의 [6] 배입니다.

22
→ 9씩 [2] 묶음은 18입니다.
→ 18은 9의 [2] 배입니다.

23
→ 3씩 [8] 묶음은 24입니다.
→ 24는 3의 [8] 배입니다.

24
→ 6씩 [3] 묶음은 18입니다.
→ 18은 6의 [3] 배입니다.

25
→ 8씩 [5] 묶음은 40입니다.
→ 40은 8의 [5] 배입니다.

26
→ 5씩 [8] 묶음은 40입니다.
→ 5의 [8] 배는 40입니다.

27
→ 7씩 [4] 묶음은 28입니다.
→ 7의 [4] 배는 28입니다.

28
→ 3씩 [5] 묶음은 15입니다.
→ 3의 [5] 배는 15입니다.

29
→ 7씩 [2] 묶음은 14입니다.
→ 7의 [2] 배는 14입니다.

30
→ 5씩 [5] 묶음은 25입니다.
→ 5의 [5] 배는 25입니다.

사고력 확장

서술형 풀어보기

구조화 해서 풀어보아요

31 도희는 구슬을 3개 가지고 있고 희수는 9개 가지고 있습니다. 희수가 가진 구슬의 개수는 도희의 몇 배일까요?

풀이과정

(1) 9=3+3+[3] 이므로 3씩 [3] 묶음은 9입니다.
(2) 9는 3의 [3] 배입니다.
(3) 그러므로 희수는 도희 보다 [3] 배 많은 구슬을 가지고 있습니다.

도희	○○○		
희수	○○○	○○○	○○○

(32~35) 풀이과정을 쓰고 답을 구하세요.

32 동물원에 원숭이는 4마리 있고, 얼룩말은 20마리가 있습니다. 얼룩말의 수는 원숭이의 몇 배일까요?

풀이 4+4+4+4+4=20

답 5 배

33 식탁에 토마토가 5개 있고, 귤은 토마토의 5배가 있습니다. 귤은 몇 개일까요?

풀이 5+5+5+5+5=25

답 25 개

34 동전이 4개씩 6묶음이 있습니다. 동전은 모두 몇 개일까요?

풀이 4+4+4+4+4+4=24

답 24 개

35 지수의 나이는 9살입니다. 아버지는 지수 나이의 5배입니다. 아버지는 몇 살일까요?

풀이 9+9+9+9+9=45

답 45 살

엄마 Check 칭찬이나 노력할 점을 써 주세요.

맞힌 개수	지도 의견		확인란
개	나의 생각		

● 바나나를 3개씩 묶어보세요.

→ 바나나 15개는 3개씩 5묶음입니다.

(1) 3씩 5묶음은 15입니다.
(2) 15는 3의 5배입니다.
(3) 바나나는 모두 15개입니다.

→ 3의 5배를 3×5로 씁니다. 3×5는 '3 곱하기 5'라고 읽습니다.

핵심 포인트
- 3+3+3+3+3=15
- 3×5=15=5×3
- 3이 5묶음이면 15
- 5가 3묶음이면 15

(01~12) 빈칸을 채우세요.

01 2+2+2= 6 → 2 × 3 = 6
05 7+7+7= 21 → 7 × 3 = 21
09 4+4+4+4= 16 → 4 × 4 = 16

02 4+4+4= 12 → 4 × 3 = 12
06 9+9+9= 27 → 9 × 3 = 27
10 5+5+5+5= 20 → 5 × 4 = 20

03 5+5+5= 15 → 5 × 3 = 15
07 2+2+2+2= 8 → 2 × 4 = 8
11 7+7+7= 21 → 7 × 3 = 21

04 6+6+6= 18 → 6 × 3 = 18
08 3+3+3+3= 12 → 3 × 4 = 12
12 8+8+8+8+8= 40 → 8 × 5 = 40

계산력 강화하기

정확하게 풀어보아요

(13~30) 빈칸을 채우세요.

13 6+6+6+6= 24 → 6 × 4 = 24
19 5+5+5+5+5= 25 → 5 × 5 = 25
25 5+5+5+5+5+5= 30 → 5 × 6 = 30

14 7+7+7+7= 28 → 7 × 4 = 28
20 6+6+6+6+6= 30 → 6 × 5 = 30
26 6+6+6+6+6+6= 36 → 6 × 6 = 36

15 8+8+8+8= 32 → 8 × 4 = 32
21 7+7+7+7+7= 35 → 7 × 5 = 35
27 8+8+8= 24 → 8 × 3 = 24

16 9+9+9+9= 36 → 9 × 4 = 36
22 8+8+8+8+8= 40 → 8 × 5 = 40
28 4+4+4+4+4+4= 24 → 4 × 6 = 24

17 3+3+3+3+3= 15 → 3 × 5 = 15
23 9+9+9+9+9= 45 → 9 × 5 = 45
29 8+8+8+8+8+8= 48 → 8 × 6 = 48

18 4+4+4+4+4= 20 → 4 × 5 = 20
24 3+3+3+3+3+3= 18 → 3 × 6 = 18
30 9+9+9+9+9+9= 54 → 9 × 6 = 54

사고력 확장

구조화 하기

구조화 하기를 연습하면 서술형도 쉽게 풀어요

(31~42) 빈칸을 채우세요.

31	2×1=2	2×2=4	2×3= 6
32	3×1=3	3×2=6	3×3= 9
33	4×1=4	4×2=8	4×3= 12
34	5×1=5	5×2=10	5×3= 15
35	6×1=6	6×2=12	6×3= 18
36	7×1=7	7×2=14	7×3= 21
37	8×1=8	8×2=16	8×3= 24
38	9×1=9	9×2=18	9×3= 27
39	3×4=12	3×5=15	3×6= 18
40	4×4=16	4×5=20	4×6= 24
41	5×4=20	5×5=25	5×6= 30
42	6×4=24	6×5=30	6×6= 36

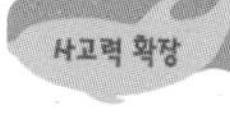

서술형 풀어보기

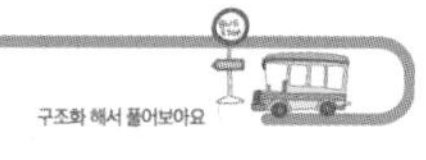

구조화 해서 풀어보아요

43 단추가 4개씩 5묶음이 있습니다. 단추는 모두 몇 개인가요?

풀이과정
(1) 4가 5번 있으면 4 × 5 = 20 입니다.
(2) 4 × 5 = 4 + 4 + 4 + 4 + 4 = 20 입니다.
(3) 그러므로 단추는 20 개 있습니다.

4×3=12	4×4=16	4×5= 20

(44~47) 풀이과정을 쓰고 답을 구하세요.

44 한 통에 7개씩 들어있는 껌이 5통 있습니다. 껌은 모두 몇 개일까요?
풀이 7×5=35
답 35 개

46 우리학교 2학년은 5개 반입니다. 한 반에 6명씩 뽑아서 합창단을 만들려고 합니다. 합창단은 모두 몇 명이 될까요?
풀이 5×6=30
답 30 명

45 우리 가족 4명이 피자를 각각 2조각씩 먹었습니다. 우리 가족이 먹은 피자는 모두 몇 조각일까요?
풀이 4×2=8
답 8 조각

47 놀이터에 세발자전거가 6대가 있습니다. 놀이터에 있는 세발자전거의 바퀴를 모두 합하면 몇 개일까요?
풀이 6×3=18
답 18 개

연마 Check 칭찬이나 노력할 점을 써 주세요.

맞힌 개수	지도 의견		확인란
개	나의 생각		

32 일차

곱셈식 알아보기 ②

월 일

- 5×4의 계산

덧셈식 $5+5+5+5=20$

곱셈식 $5\times4=20$

→ 5의 4배는 20입니다.

비교 4의 5배는 20입니다. $(4+4+4+4+4=20)$

핵심 포인트
- $5\times4=20$은 '5 곱하기 4는 20과 같습니다.'라고 읽습니다.
- 5를 4배 하면 20입니다.
- 4를 5배 하면 20입니다.
- $5\times4=20$, $4\times5=20$
- ▲×■=●이면, ■×▲=●입니다.

[01~10] 빈칸을 채우세요.

01 $7+7+7+7+7+7=$ 42
→ 7 × 6 = 42

02 $8+8+8+8+8+8=$ 48
→ 8 × 6 = 48

03 $9+9+9+9+9+9=$ 54
→ 9 × 6 = 54

04 $3+3+3+3+3+3+3=$ 21
→ 3 × 7 = 21

05 $4+4+4+4+4+4+4=$ 28
→ 4 × 7 = 28

06 $5+5+5+5+5+5+5=$ 35
→ 5 × 7 = 35

07 $6+6+6+6+6+6+6=$ 42
→ 6 × 7 = 42

08 $7+7+7+7+7+7+7=$ 49
→ 7 × 7 = 49

09 $8+8+8+8+8+8+8=$ 56
→ 8 × 7 = 56

10 $9+9+9+9+9+9+9=$ 63
→ 9 × 7 = 63

계산력 강화하기

정확하게 풀어보아요

[11~24] 빈칸을 채우세요.

11 $3+3+3+3+3+3+3+3=$ 24
→ 3 × 8 = 24

12 $4+4+4+4+4+4+4+4=$ 32
→ 4 × 8 = 32

13 $5+5+5+5+5+5+5+5=$ 40
→ 5 × 8 = 40

14 $6+6+6+6+6+6+6+6=$ 48
→ 6 × 8 = 48

15 $7+7+7+7+7+7+7+7=$ 56
→ 7 × 8 = 56

16 $8+8+8+8+8+8+8+8=$ 64
→ 8 × 8 = 64

17 $9+9+9+9+9+9+9+9=$ 72
→ 9 × 8 = 72

18 $2+2+2+2+2+2+2+2+2=$ 18
→ 2 × 9 = 18

19 $3+3+3+3+3+3+3+3+3=$ 27
→ 3 × 9 = 27

20 $4+4+4+4+4+4+4+4+4=$ 36
→ 4 × 9 = 36

21 $5+5+5+5+5+5+5+5+5=$ 45
→ 5 × 9 = 45

22 $6+6+6+6+6+6+6+6+6=$ 54
→ 6 × 9 = 54

23 $7+7+7+7+7+7+7+7+7=$ 63
→ 7 × 9 = 63

24 $8+8+8+8+8+8+8+8+8=$ 72
→ 8 × 9 = 72

사고력 확장 구조화 하기

구조화 하기를 연습하면 서술형도 쉽게 풀어요

[25~36] 빈칸을 채우세요.

25 | 2×2=4 | 2×3=6 | 2×4= 8 |

26 | 4×5=20 | 4×6=24 | 4×7= 28 |

27 | 5×5=25 | 5×6=30 | 5×7= 35 |

28 | 7×2=14 | 7×3=21 | 7×4= 28 |

29 | 9×2=18 | 9×3=27 | 9×4= 36 |

30 | 8×2=16 | 8×3=24 | 8×4= 32 |

31 | 8×5=40 | 8×6=48 | 8×7= 56 |

32 | 7×5=35 | 7×6=42 | 7×7= 49 |

33 | 3×5=15 | 3×6=18 | 3×7= 21 |

34 | 6×4=24 | 6×5=30 | 6×6= 36 |

35 | 5×4=20 | 5×5=25 | 5×6= 30 |

36 | 9×5=45 | 9×6=54 | 9×7= 63 |

서술형 풀어보기

구조화 해서 풀어보아요

37 과자가 8개씩 7묶음이 있습니다. 과자는 모두 몇 개일까요?

풀이과정

(1) 8이 7번 있으면 8 × 7 = 56 입니다.

(2) 8 × 7 = 8 + 8 + 8 + 8 + 8 + 8 + 8 = 56 입니다.

(3) 그러므로 과자는 모두 56 개입니다.

[38~41] 풀이과정을 쓰고 답을 구하세요.

38 자동차 5대에 각각 3명씩 타고 있습니다. 자동차에는 모두 몇 명이 타고 있습니까?

풀이 $5\times3=15$

답 15 명

39 연주는 연필을 4자루 가지고 있습니다. 수연이는 연주가 가진 연필 수의 3배를 가지고 있습니다. 수연이는 연필을 몇 자루 가지고 있을까요?

풀이 $4\times3=12$

답 12 자루

40 한 상자에 병이 6개씩 들어있는 ... 가 7개 있습니다. 병은 모두 몇 ... 까요?

풀이 $6\times7=42$

답 42

41 7명이 똑같이 귤을 7개씩 먹었... 다. 모두 몇 개의 귤을 먹었을까...

풀이 $7\times5=35$, $7\times6=42$, $7\times7=$...

답 49

엄마 Check 칭찬이나 노력할 점을 써 주세요.

맞힌 개수	지도 의견		확인
개	나의 생각		

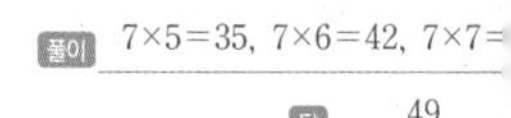